MICHAEL CONNELLY

LA CITTÀ
DELLE OSSA

Traduzione di
MARIAGIULIA CASTAGNONE

PIEMME

Titolo originale dell'opera: *City of Bones*
© 2002 Hieronymus, Inc.

ISBN 978-88-566-3925-4

Edizione speciale Smart Collection

© 2003 - EDIZIONI PIEMME Spa, Milano
www.edizpiemme.it

Stampato presso ELCOGRAF S.p.A. - Stabilimento di Cles (TN)

A John Houghton
Per l'aiuto, l'amicizia e le storie

1

LA VECCHIA SIGNORA AVEVA CAMBIATO IDEA. Non voleva più morire. Ma quando l'aveva deciso era ormai troppo tardi. Aveva conficcato le unghie nell'intonaco della parete fino a spezzarsele, poi aveva portato le mani al collo, cercando di infilarle sotto la corda. Si era rotta quattro dita dei piedi sferrando calci al muro. Tutto questo rivelava una disperata voglia di vivere, tanto che Harry Bosch si chiese cosa l'avesse spinta a suicidarsi. Perché il gusto della vita l'aveva abbandonata, per ripresentarsi solo al momento in cui aveva infilato la testa nel nodo scorsoio e aveva fatto cadere la sedia?

Era una domanda che non avrebbe scritto nel suo rapporto, ma non poté fare a meno di porsela mentre se ne stava in macchina fuori dalla Casa di Riposo sul Sunset Boulevard, a est della Hollywood Freeway. Erano le quattro e venti del pomeriggio del primo dell'anno quando l'avevano convocato. Bosch era in vacanza, con possibilità di essere reperito.

La giornata era quasi finita e il motivo della convocazione erano due suicidi, uno con arma da fuoco e l'altro per impiccagione. Entrambe le vittime erano donne, e in entrambi i casi il motivo era lo stesso. Solitudine e disperazione. Il primo dell'anno era un gran giorno per i suicidi. Mentre la maggior parte della gente accoglieva il nuovo inizio con un

7

senso di speranza e di rinnovamento, c'erano altri che lo consideravano il momento ideale per farla finita, rendendosi conto troppo tardi del loro errore, come era successo alla vecchia signora.

Bosch alzò gli occhi e, attraverso il finestrino, guardò il corpo dell'ultima vittima che, coperto con un lenzuolo verde, veniva caricato sul furgone del medico legale. Vide che all'interno c'era già una barella con un altro corpo, evidentemente quello della vittima precedente, un'attrice di trentaquattro anni che si era sparata in macchina in un punto panoramico sul Mulholland Drive.

Il suo cellulare squillò e lui accolse con sollievo quell'intrusione, che lo distoglieva dal pensare a quelle morti senza ragione. Era Mankiewicz, il sergente di guardia alla Divisione Hollywood del Dipartimento di Polizia di Los Angeles.

«A che punto sei?»

«Me ne sto andando.»

«Che roba era?»

«Una suicida pentita. C'è dell'altro?»

«Sì. Ma non mi sembra il caso di parlarne per radio. Dev'essere una giornata morta per i cronisti, ho ricevuto più telefonate dai giornali che chiamate di servizio. Si sono fiondati tutti sul primo suicidio, quello dell'attrice, a Mulholland. Normale, la storia della fine di un sogno hollywoodiano. E probabilmente, se ne fossero informati, si butterebbero anche su quest'ultima faccenda.»

«Di che cosa si tratta?»

«Un tizio, su a Laurel Canyon, ha appena chiamato dicendo che il suo cane è tornato da una corsa nei boschi con un osso in bocca. Sostiene che si tratta di un osso umano, quello del braccio di un bambino.»

Bosch si lasciò andare a una sorta di grugnito. In un anno ne capitavano tre o quattro di chiamate di quel tipo. All'eccitazione iniziale seguiva immancabilmente la spiegazione più semplice, e cioè che le ossa appartenevano a un animale.

Attraverso il finestrino salutò i due inservienti dell'ufficio del medico legale, che si stavano dirigendo verso le portiere anteriori del furgone.

«Harry, so cosa stai pensando. Un'altra maledetta corsa per niente. Sarà successo un centinaio di volte ed è sempre la stessa solfa. Coyote, cervo, e via dicendo. Ma stavolta il tizio che ha chiamato è un medico e sostiene di non avere dubbi. Anzi, secondo lui si tratta di un omero, la parte superiore del braccio. E appartiene a un bambino. Non è finita, ha detto anche...»

Ci fu un attimo di silenzio mentre Mankiewicz scorreva i suoi appunti. Bosch guardò il furgone azzurro del medico legale che si immetteva nel traffico. Quando Mankiewicz riprese a parlare, capì che stava leggendo.

«L'osso presenta una frattura ben visibile immediatamente sopra l'epicondilo mediano, qualsiasi cosa voglia dire.»

Bosch irrigidì la mascella e sentì una leggera corrente, una sorta di scossa elettrica, percorrergli la nuca.

«Il punto è che, secondo il tizio che ha chiamato, si tratta di un bambino. Harry, puoi andare a controllare?»

«Qual è l'indirizzo?»

Mankiewicz glielo diede e aggiunse che sul luogo aveva già mandato una pattuglia.

«Hai fatto bene a non parlarne per radio. Tieni la faccenda per te.»

Mankiewicz lo rassicurò. Bosch chiuse il telefono e avviò il motore. Prima di partire, lanciò un'ultima occhiata alla Casa di Riposo. Secondo il personale dell'istituto, la donna che si era impiccata nello sgabuzzino della sua modesta camera da letto non aveva parenti. Avrebbe ricevuto da morta lo stesso trattamento di cui aveva goduto in vita. Solitudine e oblio.

Si allontanò, diretto verso Laurel Canyon.

2

MENTRE RISALIVA IL CANYON verso Wonderland Avenue, Bosch ascoltò alla radio la partita dei Lakers. Non era un fanatico del basket professionista, ma voleva sapere come stavano andando le cose, nel caso in cui avesse avuto bisogno del suo partner, Jerry Edgar. Edgar aveva avuto la fortuna di trovare un paio di ottimi posti per la partita. Bosch gli aveva promesso che se la sarebbe sbrigata da solo per le chiamate di ordinaria amministrazione e che l'avrebbe lasciato in pace, a meno che non si fosse verificato qualcosa che avesse reso necessaria la sua presenza. Non poteva più contare nemmeno su Kizmin Rider, il terzo membro della squadra, che un anno prima era stata promossa alla Divisione Rapine-Omicidi e non era ancora stata sostituita.

La partita era più o meno a metà ed era molto combattuta. Nonostante non fosse un tifoso, dall'insistenza con cui Edgar l'aveva pregato di lasciarlo fuori aveva capito che si trattava di un match importante, contro una delle principali squadre rivali. Decise di non chiamarlo finché non fosse arrivato sul luogo del ritrovamento e si fosse reso conto della situazione. Man mano che si addentrava nel canyon la ricezione divenne pessima, e Bosch spense la radio.

La strada saliva ripida. Laurel Canyon era come una ferita nelle Santa Monica Mountains e le vie che si staccavano dalla linea centrale si inerpicavano lateralmente verso la cresta montuosa. Wonderland Avenue terminava in un punto remoto dove le case da mezzo milione di dollari erano circondate da fitti boschi che crescevano lungo un'erta scoscesa. Bosch aveva la netta sensazione che cercare delle ossa in quella zona sarebbe stato un incubo. Si fermò dietro un'auto di pattuglia all'indirizzo che Mankiewicz gli aveva dato e guardò l'orologio: erano le quattro e quarantotto. Riportò l'ora sul suo taccuino. Tra non molto sarebbe stato buio.

Un agente di pattuglia che non conosceva gli aprì la porta. Era una donna e dalla targhetta di identificazione vide che si chiamava Brasher. Lo precedette all'interno della casa verso una sorta di studio dove il suo partner, un certo Edgewood, stava parlando con un uomo dai capelli bianchi, seduto dietro una scrivania ingombra. Sul piano c'era una scatola da scarpe senza il coperchio.

Bosch si presentò. L'uomo con i capelli bianchi si chiamava Paul Guyot ed era un medico generico. Bosch si protese e vide che nella scatola era riposto l'osso che li aveva condotti lì. Era marrone scuro, simile a un rametto nodoso.

Accucciato a terra, accanto alla sedia del dottore, c'era un cane di grossa taglia con il pelo giallo. «Dunque è questo» disse Bosch, tornando a guardare nella scatola.

«Sì, detective, quello è il suo osso» rispose Guyot. «Ora le faccio vedere...»

Allungò un braccio verso lo scaffale dietro la scrivania e prese un libro voluminoso. Era un trattato di anatomia, che il medico aprì a una pagina contrassegnata in precedenza. Bosch notò che indossava dei guanti di gomma.

La pagina riportava l'illustrazione di un osso, visto frontalmente e lateralmente. In un angolo c'era il disegno di uno scheletro, su cui erano evidenziati gli omeri di entrambe le braccia.

«Ecco qui» disse Guyot, indicando con il dito. «E questo è quello che abbiamo trovato.»

Infilò la mano nella scatola da scarpe e ne estrasse con cautela l'osso. Accostandolo all'illustrazione, si lanciò in un accurato esame comparativo.

«Epicondilo mediano, troclea, tubercoli maggiori e minori. Come accennavo prima ai due agenti, so quello che dico, anche senza bisogno del manuale. Questo è un osso umano, detective. Non ci sono dubbi.»

Bosch lo scrutò. Il suo viso era percorso da un leggero tremore, forse il primo indizio del morbo di Parkinson.

«È in pensione, dottore?»

«Sì, ma questo non vuol dire che io non sappia più riconoscere un osso...»

«Non intendevo mettere in dubbio le sue capacità» intervenne Bosch, cercando di sorridere. «Mi fido. Volevo solo definire un paio di cose. Può rimetterlo nella scatola se vuole.»

Guyot ripose l'osso.

«Qual è il nome del cane?»

«È una femmina e si chiama Calamity.»

Bosch posò lo sguardo sull'animale. Sembrava che dormisse.

«Quando era cucciolo ne combinava di tutti i colori. Ecco perché l'ho chiamata così.»

Bosch annuì.

«Mi dispiace doverglielo chiedere, ma vorrei che mi ripetesse che cosa è successo oggi.»

Guyot abbassò una mano e si mise ad arruffare il pelo del cane.

Calamity alzò la testa per guardarlo, ma dopo un attimo tornò a posarla sulle zampe e chiuse gli occhi.

«L'ho portata a fare il suo giretto pomeridiano. Di solito quando arrivo alla rotonda le tolgo il guinzaglio e la lascio correre nei boschi. È una cosa che adora.»

«Di che razza è?» chiese Bosch.

«Un Labrador» intervenne Brasher da dietro le sue spalle. Bosch si voltò a guardarla. Lei si rese conto di aver commesso un errore e indietreggiò con un cenno del capo verso la porta della stanza, dov'era rimasto il suo partner.

«Ragazzi, potete anche andare se avete altre chiamate» disse Bosch. «Subentro io.»

Edgewood annuì e fece cenno alla Brasher di uscire.

«Grazie, dottore» gli disse avviandosi verso la porta.

«Ehi, ragazzi» li richiamò Bosch.

I due poliziotti si voltarono.

«Questa faccenda deve restare riservata, ci siamo capiti?»

«Perfettamente» rispose la Brasher, piantando gli occhi nei suoi finché Bosch non distolse lo sguardo.

Quando uscirono, tornò a rivolgersi al dottore e notò che il tremito si era lievemente accentuato.

«Nemmeno loro mi hanno creduto all'inizio» disse.

«Il guaio è che riceviamo un mucchio di telefonate come la sua. Ma io le credo, dottore. E adesso perché non finisce di raccontarmi la sua storia?»

Guyot annuì.

«Be', le ho tolto il guinzaglio e lei è sparita di corsa nel bosco come al solito. È bene addestrata, torna sempre quando fischio. Il problema è che non riesco più a fischiare come una volta. Se è troppo lontana per sentirmi, non posso far altro che aspettare.»

«Che cosa è successo quando ha trovato l'osso?»

«È successo che ho fischiato, ma lei non è tornata.»

«Il che significa che doveva essersi allontanata parecchio.»

«Già. Ho continuato a fischiare finché l'ho vista sbucare dal folto degli alberi. In bocca aveva l'osso. All'inizio ho pensato che si trattasse di un rametto, ma quando si è avvicinata ho riconosciuto la forma. Glielo ho tolto di bocca... è stata una bella lotta, le assicuro. Poi, dopo averlo esaminato, vi ho chiamati.»

«Nella sua telefonata ha detto al sergente che l'osso aveva una frattura.»

«È esatto.»

Guyot prese l'osso, maneggiandolo con cura. Lo voltò e fece scorrere il dito lungo una striatura verticale ben visibile sulla superficie.

«Questa è la linea di rottura, detective.»

«Vedo.» Bosch indicò la scatola e il dottore tornò a deporvi l'osso.

«Dottore, le spiace mettere il guinzaglio al cane e tornare con me alla rotonda?»

«Tutt'altro. Devo solo cambiarmi le scarpe.»

«Anch'io ho bisogno di cambiarmi. Incontriamoci davanti alla casa.»

«D'accordo.»

«Questa la prendo io» disse Bosch, mettendo il coperchio alla scatola e sollevandola con entrambe le mani, per evitare di scuotere il contenuto

Una volta fuori, Bosch notò che l'auto di pattuglia non si era ancora mossa. I due agenti erano seduti all'interno, apparentemente intenti a scrivere il loro rapporto. Bosch si diresse verso la sua auto e posò la scatola sul sedile anteriore, accanto al posto di guida.

Visto che era stato assegnato al servizio esterno, al posto di un completo aveva preferito indossare una giacca sportiva, i jeans e una camicia di cotone bianco. Si tolse la giacca, la piegò e la mise sul sedile posteriore. Notò che il grilletto della pistola che teneva abitualmente sul fianco aveva lacerato la fodera. Presto avrebbe finito per bucare anche la tasca e a quel punto la giacca sarebbe stata da buttare. Peccato, perché era quasi nuova. A differenza degli altri, le sue giacche si rovinavano sempre all'interno.

Si tolse anche la camicia, sotto la quale portava una t-shirt bianca. Poi aprì il baule per prendere gli stivali da lavoro dalla borsa in cui teneva l'attrezzatura che gli serviva quando doveva recarsi sulla scena di un crimine. Mentre si cambiava le scarpe, appoggiato al paraurti posteriore, vide Julia Brasher smontare dall'auto e dirigersi verso di lui.

«A quanto pare non si tratta di una bufala.»

«Già. Comunque bisognerà aspettare la conferma del medico legale.»

«Vai a dare un'occhiata?»

«Ci provo, anche se non c'è più molta luce. È probabile che debba tornare domani.»

«A proposito, sono Julia Brasher. Sono arrivata da poco alla Divisione.»

«E io sono Harry Bosch.»

«Lo so. Ho sentito parlare di te.»

«Nego qualsiasi addebito.»

Lei sorrise e gli tese la mano. Bosch, che si stava allacciando le stringhe di uno stivale, dovette interrompersi per stringergliela.

«Scusami» gli disse lei. «Oggi non ne faccio una giusta.»

«Non è grave.»

Finì di allacciarsi lo stivale e si rialzò.

«Mi dispiace di essere stata inopportuna, prima. Ho capito subito che stavi cercando di stabilire un rapporto con il dottore. Avrei fatto meglio a tenere la bocca chiusa.»

Bosch la studiò per un istante. Doveva essere sui trentacinque anni e aveva i capelli scuri raccolti in una treccia che le ricadeva sulla nuca. Gli occhi erano marroni e la pelle abbronzata, tipica di chi faceva vita all'aria aperta.

«Non preoccuparti, non è successo niente.»

«Sei da solo?»

Bosch ebbe un attimo di esitazione.

«Il mio partner è impegnato in un'altra indagine.»

Vide il dottore che usciva di casa con il cane al guinzaglio. Decise di non indossare la tuta che si metteva abitualmente sulla scena di un crimine. Lanciò un'occhiata a Julia Brasher che stava osservando il cane.

«Non avete altre chiamate?» le disse.

«No, è una giornata tranquilla.»

Nella borsa, Bosch vide la sua torcia MagLite. Afferrò uno

straccio dal fondo del bagagliaio e glielo buttò sopra. Poi prese un rotolo di nastro adesivo giallo e la Polaroid e si voltò verso la donna.

«Potresti prestarmi la torcia? Mi sono accorto di aver dimenticato la mia.»

«Ma certo.»

Lei la sfilò da un anello che portava alla cintura e gliela porse.

In quel momento vennero raggiunti dal dottore.

«Siamo pronti.»

«Bene. Dovrebbe condurmi al punto esatto in cui ha lasciato libero il cane. Voglio vedere che direzione prende.»

«Non credo che riuscirà a tenerle dietro.»

«Lasci fare a me.»

«Andiamo, allora.»

Risalirono la strada fino alla piccola rotonda al termine di Wonderland Avenue. Julia Brasher segnalò al suo collega che li avrebbe accompagnati.

«Sapete, un paio d'anni fa abbiamo già avuto un bel po' di trambusto da queste parti» raccontò Guyot. «Un tizio che veniva dall'Hollywood Bowl è stato seguito fino a casa, poi rapinato e ucciso.»

«Mi ricordo» disse Bosch.

L'indagine era ancora in corso, ma lui preferì non parlarne. Il caso non era suo.

Il dottor Guyot procedeva a un passo molto baldanzoso per la sua età e le sue condizioni di salute. Teneva dietro al cane, precedendo di poco Bosch e Julia Brasher.

«Dove eri prima?» le chiese Bosch.

«Cosa vuoi dire?»

«Hai detto di essere appena arrivata alla Divisione Hollywood. E prima?»

«Oh, frequentavo l'Accademia.»

Ne fu sorpreso. La guardò, pensando di essersi sbagliato ad attribuirle l'età.

Lei annuì e commentò: «Lo so, sono vecchia».

Bosch provò un attimo di imbarazzo.

«Non intendevo dire questo. Pensavo semplicemente che venissi da un'altra Divisione. Non mi sembravi una recluta.»

«Sono entrata in Accademia che avevo già trentaquattro anni.»

«Caspita! Non succede spesso.»

«Già. È stata una vocazione tardiva.»

«E prima cosa hai fatto?»

«Un mucchio di cose. Fondamentalmente ho viaggiato. Mi ci è voluto un po' per capire cosa volevo fare da grande. Sai quello che mi piacerebbe?»

«Cosa?»

«Lavorare alla Omicidi, come te.»

Bosch ebbe un attimo di incertezza. Non sapeva se incoraggiarla o dissuaderla.

«Be', buona fortuna» disse poi.

«Non è una grande soddisfazione, togliere di mezzo la feccia della società?»

«Be', penso di sì. Quando ci si riesce.»

Raggiunsero il dottor Guyot, che si era fermato con il cane alla rotonda.

«È questo il posto?»

«Sì. È qui che le ho tolto il guinzaglio. È entrata nel bosco in quel punto.»

Indicò una spianata piena di erbacce che, dopo un primo tratto a livello della strada, si inerpicava ripida verso la cima della collina. Era attraversata da un ampio canale di scolo, il che spiegava perché non ci fossero costruzioni. Il terreno era proprietà del comune e veniva utilizzato per incanalare l'acqua piovana, evitando così che danneggiasse le case. Un tempo molte delle strade del canyon erano state delle fiumane. Se non fosse stato per quel sistema di drenaggio, nei periodi di pioggia intensa sarebbero tornate alle loro antiche origini.

«Ha intenzione di salire?» domandò il dottore.

«Vorrei provarci.»

«Vengo con te» disse la Brasher.

Bosch la guardò, poi si voltò, sentendo arrivare una macchina. Era l'auto di pattuglia. Si fermò accanto a loro ed Edgewood abbassò il finestrino.

«Abbiamo una chiamata urgente. Marito e moglie si stanno cavando gli occhi.»

Indicò con un cenno del capo il sedile vuoto accanto al suo. Julia Brasher aggrottò la fronte, poi si voltò verso Bosch.

«Odio le liti in famiglia.»

Bosch sorrise. Anche lui le odiava, soprattutto quando culminavano in un omicidio.

«Mi dispiace.»

«Sarà per un'altra volta.»

Lei si avviò per raggiungere il suo posto.

«Ehi, sarà meglio che tu la prenda» disse Bosch, tendendole la MagLite.

«Ne ho un'altra in macchina. Me la restituirai in seguito.»

«Sei sicura?»

Fu tentato di chiederle il numero di telefono, ma si trattenne.

«Certo. Buona fortuna.»

«Anche a te.»

Lei gli sorrise e accelerò il passo. Si sedette e l'auto partì. Bosch tornò a concentrarsi su Guyot e sul cane.

«È una donna attraente» osservò il dottore.

Bosch non rispose, chiedendosi se Guyot avesse fatto quel commento per compiacerlo. Si augurò che quello che provava non fosse così evidente.

«Bene, dottore. Ora lasci andare il cane e io cercherò di tenergli dietro.»

Guyot slacciò il guinzaglio, strofinando il dorso dell'animale.

«Su» lo incitò. «Corri a prendere l'osso!»

Questi schizzò verso il bosco, sparendo prima che Bosch riuscisse a muovere un passo.

«Adesso capisco, è veloce come una scheggia» commentò ridendo.

Si voltò per controllare che l'auto di pattuglia se ne fosse andata e Julia Brasher non avesse assistito alla scena.

«Vuole che fischi per farla tornare?»

«No. Vado a dare un'occhiata. Chissà che non riesca a raggiungerla.»

Accese la torcia e si avviò.

3

ANCHE SE IL SOLE non era ancora tramontato, il bosco era immerso nel buio. I pini di Monterey creavano una sorta di soffitto frondoso che impediva alla luce di penetrare. Servendosi della torcia, Bosch risalì la collina verso il punto in cui aveva sentito il cane muoversi nei cespugli. Procedeva lentamente e con difficoltà. Il terreno era coperto da uno spesso strato di aghi che cedevano sotto i suoi passi, ostacolando il cammino. Per tenersi in piedi doveva aggrapparsi ai rami più vicini, e ben presto si ritrovò con le mani appiccicose di resina.

Gli ci vollero quasi dieci minuti per percorrere una cinquantina di metri. A un tratto il terreno si fece quasi pianeggiante e gli alberi diradarono, lasciando filtrare la luce. Bosch si guardò attorno in cerca del cane, ma non riuscì a vederlo.

«Dottor Guyot, mi sente?» gridò in direzione della strada.

«Sì, dica pure.»

«Richiami il cane.»

Udì un fischio modulato. Era chiaro, ma molto debole, e stentava a farsi strada nel folto degli alberi, esattamente come la luce, poco prima. Bosch provò a ripeterlo e dopo qualche tentativo fu certo di imitarlo perfettamente. Ma il cane non comparve.

Allora riprese a camminare, restando sulla spianata. Pensò che se qualcuno avesse seppellito o abbandonato un corpo, l'avrebbe fatto su un terreno pianeggiante piuttosto che su un pendio ripido. Seguendo la linea di minor resistenza, si inoltrò in un boschetto di acacie. E qui arrivò subito in un punto dove la terra era stata smossa di recente. Sembrava che fosse stata scavata dalle zampe di un animale. Rimosse con il piede parte del terriccio e dei ramoscelli, poi si rese conto che si trattava di ben altro.

Si mise in ginocchio e illuminò con la torcia le piccole ossa scure disseminate intorno. Quello che vedeva erano le dita smembrate di una mano, almeno così gli parve. Una mano piccola. La mano di un bambino.

Si rialzò, rendendosi conto che la presenza di Julia l'aveva distratto. Non aveva portato niente per raccogliere le ossa. Se le avesse toccate così, senza precauzioni, avrebbe violato le norme più elementari della raccolta delle prove.

La Polaroid gli pendeva dal collo, appesa a una stringa. La impugnò e inquadrò le ossa da vicino. Poi fece un passo indietro e scattò una foto della zona sotto le acacie.

Udì in lontananza il debole fischio del dottor Guyot. Prese il nastro adesivo giallo che serviva a circoscrivere la scena del crimine, ne legò un pezzo attorno al tronco di un'acacia e delimitò l'area facendolo scorrere attorno agli alberi.

Per ritrovare facilmente il luogo decise di lasciare una sorta di segnale aereo, riconoscibile anche dall'alto. Uscì dal boschetto di acacie e si guardò attorno. Vide lì accanto un cespuglio di salvia selvatica, che avvolse più volte con il nastro giallo.

Quando finì, era quasi buio. Lanciò un'altra rapida occhiata attorno, pur sapendo che alla luce della torcia non avrebbe notato niente e che comunque la zona avrebbe dovuto essere esaminata con cura il mattino seguente. Con il temperino che era appeso all'anello delle chiavi tagliò dei pezzi di nastro giallo di uguale lunghezza e, mentre tornava, li legò a intervalli regolari attorno ai rami bassi e ai cespugli.

A un certo punto cominciò a sentire le voci che provenivano dalla strada, e se ne servì per mantenere la direzione. Improvvisamente il terreno soffice cedette e lui scivolò e cadde, finendo contro il tronco di un albero. Nell'urto si strappò la t-shirt all'altezza del torace, lacerandosi la pelle.

Rimase immobile per un po', paralizzato dal dolore. Stentava a respirare e pensò di essersi rotto le costole. Poi si rialzò a fatica, appoggiandosi al tronco e riprese a camminare, continuando a seguire le voci.

Quando raggiunse la strada, vide che il dottor Guyot lo aspettava con il cane e un altro uomo. I due lo guardarono preoccupati, notando il sangue sulla maglietta.

«Mio Dio, cosa è successo?» esclamò Guyot.

«Niente di grave. Sono caduto.»

«C'è del sangue sulla maglietta!»

«Sono i rischi del mestiere.»

«Mi lasci dare un'occhiata.»

Il dottore si avvicinò, ma Bosch lo trattenne con un gesto della mano.

«Va tutto bene. E lui chi è?»

«Sono Victor Ulrich» rispose l'altro. «Abito qui.» E indicò una casa vicina alla spianata. Bosch annuì.

«Sono uscito a vedere cosa succedeva.»

«Per adesso non succede niente. Ma su nel bosco c'è la scena di un crimine. Probabilmente non torneremo fino a domani mattina, ma vi prego di non avvicinarvi e di non parlare con nessuno della faccenda. Siamo d'accordo?»

I due risposero di sì.

«Lei, dottore, dovrà tenere il cane al guinzaglio per un paio di giorni. Ora devo tornare alla macchina per fare una telefonata. Signor Ulrich, penso che domani avremo bisogno di parlarle. La troveremo a casa?»

«Certo, venite quando volete. Ci lavoro, a casa.»

«Che lavoro fa?»

«Lo scrittore.»

«D'accordo, ci vediamo domani.»

Bosch si incamminò lungo la strada in compagnia di Guyot.

«Sarebbe meglio che dessi un'occhiata alla ferita» insisté questi.

«Non c'è da preoccuparsi, andrà a posto.»

Mentre passavano davanti a una casa, Bosch vide con la coda dell'occhio che la tendina di una finestra veniva rapidamente accostata.

«Da come cammina, direi che ha una costola rotta» osservò Guyot. «Forse anche più di una.»

Bosch pensò alle ossa minuscole che aveva appena visto sotto le acacie.

«Anche se fosse rotta, non ci sarebbe niente da fare» disse.

«Posso fasciarle il torace. L'aiuterebbe a respirare. Anche la ferita ha bisogno di essere medicata.»

«D'accordo, dottore» disse Bosch, cedendo alle insistenze. «Vado a prendere una camicia pulita.»

Qualche istante dopo, in casa, il dottore ripulì il taglio profondo e gli fece una fasciatura. Andava meglio, ma faceva ancora male. Guyot disse che non era più autorizzato a prescrivergli dei farmaci, ma che un'aspirina sarebbe stata sufficiente.

Bosch si ricordò che a casa aveva ancora alcune compresse di un antidolorifico che aveva preso qualche mese prima, quando gli avevano tolto un dente del giudizio. L'avrebbero aiutato a tenere a bada il dolore.

«Andrà tutto bene» disse. «Grazie dell'aiuto.»

«Si figuri.»

Bosch si infilò la camicia pulita e guardò Guyot che chiudeva la borsa del pronto soccorso. Si chiese quanto tempo fosse passato dall'ultima volta che il dottore si era preso cura di un paziente.

«È da molto che è in pensione?» gli domandò.

«Quasi un anno.»

«Le manca il suo lavoro?»

Guyot si voltò a guardarlo. Il tremito era scomparso.

«Di continuo. Non tanto il mio mestiere di medico, quanto il fatto di lavorare. È il lavoro in sé che fa la differenza, ed è di questo che sento la mancanza.»

Bosch pensò al modo in cui, poco prima, Julia Brasher aveva parlato del suo desiderio di entrare alla Omicidi, e annuì, in segno di comprensione.

«Ha detto che su nel bosco c'è la scena di un crimine» osservò il dottore.

«Sì. Ho trovato delle altre ossa. Devo fare una telefonata, per decidere come intendiamo procedere. Posso usare il suo telefono? Ho paura che il cellulare non funzioni qui nel canyon.»

«È così. C'è un telefono sulla scrivania, se ne serva pure. Io vado di là, così potrà parlare in pace.»

Uscì, portando con sé il kit del pronto soccorso. Bosch girò attorno alla scrivania e si sedette. Per terra, accanto alla sedia, era accucciato il cane. L'animale lo guardò, quasi stupito che qualcuno si fosse sistemato al posto del suo padrone.

«Calamity» disse Bosch. «Oggi sei stata all'altezza del tuo nome.»

Poi le strofinò il pelo, sulla collottola. Il cane ringhiò e Bosch ritirò in fretta la mano, chiedendosi se fosse stato addestrato così o se era lui a non esserle simpatico.

Sollevò il ricevitore e chiamò a casa il suo supervisore, il tenente Grace Billets. Le raccontò cosa era successo a Wonderland Avenue e quello che aveva trovato sulla collina.

«Secondo te, da quanto tempo sono lì quelle ossa?» gli chiese lei. Bosch guardò la Polaroid che aveva scattato a distanza ravvicinata. Era una foto sovraesposta, troppo sbiadita per essere utile.

«Non lo so, a me sembrano lì da un pezzo. Da anni, direi.»

«D'accordo. Quindi, di qualunque cosa si tratti, non è un fatto recente.»

«Già. Di recente c'è solo la scoperta.»

«È quello che sto dicendo. Il che significa che possiamo aspettare domani. Qualsiasi cosa ci sia in quel bosco, non sparirà stanotte.»

«Sono convinto anch'io» disse Bosch.

La donna rimase in silenzio per un attimo.

«Harry, i casi di questo tipo prosciugano il budget» riprese. «Assorbono un sacco di energie e sono i più difficili da risolvere, sempre che ci si riesca.»

«D'accordo. Tornerò su e ricoprirò le ossa. Dirò al dottore di fare in modo che il suo cane non vada più a scorrazzare là in cima.»

«Avanti, Harry, sai benissimo cosa voglio dire.» Tirò un profondo sospiro. «È il primo dell'anno e siamo già nei guai.»

Bosch rimase in silenzio, lasciandola a rimuginare sui suoi problemi amministrativi. Lei si riprese rapidamente.

«Bene. È successo altro?»

«Poca roba. Un paio di suicidi, almeno fino ad adesso.»

«A che ora cominci domani?»

«Penso di mettermi in moto piuttosto presto. Farò qualche telefonata per vedere cosa riesco a organizzare. Ma prima voglio avere i risultati degli esami sull'osso.»

«D'accordo, fammi sapere.»

Bosch la salutò e riattaccò. Poi chiamò Teresa Corazón, il medico legale della contea. Nonostante la loro relazione si fosse conclusa anni prima e lei avesse cambiato casa almeno due volte, il suo numero era sempre lo stesso e Bosch lo conosceva a memoria. Le spiegò cosa era successo e le disse che, prima di muoversi, doveva avere la conferma ufficiale che si trattasse di un osso umano. In caso affermativo, avrebbe avuto bisogno al più presto di una squadra di archeologi sulla scena del crimine.

Teresa lo mise in attesa per cinque minuti buoni.

«Non sono riuscita a trovare Kathy Kohl» gli disse, riprendendo la linea. «Non era a casa.»

Kathy Kohl era il capo della squadra. Si era specializzata nel recupero di ossa nel deserto, nella parte settentrionale della contea, un evento che si verificava praticamente una volta alla settimana. Era naturale che fosse lei a guidare le ricerche nel bosco vicino a Wonderland Avenue.

«Dimmi cosa devo fare, allora. Vorrei avere una conferma entro domattina.»

«Abbi pazienza, Harry. Sei sempre così precipitoso. Come un cane con l'osso, se mi permetti la battuta.»

«Teresa, si tratta di un bambino. Non possiamo cercare di essere seri, per una volta?»

«Vieni qui. Gli darò un'occhiata io.»

«Cosa mi dici per domani?»

«Vedrò di organizzare tutto. Ho lasciato un messaggio nella segreteria telefonica di Kathy, e appena finiamo di parlare chiamerò il suo ufficio e la farò cercare. Cominceremo presto, ma dovremo aspettare che ci sia luce a sufficienza. Una volta recuperate le ossa, farò venire un antropologo legale dell'UCLA, che è anche un nostro consulente, poi arriverò anch'io. Soddisfatto?»

Bosch rimase in silenzio.

«Teresa» riprese dopo qualche attimo. «Vorrei che non si facesse troppa pubblicità attorno a questa storia, se è possibile.»

«Cosa vuoi dire?»

«Che forse preferirei che il medico legale della contea non fosse presente. È da un pezzo che non ti vedo sul luogo di un delitto senza un cameraman al seguito.»

«Harry, è il mio modo di lavorare. Quello che riprende il

cameraman viene controllato e utilizzato unicamente da *me*. Non finisce nei telegiornali della sera.»

«Comunque sia, vorrei evitare qualunque complicazione. La vittima è un bambino. Sai anche tu come si scatenano i media in casi del genere.»

«Allora sbrigati a venire. Devo uscire tra un'ora.»

E riappese bruscamente.

Bosch avrebbe voluto essere un po' più diplomatico, ma era contento di aver messo le cose in chiaro. Corazón era una personalità nel suo campo e veniva regolarmente invitata in televisione in qualità di esperta. Aveva preso l'abitudine di farsi seguire da un cameraman ogni volta che si recava sulla scena di un crimine, così i suoi casi venivano regolarmente trasformati in documentari da proiettare sulle molte reti satellitari che si occupavano di processi. Ma lui non intendeva permettere che le sue ambizioni personali interferissero con l'indagine.

Decise che avrebbe telefonato ai Servizi Speciali e alle unità K-9 una volta che avesse avuto le conferme che gli servivano. Uscì dalla stanza e andò a cercare Guyot.

Il dottore era seduto a un tavolino, in cucina, e stava scrivendo su un taccuino a spirale. Sentendolo entrare, alzò gli occhi a guardarlo.

«Sto prendendo qualche appunto sulla visita che le ho fatto. Ero abituato a tenere un archivio aggiornato di tutte le terapie, paziente per paziente.»

Bosch si limitò ad annuire, anche se gli sembrava strano che Guyot fosse così fiscale. Dopotutto era stata una visita informale.

«Dottore, devo andare. Torneremo domani in forze ed è possibile che ci serva di nuovo l'intervento del suo cane. La troveremo a casa?»

«Ci sarò e sarò felice di collaborare. Come vanno le costole?»

«Fanno male.»

«Solo quando respira, però. Il dolore durerà circa una settimana.»

«Grazie di essersi dato tanta cura. Non vuole indietro la sua scatola, vero?»

«No, ora meno che mai.»

Bosch si voltò, diretto alla porta, poi si girò di nuovo, come per un ripensamento.

«Dottore, lei vive da solo?»

«Adesso sì. Mia moglie è morta due anni fa, un mese prima di festeggiare le nozze d'oro.»

«Mi dispiace.»

«Mia figlia abita a Seattle con la famiglia» continuò Guyot. «Li vedo di rado, solo nelle occasioni speciali.»

Bosch fu tentato di chiedergli perché non si incontrassero più spesso, poi lasciò perdere. Lo ringraziò di nuovo e se ne andò.

Mentre usciva dal canyon, diretto a Hancock Park, dove abitava Teresa Corazón, appoggiò la mano sulla scatola perché non venisse sballottata o scivolasse dal sedile. Si sentiva profondamente inquieto. La giornata non era stata generosa con lui. Gli era capitato il peggior tipo di caso possibile, l'omicidio di un bambino.

4

TERESA CORAZÓN VIVEVA IN UNA VILLA di stile mediterraneo
con un viale d'accesso in pietra e un giardino, completo di
vasca per i pesci. Otto anni prima, al tempo della loro breve
relazione, la casa di Teresa era stata un appartamentino di
due stanze in un condominio. La fama e le sue molte appa-
rizioni televisive le avevano procurato i soldi per pagarsi la
nuova abitazione e lo stile di vita che comportava. In lei non
c'era quasi più niente della donna che si presentava a casa
sua verso mezzanotte, senza preavviso, con una bottiglia di
vino rosso scadente e una cassetta del suo film preferito da
guardare in compagnia. Una donna dall'ambizione sconfi-
nata, ma non ancora avvezza a usare la sua posizione per
arricchirsi.

Bosch sapeva di ricordarle quello che era stata e ciò che
aveva perso in cambio di altri vantaggi. Non c'era da stupirsi che i loro rapporti fossero pressoché inesistenti e, se proprio non potevano evitare di vedersi, i loro incontri erano
piacevoli quanto una visita dal dentista.

Parcheggiò sul viale e scese dall'auto con la scatola da
scarpe e le Polaroid. Mentre si avviava verso la casa, sbirciò
nella vasca e vide le forme scure dei pesci che guizzavano
sotto la superficie dell'acqua. Sorrise, pensando al film *Chinatown* e a quanto spesso l'avevano guardato, l'anno in cui

erano stati insieme. Corazón aveva una vera passione per il personaggio del medico legale, che indossava un grembiule da macellaio e sbocconcellava un panino mentre esaminava i cadaveri. Bosch aveva forti dubbi che Teresa avesse ancora quel senso dell'umorismo.

La luce sopra la pesante porta d'ingresso si accese e la donna aprì, senza aspettare che lui suonasse. Portava un paio di pantaloni neri e una camicetta color crema. Aveva tutta l'aria di essere diretta a un party. Lanciò un'occhiata all'auto con cui era arrivato.

«Facciamo in fretta, prima che quell'arnese cominci a perdere olio sul mio viale.»

«Be', salutiamoci almeno.»

«È lì dentro?» disse lei, indicando la scatola.

«Già.»

Le porse le Polaroid e tolse il coperchio. Era evidente che non l'avrebbe invitato in casa a bere un bicchiere di champagne per festeggiare l'anno nuovo.

«Vuoi esaminarlo qui?»

«Non ho molto tempo. Pensavo che saresti arrivato prima. Chi è l'imbecille che ha scattato queste foto?»

«L'imbecille sono io.»

«Sono inservibili. Hai un guanto di lattice?»

Bosch ne estrasse uno dalla tasca del cappotto e glielo diede. Riprese le foto e le mise nella tasca interna della giacca. Lei si infilò il guanto con destrezza e allungò la mano. Prese l'osso e lo avvicinò alla luce. Lui rimase in silenzio. Sentiva il suo profumo, forte come al solito, un ricordo dei tempi in cui passava giornate intere a fare autopsie.

Dopo qualche attimo Teresa rimise l'osso nella scatola.

«Non ci sono dubbi, proviene da un corpo umano.»

«Sei sicura?»

Gli lanciò uno sguardo fiammeggiante mentre si toglieva di scatto il guanto.

«È l'omero, la parte superiore del braccio. Appartiene a

30

un bambino sui dieci anni, direi. Nonostante quello che pensi, ci so ancora fare.»

Lasciò cadere il guanto dentro la scatola. Bosch poteva anche venire a patti con la sua arroganza, ma lo disturbava l'indifferenza con cui aveva buttato il guanto su quel piccolo resto infantile.

Allungò la mano e prese il guanto. Mentre glielo restituiva, gli venne in mente una cosa.

«Il padrone del cane che l'ha trovato ha detto che sull'osso c'era il segno di una frattura. Puoi controllare, per favore?»

«No, ho un impegno e sono già in ritardo. In questo momento quello che ti serve è sapere che si tratta di un osso umano. Il resto degli esami verrà eseguito in luogo adatto, e cioè nell'ufficio del medico legale. E adesso devo proprio andare. Ci vediamo domattina.»

«Certo, Teresa, divertiti.»

Lei distolse lo sguardo e incrociò le braccia. Bosch rimise con cura il coperchio sulla scatola, le rivolse un cenno di saluto e si diresse verso l'auto, sentendo il tonfo della porta che si chiudeva alle sue spalle.

Chissà perché, mentre oltrepassava la vasca per i pesci, gli tornò in mente il film, e ripeté tra sé la battuta finale.

«Lascia perdere, Jake, questa è Chinatown.»

Salì in macchina e si diresse verso casa, con la mano saldamente appoggiata sulla scatola.

5

La MATTINA SEGUENTE, ALLE NOVE, alla fine di Wonderland Avenue c'era già un consistente spiegamento di forze: le squadre di pattuglia, la Scientifica, l'ufficio del medico legale e un'unità dei Servizi Speciali. Harry Bosch dirigeva le operazioni.

Un elicottero del Dipartimento volava in cerchio sopra le loro teste e una dozzina di cadetti dell'Accademia di Polizia si aggirava in attesa di ordini.

In precedenza l'unità aerea aveva sorvolato a bassa quota i cespugli che Bosch aveva circondato con il nastro adesivo giallo, determinando che Wonderland Avenue offriva l'accesso più rapido al luogo in cui Bosch aveva trovato le ossa. A quel punto erano entrati in azione i Servizi Speciali. Seguendo la traccia lasciata dal nastro giallo, la squadra, composta da sei uomini, aveva costruito una sorta di rampa, con dei gradini improvvisati e un passamano di corda, rendendo il percorso molto più agevole rispetto alla sera prima.

Il luogo brulicava di gente. Alle nove erano arrivati anche i media. I camion delle televisioni erano bloccati dietro i panettoni, posti poco prima della rotonda dove terminava la strada.

I giornalisti si erano radunati in gruppi, come se fossero lì per partecipare a una conferenza stampa, e cinque elicotteri volteggiavano in cerchio a un'altezza di poco superiore a quella a cui si librava il velivolo del Dipartimento. Il tutto produceva un rumore assordante che aveva già provocato numerose telefonate di protesta da parte dei residenti della zona.

Bosch, che si stava preparando a guidare il primo gruppo sulla scena del crimine, si fermò a conferire con Jerry Edgar, che era stato informato del caso la sera precedente.

«Cominceremo con l'accompagnare su quelli dell'ufficio del medico legale e la Scientifica» disse. «Poi porteremo i cadetti e i cani. Vorrei che fossi tu a occuparti di questa parte.»

«Nessun problema. Hai notato che la tua amica si è portata dietro il suo cameraman privato?»

«Già, lo fa sempre. Speriamo che si annoi in fretta e che se ne torni giù in città.»

«Senti un po', per quello che ne sappiamo quelle ossa potrebbero appartenere a qualche indiano, di quelli che anticamente risiedevano nella zona.»

Bosch scosse il capo.

«Lo escludo. Erano troppo in superficie.»

Si avvicinò alla squadra di Teresa Corazón, di cui facevano parte il cameraman, Kathy Kohl e tre ricercatori, vestiti con una tuta bianca, che si sarebbero occupati dello scavo. Corazón, invece, era abbigliata più o meno come la sera prima, tacchi compresi. Con loro c'erano anche due criminologi della Scientifica.

Bosch li invitò con un cenno a radunarsi attorno a lui. Voleva evitare di essere udito da tutti quelli che si aggiravano lì attorno.

«Bene, tra poco cominceremo il recupero e la documentazione. Quando sarete arrivati sul posto, faremo venire anche i cani e i cadetti dell'Accademia per perlustrare tutto il terreno circostante e, se è necessario, ampliare la zona del crimine.»

Si interruppe e alzò una mano a indicare il cameraman. «Spegni quell'arnese. Puoi filmare lei, ma non me.»

L'uomo abbassò la videocamera e Bosch, dopo aver lanciato un'occhiata eloquente a Corazón, riprese a parlare.

«Sapete tutti quello che dovete fare, quindi è inutile che mi dilunghi. L'unico avvertimento che vi do è di fare molta attenzione durante la salita. Aggrappatevi alle corde e guardate dove mettete i piedi. Cerchiamo di evitare che qualcuno si faccia male. Se avete un equipaggiamento pesante, dividetelo e portatelo su a più riprese. Se non ce la fate da soli, ditelo e vi farò aiutare dai cadetti. Non abbiate fretta, preoccupatevi solo della vostra sicurezza. Siamo pronti?»

Tutti risposero con ripetuti cenni d'assenso. Bosch fece cenno a Corazón di allontanarsi dagli altri. Doveva comunicarle qualcosa che riguardava solo lei.

«Non hai l'abbigliamento giusto.»

«Senti un po', non ho bisogno di lezioni.»

«Ti ho solo avvertita. Adesso andiamo.»

Si avviò verso la rampa, seguito dagli altri. I Servizi Speciali avevano costruito un cancello di legno facendone una sorta di *check point*, dove un agente di pattuglia registrava le generalità e il ruolo di ciascuno, prima di consentire l'accesso.

Bosch guidò il gruppo anche durante la salita. Era decisamente meno faticosa del giorno prima, ma lui era torturato da fitte lancinanti al torace mentre, tenendosi alle corde, guadagnava gradino dopo gradino. E tuttavia continuò a salire senza lasciarsi sfuggire neanche un lamento.

Quando arrivò al boschetto di acacie, fece cenno agli altri di fermarsi, poi, passando sotto il nastro giallo che delimitava la scena del crimine, andò a controllare. Trovò tutto come l'aveva lasciato la sera precedente: la terra rivoltata in superficie e le piccole ossa scure.

«Bene, venite a dare un'occhiata.»

A questo punto anche gli altri oltrepassarono il nastro e si disposero a semicerchio attorno alle ossa.

La videocamera cominciò a ronzare e Corazón prese in mano la situazione.

«Per prima cosa bisogna fotografare il tutto. Poi la dottoressa Kohl dirigerà lo scavo e il recupero. Se trovate qualcosa, fotografatelo da ogni angolazione prima di raccoglierlo.»

Si voltò verso uno dei ricercatori.

«Finch, occupati dei disegni. Dimenticati che ci saranno anche le foto e documenta tutto.»

Finch annuì e Corazón si rivolse a Bosch.

«Detective, direi che siamo a posto. Meno gente c'è qui intorno, meglio è.»

Bosch fece un cenno d'intesa e le porse un piccolo ricetrasmettitore.

«Chiamami, se hai bisogno. Qui i telefoni cellulari non funzionano, ma sta' attenta a quello che dici.»

E alzò un braccio a indicare gli elicotteri delle televisioni che continuavano a girare sopra di loro.

«A proposito» intervenne Kathy Kohl, «penso che sia il caso di distendere un telone tra gli alberi. Ci darà un po' di privacy e ci proteggerà dal sole. Niente in contrario?»

«La scena è vostra, adesso» disse Bosch. «Fate come credete.»

Tornò giù lungo la rampa, seguito da Edgar.

«Harry, questo lavoro potrebbe durare giorni» osservò quest'ultimo.

«E allora?»

«Lo sai benissimo che non ci concederanno tanto tempo.»

«Già.»

«È già molto se arriveremo a un'identificazione.»

«È possibile.»

Bosch continuò a scendere. Quando giunse in strada vide che il tenente Billets era già lì, in compagnia del suo capo, il capitano LeValley.

«Edgar, perché non vai ad allertare i cadetti? Impartisci loro la solita lezioncina. Sarò da voi tra un minuto.»

Raggiunse Billets e LeValley e le aggiornò sugli sviluppi della situazione, illustrando le attività della mattina fin nei minimi particolari, comprese le proteste dei vicini per il rumore prodotto da seghe, martelli e dagli elicotteri che imperversavano sulla zona.

«Dobbiamo dire qualcosa ai media» commentò LeValley. «Quelli delle Relazioni Esterne vogliono sapere se devono occuparsene loro giù in sede o se preferisce farlo lei da qui.»

«Se possibile vorrei evitarlo. Ma loro quanto ne sanno?»

«Quasi niente. Bisogna che lei li informi, se devono fare un comunicato stampa.»

«Il fatto è che ora sono piuttosto impegnato. Non si potrebbe...»

«Detective, cerchi di trovare il tempo. Ce li tolga di torno.» E indicò i giornalisti che si assiepavano al posto di blocco.

Bosch si voltò a guardare i giornalisti e notò Julia Brasher, vestita in abiti civili, che esibiva il tesserino all'agente di controllo.

«D'accordo. Chiamerò le Relazioni Esterne.»

Mentre si avviava verso la casa del dottor Guyot, passò accanto a Julia, che gli sorrise.

«Ho la tua torcia nell'auto» le disse. «Sto andando da quella parte, se vuoi.»

«Non preoccuparti. Non sono venuta per questo.»

Gli si affiancò e continuò a camminargli accanto. Lui le lanciò un'occhiata, indossava un paio di jeans scoloriti e una maglietta slabbrata.

«Non sei di servizio, vero?»

«No. Ho il turno dalle tre alle undici. Ho pensato che un volontario in più ti facesse comodo. Ho sentito che sono stati convocati anche gli allievi dell'Accademia.»

«Vuoi salire anche tu a cercare le ossa?»

«Ho voglia di imparare.»

Bosch annuì. Risalirono il vialetto che portava alla casa di

Guyot e la porta si aprì prima che vi arrivassero. Bosch chiese al dottore se poteva usare ancora una volta il suo telefono e Guyot lo precedette nello studio.

«Come vanno le costole?» gli chiese.

«Bene.»

Julia Brasher inarcò le sopracciglia con aria interrogativa.

«Ho avuto un piccolo incidente mentre perlustravo la zona, ieri sera.»

«Cosa è successo?»

«Oh, me ne stavo tranquillo per i fatti miei quando un tronco ha deciso di aggredirmi.»

Lei fece una smorfia molto simile a un sorriso.

Bosch compose a memoria il numero delle Relazioni Esterne e informò un agente del caso, in termini molto generici. A un certo punto coprì il microfono con una mano e chiese a Guyot se voleva essere citato nel comunicato stampa, ma questi rifiutò. Qualche istante dopo Bosch riattaccò e si rivolse al dottore.

«Tra qualche giorno, quando ce ne saremo andati, i giornalisti continueranno a gironzolare qui attorno. Posso sbagliarmi, ma secondo me andranno a caccia del cane che ha trovato le ossa. Quindi, se vuole restarne fuori, tenga Calamity lontana dalla strada, altrimenti a quelli non sarà difficile fare due più due.»

«Grazie del consiglio» disse Guyot.

«Le conviene anche dire al suo vicino, il signor Ulrich, di tenere la bocca chiusa con la stampa.»

Una volta usciti, Bosch chiese nuovamente a Julia Brasher se voleva la sua torcia, ma lei rifiutò, con la scusa che le sarebbe stata d'impiccio mentre lavorava sulla collina.

«Portamela quando puoi» gli disse.

La risposta gli piacque. Significava che avrebbe avuto almeno un'altra occasione di rivederla.

Tornato alla rotonda, Bosch scorse Edgar che stava indottrinando i cadetti.

«Ragazzi, la regola numero uno per chi sta sulla scena di un crimine è quella di non toccare niente finché tutto non è stato debitamente studiato, catalogato e fotografato.»

Bosch si avvicinò.

«Okay, siamo pronti?»

«Sì» rispose Edgar. Fece un cenno del capo in direzione di due cadetti che trasportavano dei metal detector. «Me li sono fatti prestare da quelli della Scientifica.»

Bosch annuì e rivolse ai cadetti e a Julia Brasher gli stessi avvertimenti che prima aveva rivolto alla squadra del medico legale. Poi si avviarono, oltrepassando il posto di blocco. Bosch si mise in coda, dietro la Brasher.

«Chissà se alla fine di questa giornata vorrai ancora lavorare alla Omicidi.»

«Qualsiasi cosa è meglio che stare incollata alla radio e pulire il vomito degli ubriachi dai sedili posteriori dell'auto dopo ogni turno.»

«Già, ci sono passato anch'io.»

Bosch ed Edgar fecero fermare il gruppo nella zona adiacente al boschetto di acacie, e ordinarono loro di cominciare le ricerche. Poi Bosch tornò giù e riportò sulla collina altre due squadre supplementari. Infine lasciò Edgar con i cadetti e andò verso il boschetto per verificare come procedeva il lavoro di scavo. Kathy Kohl era seduta su una cassa da imballaggio e sorvegliava la sistemazione dei paletti di legno a cui sarebbe stata legata la corda destinata a formare la griglia di scavo.

Bosch aveva già lavorato con la Kohl e sapeva che era attenta e meticolosa. Era sui trentacinque anni, con la struttura e l'abbronzatura tipiche di una tennista. Una volta l'aveva incontrata in un parco cittadino, dove lei stava giocando a tennis con la sorella gemella. Tutto attorno si era formata una piccola folla che guardava ammirata la partita. Era come se entrambe stessero giocando contro uno specchio.

I capelli biondi le ricadevano in avanti, nascondendole gli

occhi, mentre studiava l'enorme taccuino che aveva sulle ginocchia. Stava scrivendo delle annotazioni su un foglio con una griglia prestampata. Sbirciando al di sopra della sua spalla, Bosch vide che stava etichettando i singoli riquadri con delle lettere dell'alfabeto. In cima alla pagina aveva scritto «Città delle Ossa».

Allungando la mano, Bosch puntò il dito sulla frase.

«Perché l'hai chiamata così?»

Lei si strinse nelle spalle.

«Perché stiamo mappando quella che per noi diventerà una città» rispose, facendo scorrere il dito sulle linee dello schema. «Almeno è così che la vedremo, finché lavoreremo qui. La nostra piccola città.»

Bosch fece un segno d'assenso.

«In ogni assassinio c'è la storia di una città.»

Kohl alzò gli occhi su di lui.

«Chi l'ha detto?»

«Non lo so. Qualcuno di sicuro.»

Poi si rivolse a Corazón, che era accoccolata sopra le minuscole ossa sparpagliate sul terreno e le studiava con la lente d'ingrandimento, mentre la videocamera la riprendeva. Si sforzò di pensare a una battuta, ma in quel momento la sua ricetrasmittente iniziò a suonare. La tolse dalla cintura e rispose.

«Sono Edgar. Dovresti venire, Harry. Abbiamo trovato qualcosa.»

«Arrivo.»

Edgar era fermo in un punto quasi pianeggiante, a una quarantina di metri dal boschetto di acacie. Una mezza dozzina di cadetti e Julia Brasher avevano formato un cerchio e stavano scrutando qualcosa tra i cespugli. L'elicottero della Polizia volava basso sulle loro teste.

Bosch si unì a loro e guardò in basso. Vide il teschio di un bambino, parzialmente sepolto nel terreno, con le orbite vuote che lo fissavano.

«È stata la Brasher a trovarlo» annunciò Edgar.

Bosch la guardò. Negli occhi non aveva più quell'espressione scherzosa che l'aveva tanto colpito. Riportò lo sguardo sul teschio e prese la ricetrasmittente dalla cintura.

«Dottoressa Corazón» disse nel microfono.

Dopo un lungo istante lei rispose.

«Sì, cosa c'è?»

«Dobbiamo allargare la scena del crimine.»

6

MENTRE BOSCH, COME UN GENERALE, dirigeva il piccolo esercito che operava sulla scena del crimine, la giornata stava dando i suoi frutti. Le ossa venivano estratte dal terreno abbastanza facilmente, come se avessero atteso con impazienza il momento di essere ritrovate. A mezzogiorno il team di Kathy Kohl aveva già esplorato tre riquadri della griglia, e dozzine di ossa erano emerse dal suolo scuro. Come i loro colleghi archeologi che disseppellivano oggetti appartenenti a civiltà antiche, la squadra di scavo utilizzava strumenti in miniatura e piccole spazzole per riportare delicatamente alla luce i suoi macabri reperti. Il procedimento era lungo e laborioso, ma il lavoro procedeva più rapidamente di quanto Bosch avesse sperato.

Il ritrovamento del teschio era stato decisivo e aveva impresso un senso di urgenza a tutta l'operazione. Una volta rimosso dalla sua sede, l'esame sul campo effettuato da Teresa Corazón aveva rivelato delle linee di frattura che facevano pensare a un intervento chirurgico. Questo confermò l'ipotesi che le ossa fossero relativamente recenti. Le fratture di per sé non bastavano a far pensare a un omicidio, ma il luogo in cui il corpo era stato sepolto era una prova chiara che una storia di orrore si stava dipanando davanti ai loro occhi.

Alle due, quando tutti si fermarono per il pranzo, una buona metà dello scheletro era stata ricuperata. Un altro piccolo gruppo di ossa era stato trovato dai cadetti nei cespugli circostanti. Inoltre la squadra di Kathy Kohl aveva riportato alla luce dei frammenti consunti di stoffa, appartenenti a capi di abbigliamento, e uno zaino di tela di misura adatta a un bambino.

Le ossa furono trasportate giù dalla collina in casse di legno quadrate munite di maniglie di corda. All'inizio del pomeriggio, un antropologo forense si era già messo al lavoro su tre casse di ossa nell'ufficio del medico legale. I frammenti di stoffa, quasi interamente marciti e irriconoscibili, e lo zainetto ancora chiuso vennero portati all'ufficio della Scientifica del Dipartimento di Polizia di Los Angeles per essere ugualmente esaminati.

Un controllo con il metal detector eseguito all'interno della griglia di ricerca aveva dato come risultato il ritrovamento di un'unica moneta, un quarto di dollaro coniato nel 1975. Era stata individuata alla stessa profondità delle ossa, qualche centimetro a sinistra della pelvi. Se ne dedusse che doveva essere stata nella tasca sinistra dei pantaloni, la cui stoffa si era decomposta insieme al corpo. Se l'ipotesi era esatta, la morte non poteva essere avvenuta prima del 1975.

La Polizia di pattuglia aveva predisposto l'arrivo di due camioncini per nutrire il piccolo esercito che lavorava sulla scena del crimine, ma si era fatto tardi e la gente moriva di fame. Uno dei camioncini serviva dei pasti caldi, mentre l'altro distribuiva panini. Era davanti a questo che Bosch attendeva in coda insieme a Julia Brasher. La fila procedeva lentamente, ma a lui non importava. Era immerso in una conversazione con la ragazza e i temi erano l'indagine che si era svolta sulla collina e un po' di pettegolezzi sugli alti papaveri del Dipartimento. Bosch era attratto da lei e più la ascoltava parlare delle sue esperienze di recluta e di donna, più sentiva crescere la curiosità. L'atteggiamento di Julia nei con-

42

fronti del lavoro era un misto di eccitazione, dedizione e cinismo, che gli ricordava molto il suo, ai tempi in cui aveva iniziato.

Arrivato a poca distanza dalla finestra del camioncino attraverso la quale venivano serviti i pasti, Bosch udì qualcuno all'interno che si informava dell'indagine con uno dei cadetti.

«Le ossa che hanno trovato appartengono a persone diverse?»

«Non lo so, amico. Noi ci limitiamo a cercarle, tutto qui.»

Bosch studiò l'uomo che aveva fatto la domanda.

«I corpi erano interi o smembrati?»

«Difficile dirlo.»

Bosch lasciò il suo posto nella fila e si diresse verso la parte posteriore del camioncino. Guardando attraverso la porta aperta, vide tre uomini con indosso un grembiule che si davano da fare, prendendo le ordinazioni e preparando i panini. Per la precisione, due di loro erano in piena attività, mentre l'uomo che stava in mezzo, quello che aveva rivolto le domande al cadetto, si limitava a tenere le braccia sotto il bancone, muovendole senza scopo, per dare l'impressione a chi guardava dall'esterno che stesse facendo qualcosa. Bosch notò che era l'uomo sulla destra a tagliare il pane, imbottirlo, metterlo su un piatto di carta e poi passarlo all'uomo di mezzo, che lo porgeva attraverso la finestra al cadetto che l'aveva ordinato.

Si accorse anche che i due uomini alle estremità sotto il grembiule portavano dei jeans e una maglietta, mentre quello di mezzo indossava un paio di pantaloni con il risvolto e una camicia. Dalla tasca posteriore dei calzoni sporgeva un taccuino, del tipo lungo e stretto usato abitualmente dai giornalisti.

Bosch si sporse all'interno e si guardò attorno. Su uno scaffale vicino alla porta vide una giacca sportiva appallottolata. L'afferrò e si allontanò di poco. Frugò nelle tasche e

43

trovò un lasciapassare completo di fotografia, rilasciato dalla Polizia di Los Angeles e legato a una catenella di metallo. La foto corrispondeva all'uomo, che si chiamava Victor Frizbe e lavorava al *New Times*.

Tenendo la giacca nascosta, Bosch bussò alla parete del camioncino, e quando i tre si voltarono a guardarlo, fece cenno a Frizbe di raggiungerlo. Il giornalista si puntò un dito al petto come a chiedere *Chi, io?* e Bosch annuì. Frizbe si accostò alla porta e si chinò.

«Cosa c'è?» chiese.

Bosch allungò una mano e lo afferrò per la pettorina del grembiule, trascinandolo di forza fuori dal camioncino. L'uomo atterrò in piedi, ma dovette muovere qualche passo per evitare di cadere. Mentre si voltava per protestare, Bosch gli lanciò addosso la giacca.

Poi chiamò due agenti di pattuglia che stavano buttando i piatti di carta in un bidone della spazzatura poco lontano.

«Portatelo fuori, e se lo vedete rientrare, arrestatelo.»

I due presero Frizbe per le braccia e lo accompagnarono con decisione verso il posto di blocco. Frizbe cominciò a protestare, rosso come una lattina di Coca Cola, ma i due agenti lo ignorarono e continuarono a camminare imperterriti, mentre il giornalista sprofondava per l'imbarazzo di fronte ai colleghi che assistevano alla scena. Bosch li seguì con gli occhi per un attimo, poi si tolse dalla tasca il lasciapassare e lo buttò nel bidone della spazzatura.

Quando raggiunse Julia Brasher, c'erano solo due persone davanti a loro.

«Che cosa è successo?» gli chiese la ragazza.

«Violazione del codice sanitario. Non si era lavato le mani.»

Lei scoppiò a ridere.

«Dico sul serio. La legge è legge, per quanto mi riguarda.»

«Santo cielo, spero di riuscire a farmi servire prima che tu veda uno scarafaggio e faccia chiudere la baracca.»

«Non preoccuparti, lo scarafaggio è appena stato eliminato.»

Dieci minuti più tardi, dopo che Bosch ebbe strapazzato a dovere il proprietario del camioncino per aver fatto entrare abusivamente il giornalista, presero panini e bibite e andarono a sedersi a uno dei tavoli da picnic sistemati dagli uomini dei Servizi Speciali. Il tavolo era riservato alla squadra investigativa, ma Bosch non si fece scrupoli a far accomodare con loro anche Julia Brasher. Al tavolo c'era Edgar, insieme con Kathy Kohl e uno degli addetti allo scavo. Bosch presentò la ragazza e disse che era stata lei a ricevere la prima chiamata e a dargli una mano, la sera prima.

«Dov'è il capo?» chiese Bosch alla Kohl.

«Oh, ha già mangiato. Forse è andata a rifarsi il trucco.»

Bosch si limitò a sorridere.

«Mi sa che vado a fare il bis» disse Edgar, scavalcando la panca e allontanandosi con il piatto.

Bosch addentò il suo panino con pancetta affumicata, pomodoro e lattuga e lo assaporò. Era decisamente affamato. Aveva solo voglia di rilassarsi, ma la Kohl gli chiese se poteva esporgli le sue prime impressioni.

Bosch aveva la bocca piena. Tranguggò il boccone e la pregò di aspettare che fosse tornato il suo partner. Chiacchierarono in generale delle condizioni delle ossa e del fatto che la scarsa profondità della fossa aveva permesso agli animali di dissotterrarle, sparpagliandole in giro.

«Non riusciremo a trovarle tutte» gli disse lei. «Non ci andremo neanche vicino. Arriveremo al punto in cui il rapporto costi-benefici diventerà decisamente sfavorevole.»

Edgar tornò con un altro piatto di pollo fritto. Bosch fece un cenno d'assenso in direzione di Kathy Kohl, che abbassò gli occhi sul taccuino appoggiato sul tavolo, alla sua sinistra. Rimase in silenzio qualche istante, controllando le sue annotazioni, poi cominciò a parlare.

«Gli aspetti che mi sembrano più rilevanti, quelli su cui voglio richiamare la vostra attenzione, sono la profondità della fossa e il luogo in cui è stata scavata. Entrambi sono elementi importanti per determinare chi era il bambino e cosa gli è successo.»

«Cosa ti fa pensare che sia un maschio?»

«La misura delle anche e l'elastico delle mutande.»

Spiegò che insieme ad altri pezzi decomposti di tessuto era stato ritrovato anche l'elastico delle mutande, l'unica parte rimasta della biancheria che la vittima aveva indosso al momento della sepoltura. I fluidi prodotti dalla decomposizione avevano distrutto il resto, ma l'elastico era rimasto quasi completamente intatto e apparteneva inequivocabilmente a mutande di tipo maschile.

«D'accordo» disse Bosch. «Hai accennato anche alla profondità della fossa.»

«Già. Be', noi pensiamo che il bacino e la parte inferiore della colonna non siano state spostate. Il che significa che la fossa non doveva essere più fonda di trenta centimetri. Tutto questo è segno di fretta, forse di panico, il che escluderebbe l'esistenza di un piano preciso. D'altra parte...» e a questo punto alzò un dito come a chiedere attenzione, «...la scelta del luogo, così remoto, così difficile da raggiungere, potrebbe anche indicare il contrario. Insomma, siamo di fronte a una contraddizione. Tutto fa pensare che il luogo sia stato scelto perché era impervio e nascosto, mentre la sepoltura è stata un lavoro affrettato. Non mi illudo che le mie osservazioni possano aiutarvi a prendere l'assassino, ma volevo sottolineare il fatto che esistono elementi discordanti.»

Bosch fece un cenno d'assenso.

«È utile saperlo. Lo terremo presente.»

«La seconda contraddizione, forse meno importante, è costituita dallo zainetto. Il corpo umano si decompone più rapidamente della tela. Quindi, se riuscirete a trovare degli elementi di identificazione sullo zainetto, possiamo pensare anche in questo caso a un errore da parte dell'assassino. Evidentemente non ci ha pensato. Ma voi siete in gamba, sono sicura che ci sareste arrivati anche senza bisogno dei miei suggerimenti.»

Rivolse un sorriso a Bosch, poi tornò a studiare il taccuino, alzando la prima pagina per vedere se sul foglio sottostante aveva segnato qualcos'altro.

«Mi sembra che sia tutto. Alla fine della giornata avremo completato il lavoro sulla fossa principale e domani proseguiremo il lavoro nelle zone circostanti. Con tutta probabilità dovremmo riuscire a terminare entro la giornata di domani. Come ho già detto, dubito che troveremo tutto lo scheletro, ma forse quello che avremo sarà sufficiente agli scopi che ci proponiamo.»

All'improvviso Bosch si ricordò della domanda che Frizbe aveva rivolto al cadetto, e si rese conto che il giornalista si era posto un problema che a lui non era neanche passato per la mente.

«Pensi che ci sia più di un cadavere sepolto lassù?»

Kathy Kohl scosse il capo.

«Non ho nessuna indicazione in questo senso. Ma dobbiamo esserne sicuri. Prenderemo dei campioni, utilizzeremo delle sonde a emissione gassosa. Accertamenti di routine. La cosa più probabile, tenuto conto soprattutto della scarsa profondità della fossa, è che si tratti di un unico corpo, ma dobbiamo verificarlo.»

Bosch annuì. Era contento di aver quasi finito il suo panino perché all'improvviso si accorse di non avere più fame. La prospettiva di montare un caso con più di una vittima era allarmante. Lanciò un'occhiata a quelli che erano seduti con lui.

«Va da sé che questa storia deve restare tra noi. Ho già beccato un giornalista che ficcava il naso, a caccia di un serial killer. Non abbiamo bisogno di alimentare l'isterismo dei mezzi di informazione. Anche se gli raccontassimo che quello che stiamo facendo è pura routine, sarebbero capaci di costruirci sopra una storia fantastica. Siamo tutti d'accordo?»

La risposta fu un coro di sì. Bosch stava per aggiungere qualcos'altro quando si udirono rimbombare dei colpi fortissimi, provenienti dalla fila di gabinetti mobili situati dall'altra parte della rotonda. Qualcuno, che evidentemente era rimasto chiuso dentro, stava picchiando sulla sottile parete di alluminio. Dopo un attimo, oltre ai colpi, Bosch udì anche una voce di donna. La riconobbe e con un balzo si allontanò dalla tavola.

Correndo attorno alla rotonda, risalì i gradini che portavano alla piattaforma dove erano stati piazzati i gabinetti. Individuò rapidamente quello da cui provenivano i colpi e vi si precipitò. Il gancio esterno della porta, quello che veniva utilizzato per fissare la cabina durante il trasporto, era stato inserito nel corrispondente anello metallico e bloccato con un osso di pollo.

«Stai tranquilla, tra un attimo ti apro» urlò Bosch.

Cercò di sfilare l'osso, ma era unto e gli scivolava tra le dita. Nel frattempo i colpi e le urla non accennavano a cessare. Bosch si guardò attorno in cerca di uno strumento qualsiasi che lo aiutasse ad aprire, ma non vide niente. Infine estrasse la pistola dalla fondina, controllò che la sicura fosse al suo posto, e colpì ripetutamente l'osso per scalzarlo, facendo ben attenzione che la canna dell'arma fosse rivolta verso il basso.

Quando l'osso si decise finalmente a uscire dall'anello metallico, Bosch rimise a posto la pistola e aprì il gancio. La porta si spalancò verso l'esterno e Teresa Corazón uscì a passo di carica, urtandolo con forza. Lui le si aggrappò per non cadere, ma lei lo respinse brutalmente.

«Sei stato tu!»

«Ma cosa dici! Non mi sono alzato da quel tavolo!»

«E allora voglio sapere chi è stato!»

Bosch abbassò la voce. Era sicuro che tutti li stessero guardando, giornalisti compresi.

«Senti, Teresa, calmati. Si tratta di uno scherzo. Chiunque sia stato, voleva solo scherzare. Io lo so che soffri di claustrofobia, ma gli altri no. Forse qualcuno ha pensato di alleggerire la tensione e tu ci sei andata di mezzo.»

«Il problema è che tu sei invidioso di me.»

«Ma cosa stai dicendo?»

«Proprio così. Sei invidioso del mio successo, di quello che sono diventata.»

Bosch era rimasto senza parole.

Lei iniziò a scendere, poi si voltò di scatto e tornò verso di lui.

«Me ne sto andando, sei contento?»

Bosch scosse il capo.

«Contento? I miei sentimenti non hanno niente a che fare con quello che sta succedendo qui. Io mi limito a condurre un'indagine, ma se vuoi sapere la verità, il fatto di non essere distratto dalla tua presenza e da quella del tuo cameraman, tutto sommato rappresenta un sollievo.»

«Fantastico. E a proposito, hai presente il numero di telefono a cui mi hai chiamato l'altra sera?»

«Sì, e allora?»

«Be', dimenticatelo.»

Discese i gradini, convocò con un gesto della mano il cameraman e si diresse verso l'auto di servizio. Bosch la seguì con lo sguardo.

Quando tornò al tavolo, vide che erano rimasti solo Julia Brasher ed Edgar. Durante la sua assenza, questi aveva completamente spolpato la sua seconda porzione di pollo e se ne stava seduto con una smorfia soddisfatta stampata in faccia.

Bosch gli lasciò cadere sul piatto l'osso incriminato.

«Bella pensata» disse e gli lanciò un'occhiata che non lasciava dubbi sul fatto che sapeva benissimo chi era l'artefice dello scherzo. Ma Edgar rimase imperturbabile.

«È dura venire a patti con un ego di quelle proporzioni» commentò poi. «Chissà se il suo cameraman ha ripreso la scena.»

«Non c'era nessun bisogno di inimicarsela. Potremmo aver bisogno di lei.»

Edgar prese il piatto e si divincolò per estrarre il suo corpaccione dallo spazio angusto tra il tavolo e la panca.

«Ci vediamo in cima alla collina» disse.

Bosch guardò Julia Brasher, che lo ricambiò con un'occhiata stupita.

«Davvero pensi che sia stato lui?»

Bosch non rispose.

7

IL LAVORO NELLA CITTÀ DELLE OSSA durò solo due giorni.
Come Kathy Kohl aveva predetto, la maggior parte dello
scheletro era stata rinvenuta nella zona sottostante le acacie,
da dove era stata rimossa entro la fine del primo giorno.
Altre ossa erano state trovate poco lontano, tra i cespugli, e
tutto faceva pensare che fossero state spostate da animali in
cerca di cibo. Il venerdì le squadre che si occupavano delle
ricerche tornarono sul posto, ma né l'intervento di un nuovo
gruppo di cadetti né l'apertura di nuovi scavi portarono alla
luce altre ossa.

Kathy Kohl calcolò che era stato ricuperato circa il sessanta per cento dello scheletro. La sera del venerdì, per sua
esplicita raccomandazione e con l'approvazione di Teresa
Corazón, le ricerche vennero sospese in attesa di ulteriori sviluppi.

Bosch non fece obiezioni. Sapeva che i risultati erano
molto modesti rispetto agli sforzi messi in atto e preferì
lasciare la decisione agli esperti. Tra l'altro, era impaziente di
procedere con l'indagine e con un'eventuale identificazione,
tutte cose che aveva dovuto sospendere, visto che per ben
due giorni lui ed Edgar avevano lavorato a tempo pieno a
Wonderland Avenue, sorvegliando la raccolta delle prove,
interrogando i vicini e stendendo i rapporti iniziali sul caso.

Era stato un lavoro necessario, ma Bosch non vedeva l'ora di passare alla fase successiva.

Il sabato mattina lui ed Edgar si incontrarono nell'atrio dell'ufficio del medico legale e si presentarono al banco del ricevimento, dicendo che avevano appuntamento con il dottor William Golliher, l'antropologo forense distaccato dall'Università di California.

«Vi sta aspettando nel reparto A» disse l'impiegata dopo aver fatto una telefonata di conferma. «Sapete da che parte andare?»

Bosch annuì e la donna premette il pulsante che azionava l'apertura elettronica della porta. Presero un ascensore che li portò nel seminterrato e vennero immediatamente accolti dall'odore tipico dei locali in cui si svolgono le autopsie, un misto molto particolare di prodotti chimici e decomposizione. Edgar afferrò immediatamente una mascherina di carta da un contenitore a parete e la indossò, mentre Bosch decise di lasciar perdere.

«Sbagli, Harry, dovresti mettertela» gli disse Edgar. «Non sai che qui l'aria è piena di particelle tossiche?»

Bosch lo guardò.

«Grazie del consiglio, Jerry.»

Dovettero fermarsi nel corridoio per lasciar passare una barella che usciva da una delle sale destinate alle autopsie.

«Harry, hai mai notato che li fasciano allo stesso modo in cui avvolgono i burritos al Taco Bell?»

Bosch rivolse un cenno di saluto all'uomo che spingeva la barella.

«È per questo che non mangio i burritos.»

«Davvero?»

Bosch si incamminò nuovamente senza rispondergli.

Il reparto A era riservato a Teresa Corazón, le poche volte che lasciava i suoi compiti amministrativi come capo del Dipartimento di medicina legale per eseguire personalmente un'autopsia. Ma il caso in questione le era sembrato così

52

interessante da autorizzare Golliher a servirsene. Dopo l'incidente ai gabinetti mobili, Corazón non era più tornata sulla scena del crimine.

Entrarono attraverso le doppie porte e furono accolti da un uomo che indossava un paio di blue jeans e una camicia hawaiana.

«Chiamatemi pure Bill» disse Golliher. «Gli ultimi due giorni devono essere stati molto pesanti.»

«Può ben dirlo» commentò Edgar.

Golliher gli rivolse un sorriso amichevole. Era sulla cinquantina, con gli occhi e i capelli scuri e modi franchi e diretti. Fece un gesto in direzione del tavolo dove venivano eseguite le autopsie, al centro del locale. Le ossa raccolte sotto gli alberi di acacia erano sparse sulla superficie di acciaio inossidabile.

«Bene, ora vi aggiornerò su quello che sta succedendo qui dentro» disse Golliher. «Mentre la squadra raccoglieva le prove sulla collina, avevo già cominciato a esaminare i frammenti, che ho radiografato e ho cercato di ricomporre per cercare di dare un senso all'insieme.»

Bosch si avvicinò al tavolo. Le ossa erano state disposte in modo da formare uno scheletro parziale, ma balzava subito all'occhio che i principali frammenti mancanti erano la mandibola, e il braccio e la gamba sinistri, probabilmente dispersi molto tempo prima del ritrovamento da animali in cerca di cibo. Ogni osso era contrassegnato; i più grandi da un adesivo, i più piccoli da un cartellino legato con un pezzo di corda. Bosch sapeva che sui contrassegni erano stati registrati gli stessi codici che la Kohl aveva attribuito, sulla sua pianta, al punto esatto in cui le singole ossa erano state ritrovate.

«Le ossa ci possono dire molto su come una persona ha vissuto» osservò Golliher a bassa voce. «Nei casi di maltrattamenti sui bambini, finiscono per diventare una prova inoppugnabile.»

Bosch si voltò verso di lui e si accorse che i suoi occhi non erano scuri come aveva pensato. Erano azzurri, ma piuttosto infossati, e avevano un'espressione assorta. L'uomo stava fissando le ossa distese sul tavolo. Dopo un attimo, si riscosse e lo guardò.

«Si possono appurare molte cose dall'esame accurato di un reperto» esordì l'antropologo. «Sono stato coinvolto in migliaia di casi, ma devo ammettere che questo mi turba particolarmente. Mentre ero qui a lavorare, mi sono accorto che il taccuino su cui registravo le mie annotazioni era bagnato. Stavo piangendo, vi rendete conto?»

Tornò a guardare i frammenti dello scheletro con un'espressione di tenerezza e di pietà. Bosch capì che l'uomo si stava immaginando la persona a cui le ossa erano appartenute.

«Questa è una brutta storia. Veramente brutta.»

«Ci dica le conclusioni a cui è arrivato, così potremo continuare con le indagini» disse Bosch, in un tono di voce molto simile a un sospiro.

Golliher annuì e allungò il braccio dietro di sé per prendere un blocco a spirale.

«Bene» esordì. «Cominciamo dall'inizio. Qualcosa saprete già, ma preferisco esporvi con ordine tutto quello che ho scoperto. Dunque, quelli che vedete davanti a voi sono i resti di un giovane maschio di razza caucasica. Il paragone con gli indici della scala di crescita Maresh ne situa l'età attorno ai dieci anni. E tuttavia, come avremo modo di vedere presto, il bambino ha subìto pesanti maltrattamenti fisici, protratti nel tempo. Da un punto di vista istologico, le vittime di abusi continuati soffrono spesso di alterazioni della crescita. Il che significa che a volte lo scheletro sembra appartenere a un bambino di età inferiore a quella reale. Insomma, questo ragazzino in apparenza dimostra dieci anni, ma potrebbe anche averne dodici o tredici.»

Bosch lanciò un'occhiata a Edgar. Teneva le braccia incrociate davanti a sé, come per farsi forza e prepararsi a quello che ancora doveva venire. Bosch estrasse un taccuino dalla tasca della giacca e cominciò a prendere appunti.

«Difficile stabilire il momento del decesso. Gli esami radiologici non danno risultati sufficientemente precisi. Abbiamo la moneta, è vero, da cui possiamo dedurre che la morte non può essere avvenuta prima del 1975. È già qualcosa. La mia valutazione è che questo ragazzino sia rimasto sepolto per un periodo di tempo che va dai venti ai venticinque anni. È un dato accettabile, non solo, ma esistono riscontri di tipo chirurgico che convalidano la mia opinione.»

«Tanto per riassumere, si tratta di un ragazzino di età compresa tra i dieci e i tredici anni, che è stato ucciso da venti a venticinque anni fa» concluse Edgar con una nota di frustrazione nella voce.

«Mi rendo conto che i parametri sono piuttosto ampi, ma per il momento è tutto quello che la scienza può fare per voi.»

«Non se ne faccia una colpa, dottore.»

Bosch non aveva smesso di prendere appunti. Nonostante l'ampiezza della valutazione, ai fini dell'indagine era comunque importante stabilire un arco di tempo entro cui era avvenuto l'omicidio. Secondo quanto aveva detto Golliher, la morte del ragazzino risaliva alla fine degli anni Settanta o all'inizio degli Ottanta. Per un attimo Bosch si distrasse, pensando a come doveva essere stato Laurel Canyon in quel periodo. Una zona quasi campestre, abitata da artisti in cerca di fortuna o da gente già arrivata, con spacciatori di cocaina, venditori di materiale pornografico e avanzi degli anni del rock a ogni angolo di strada. Si chiese se quello strano quadro giustificasse anche l'assassinio di un bambino.

«A questo punto dovrei parlarvi della causa della morte, ma lasciamola per ultima. Preferisco cominciare con l'analisi degli arti e del torso, tanto per darvi un'idea di quello che questo ragazzino ha dovuto subire nel corso della sua breve vita.»

Prima di riportare lo sguardo sulle ossa, lanciò una rapida occhiata a Bosch, il cui respiro si era fatto quasi ansimante, provocandogli delle fitte dolorose alle costole. Sapeva che quanto aveva temuto dal primo momento in cui aveva visto quelle piccole ossa, là sulla collina, stava ora per avere la sua conferma. Già allora aveva intuito che una storia di orrori sarebbe emersa dal terreno smosso.

Mentre Golliher parlava, prese a scrivere sul suo taccuino, premendo al punto da incidere quasi la carta.

«Tanto per cominciare, quello che abbiamo è circa il sessanta per cento dello scheletro. Eppure, nonostante questo, ci sono le prove incontrovertibili di forti traumi causati da maltrattamenti. Non so quale sia il vostro livello di preparazione sul piano antropologico, ma presumo che quanto sto per dirvi rappresenti per voi una novità. Cercherò di essere chiaro. Le ossa si ricostruiscono per conto loro. Ed è proprio attraverso lo studio della rigenerazione ossea che siamo in grado di stabilire una storia di abusi. Sulle ossa che vedete ci sono lesioni multiple in diverse fasi di guarigione. Fratture più antiche e altre più recenti. Nonostante ci restino solo due arti su quattro, entrambi rivelano traumi di vario tipo. Insomma, questo bambino ha passato gran parte della sua vita a essere picchiato e a riprendersi dalle botte.»

Bosch si guardò le mani. Stringeva il taccuino con tanta forza che le nocche erano diventate bianche.

«Lunedì vi farò avere un rapporto scritto, ma se volete qualche cifra sin da ora, ho trovato quarantaquattro punti diversi in cui sono evidenti degli episodi traumatici in varie fasi di guarigione. Questo per quanto riguarda le ossa. Lo stato di conservazione del cadavere non ci permette di valutare i danni inflitti ai tessuti o agli organi vitali. Ma non ci sono dubbi sul fatto che la nostra vittima abbia subito enormi sofferenze.»

Nonostante gli sembrasse quasi superfluo, Bosch riportò il numero sul taccuino.

«Fondamentalmente, le ferite che ho catalogato possono essere osservate sui reperti sotto forma di lesioni sottoperiostali. Si tratta di sottili strati ossei che si formano sotto la superficie nell'area dove è avvenuto il trauma. E ora guardate qui.»

Golliher si avviò verso il diafanoscopio e accese la luce. Sull'apparecchio c'era già una lastra che riproduceva un lungo osso sottile. Facendo scorrere il dito, Golliher indicò una leggera linea sbiadita.

«Questo è il femore che è stato ritrovato. La parte superiore della gamba. Questo segno, leggermente più chiaro, indica una lesione. Significa che questa zona ha subito un forte colpo nelle settimane immediatamente precedenti la morte. L'osso non si è rotto, ma è rimasto danneggiato. Sono sicuro che un colpo simile deve aver provocato lividi e abrasioni sulla pelle, influenzando la deambulazione. Quello che voglio dire è che non può essere passato inosservato.»

Bosch si avvicinò per studiare la lastra. Quando ebbe finito, Golliher la tolse e ne appoggiò all'apparecchio altre tre.

«Abbiamo anche delle fenditure periostali su entrambi gli arti. Sono come delle spelature della superficie dell'osso, presenti nei casi di abusi su bambini, quando l'arto viene colpito violentemente dalla mano di un adulto o da altro. Nel caso specifico, ci sono prove che l'evento traumatico si sia ripetuto più volte nel corso degli anni.»

Golliher si interruppe per dare un'occhiata ai suoi appunti, poi abbassò lo sguardo sulle ossa disposte sul tavolo. Prese un osso del braccio e lo sollevò, continuando a parlare.

«Questo è l'omero destro. Su di esso sono visibili due fratture distinte completamente guarite, che procedono in senso longitudinale. Fratture come queste si producono quando il braccio viene torto con violenza. Al nostro ragazzino è capitato per ben due volte.»

Rimise l'osso al suo posto e prese uno dei due avambracci.

«L'ulna rivela una frattura trasversa, ma l'osso si è saldato in modo imperfetto, con una leggera deviazione. Il che significa che è guarito da solo, senza interventi esterni.»

«Significa che il bambino non è stato portato da un dottore, che non è stato ingessato?» chiese Edgar.

«Esattamente. Questo tipo di frattura, che peraltro è piuttosto comune e viene trattata quotidianamente in qualsiasi pronto soccorso, può anche prodursi quando il soggetto assume un atteggiamento di difesa, come quello di alzare il braccio per proteggersi da un'aggressione. In questo caso, l'assenza di un intervento medico fa pensare che non si sia trattato di un incidente, ma della conseguenza di un ennesimo maltrattamento.»

Golliher rimise con delicatezza l'osso al suo posto, poi si chinò sul tavolo per esaminare la gabbia toracica. Gran parte delle costole non erano più collegate al torso, ma giacevano separate l'una dall'altra.

«Sulle costole sono visibili circa una ventina di fratture in varie fasi di guarigione. A parer mio questa qui, sulla dodicesima costola, è avvenuta quando il bambino aveva due o tre anni, mentre la costola numero nove rivela un callo osseo che risale soltanto a qualche settimana prima della morte. Le fratture si sono saldate vicino alle estremità. Nei bambini piccoli, questo è il segno che sono stati violentemente scrollati, mentre, con l'aumentare dell'età, sta a indicare che il soggetto ha subito dei forti colpi alla schiena.»

Bosch pensò alle fitte che provava lui alle costole, così forti da impedirgli di dormire. L'idea che quel ragazzino fosse stato costretto a convivere con quel dolore giorno dopo giorno gli era insopportabile.

«Devo andare a lavarmi la faccia» disse all'improvviso. «Continuate voi.»

Si avviò verso la porta, ficcando il taccuino e la penna in mano a Edgar. Giunto in corridoio, voltò a destra. Conosceva quel posto a menadito, e sapeva che i bagni erano dietro il primo angolo.

Entrò nel locale e si avviò risolutamente verso uno dei gabinetti. Aveva la nausea e dovette fermarsi qualche istante. Dopo un po' si riprese.

Uscì nello stesso attimo in cui la porta si apriva per far entrare il cameraman di Teresa Corazón. Si guardarono con circospezione, poi Bosch gli disse: «Se ne vada, per favore. Torni più tardi».

L'uomo si voltò in silenzio e si allontanò.

Bosch si avvicinò a uno dei lavandini e si guardò allo specchio. Aveva la faccia arrossata. Si chinò e si gettò dell'acqua fredda sul viso e sugli occhi. Chissà perché, gli venne in mente il battesimo. Pensò che la vita offriva a volte delle nuove possibilità, una sorta di rinnovamento. Si rialzò e guardò di nuovo il suo volto riflesso.

Lo prenderò, giurò a se stesso.

Quando tornò nella sala dell'autopsia, gli altri due si voltarono a guardarlo. Edgar gli restituì il taccuino e la penna e Golliher gli domandò se stava bene.

«Sì, tutto a posto.»

«Se può esserle d'aiuto, mi è capitato spesso di essere chiamato in qualità di consulente» riprese Golliher. «Sono stato un po' ovunque. In Cile, in Kosovo, a New York dopo l'11 settembre. Ma questo caso...»

Scosse il capo.

«È difficile da capire. Si è quasi tentati di pensare che forse al ragazzino sia andata meglio così. Ovviamente se si crede nell'esistenza di Dio e di un mondo migliore di questo.»

Bosch si avviò verso uno dei banconi laterali e, preso un asciugamano di carta da un distributore, se lo passò sul viso.

«E se uno non è credente?» domandò.

Golliher gli si avvicinò.

«Be', forse è proprio questa la ragione per cui bisogna credere. Insomma, se non esiste un luogo lassù che ci compensi di quello che abbiamo passato qui... allora penso che davvero per noi non c'è speranza.»

«Ha funzionato anche quando frugava tra i resti, alle Torri Gemelle?»

Bosch si pentì subito della brutalità con cui si era espresso. Ma Golliher non parve minimamente turbato. Prima ancora che Bosch avesse il tempo di scusarsi, riprese a parlare.

«Sì, la mia fede non è stata scossa dall'orrore o dall'ingiustizia di tante vite stroncate. Anzi, in un certo senso si è rafforzata e mi ha aiutato a superare quell'esperienza.»

Bosch annuì e gettò l'asciugamano di carta in un bidone con il coperchio a pedale, che si richiuse di colpo con un rimbombo metallico quando tolse il piede.

«Non ci ha ancora parlato della causa della morte» disse, desideroso di tornare al caso.

«Possiamo arrivarci subito, detective. Tanto tutte le lesioni verranno spiegate dettagliatamente nel mio rapporto.»

Tornò al tavolo e prese in mano il teschio, tenendoselo vicino al petto. Poi si avvicinò nuovamente a Bosch.

«Sul teschio sono visibili tre distinte fratture a vari stadi di guarigione. Ecco la prima.»

E indicò una zona nella parte bassa del teschio.

«È piccola e completamente guarita. Poi abbiamo una lesione più grave nella regione parietale destra, in direzione frontale. Questa ha richiesto un intervento chirurgico, probabilmente per eliminare un ematoma sottodurale.»

Segnalò con il dito la zona, compiendo un cerchio sulla parte anteriore del teschio. Poi indicò cinque minuscoli fori che formavano un disegno circolare.

«Questo è il segno di un trapano, uno strumento indispensabile negli interventi chirurgici volti anche ad alleviare la pressione nel caso di un ematoma. Sia la frattura sia la cicatrice rivelano che la lesione si stava saldando, il che significa che il trauma doveva risalire più o meno a sei mesi prima della morte.»

«Quindi non è stata questa la causa del decesso» osservò Bosch.

«No. Guardi qui.»

Golliher voltò il teschio ancora una volta e mostrò loro un'altra lesione nella parte inferiore sinistra.

«Una frattura a forma di ragnatela, senza alcun segno di saldatura. Questa è avvenuta al momento della morte. La forma è la conseguenza di un colpo inferto con un oggetto contundente. Chissà, forse una mazza da baseball.»

Bosch annuì, guardando il piccolo teschio. Golliher lo teneva rivolto in modo tale che le orbite vuote sembravano fissarlo.

«Ci sono altre lesioni sulla testa, ma nessuna di natura letale. Il naso e gli zigomi, per esempio, mostrano la formazione di un callo osseo successivo a un trauma.»

Golliher tornò al tavolo dell'autopsia e vi appoggiò delicatamente il teschio.

«Forse è inutile che io stia a sottolinearlo, ma questo bambino è stato picchiato in modo sistematico. È probabile che il suo persecutore un giorno abbia esagerato. Comunque, vi farò avere un rapporto completo.»

Si voltò a guardarli.

«C'è uno spiraglio di luce in tanto buio. Qualcosa che forse potrà aiutarvi.»

«Allude all'intervento chirurgico?» chiese Bosch.

«Già. La trapanazione è un'operazione molto seria. È probabile che ci sia un rapporto archiviato da qualche parte. Senza contare che il tondino è tenuto in sede con dei fermagli metallici che vengono tolti in un secondo tempo. E anche di questo dovrebbe esserci traccia. Il tipo stesso di cicatrizzazione ci aiuta a datare l'intervento. I fori sono troppo grandi per gli standard odierni. Già verso la metà degli anni Ottanta si utilizzavano strumenti più avanzati di quello che sembra essere stato usato qui.»

Bosch fece un cenno d'assenso, poi chiese: «E i denti? Niente che possa servirci?».

«La mandibola manca completamente. I denti presenti

nell'arcata superiore non recano i segni di alcun lavoro dentistico, nonostante le tracce di carie. Anche questo indica qualcosa. Il ragazzo doveva appartenere ai livelli più bassi della scala sociale. Forse la famiglia non aveva i soldi per portarlo dal dentista.»

Edgar si era tirato giù la mascherina, che ora gli ciondolava dal collo. Aveva un'espressione addolorata.

«Perché quando era in ospedale a farsi togliere l'ematoma, il ragazzino non ha raccontato ai medici quello che gli stava capitando? Perché non ne ha parlato agli insegnanti, agli amici?»

«La risposta è ovvia, detective» disse Golliher. «I bambini fanno affidamento sui loro genitori. Li amano e li temono al tempo stesso. E soprattutto non vogliono perderli. A volte non riusciamo a spiegarci perché non chiedano aiuto all'esterno.»

«Ma è possibile che i medici che hanno visitato il bambino non si siano accorti di niente?»

«Questo è il paradosso del mio mestiere. Per me è facile ricostruire la tragedia. Ma quando il paziente è vivo, le cose possono anche non essere così evidenti. Se i genitori arrivano con una storia plausibile, che spieghi le lesioni subite dal bambino, quali ragioni avrebbe un medico per radiografare un braccio, una gamba o il torace? Nessuna. E così l'incubo continua.»

Edgar scosse il capo incredulo e si ritirò in un angolo della sala.

«C'è altro, dottore?» domandò Bosch.

Golliher controllò le sue note e incrociò le braccia.

«Finora abbiamo parlato a livello scientifico e tutto quello che vi ho detto verrà riportato nel mio rapporto. Sul piano puramente personale, spero che troviate il bastardo che l'ha ammazzato. Si merita il peggio.»

Bosch annuì.

«Lo prenderemo, può starne certo» disse Edgar.

Uscirono dall'edificio e salirono sull'auto di Bosch, che attese un attimo prima di avviare il motore. Poi batté con forza il palmo della mano sul volante.

«Io non sono come lui. Questa faccenda non mi induce a credere in Dio» disse Edgar. «Semmai mi fa credere nell'esistenza degli alieni, in piccoli omini verdi che vengono dallo spazio.»

Bosch lo guardò. Edgar aveva appoggiato la testa al finestrino e guardava in basso, verso il fondo dell'auto.

«E perché?»

«Perché un essere umano non potrebbe fare una cosa del genere a un suo simile. Devono essere stati gli alieni. Sono arrivati a bordo di un'astronave, l'hanno rapito e l'hanno conciato così. Non c'è altra spiegazione.»

«Vorrei che le cose fossero andate davvero come dici tu, Jerry. Almeno potremmo tornarcene a casa.»

Bosch mise in moto e partì.

«Ho bisogno di un drink.»

«Non ti farò compagnia, amico. Io voglio solo arrivare a casa e prendere in braccio mio figlio. Poi forse mi sentirò meglio.»

Rimasero in silenzio finché non raggiunsero il Parker Center.

8

BOSCH ED EDGAR PRESERO L'ASCENSORE e salirono al quinto piano. Entrarono nel laboratorio della Scientifica dove avevano appuntamento con Antoine Jesper, il criminologo capo assegnato al caso che si stava affrettando alla porta di sicurezza. Era un giovane di colore, con gli occhi grigi e la pelle liscia. Indossava un camice bianco che gli svolazzava attorno al ritmo dei suoi passi lunghi e delle braccia in perenne movimento.

«Da questa parte, ragazzi. Purtroppo non ho molto da farvi vedere.»

Li guidò attraverso il laboratorio principale, dove altri colleghi erano al lavoro, fino alla stanza destinata all'asciugatura, un ampio spazio condizionato dove vari capi di abbigliamento riguardanti casi diversi erano stesi su una serie di tavoli per essere esaminati. L'odore della decomposizione gareggiava con quello del locale destinato alle autopsie, nel reparto di medicina legale.

Jesper li condusse fino a un grande tavolo dove Bosch vide lo zainetto, che era stato aperto, e alcuni frammenti di stoffa anneriti dal contatto con il terreno e da formazioni micotiche. C'era anche un contenitore di plastica, dentro il quale un tempo dovevano essere stati riposti dei panini, ridotti ora a un ammasso nero e irriconoscibile.

«Nello zainetto sono penetrati acqua e fango» disse Jesper.

Poi prese una penna dalla tasca del camice e se ne servì per indicare i vari oggetti durante la sua spiegazione.

«Lo zainetto conteneva tre cambi di abbigliamento, più dettagliatamente tre magliette, tre mutande e tre paia di calzini, oltre a quello che era probabilmente un panino o altro tipo di cibo. C'era anche una busta, o quello che restava di una busta. Non la vedete qui, insieme al resto, perché è stata passata al reparto documenti. Ma non contateci troppo, era conciata peggio di quel panino, o qualunque cosa fosse.»

Bosch annuì e scrisse l'elenco degli oggetti sul suo taccuino.

«Nessun segno di identificazione?» chiese.

Jesper scosse il capo.

«Niente di personale, né sugli abiti né sullo zainetto. Ma ci sono due cose da sottolineare. In primo luogo, la marca di questa maglietta. SOLID SURF. Una grossa scritta in corrispondenza del torace. Non si vede a occhio nudo, solo con gli infrarossi. Chissà, forse può servire. Comunque, questa particolare marca è un punto di riferimento per gli appassionati di skateboard. Infine c'è la patella esterna dello zainetto.»

Si servì della penna per alzarla.

«Le ho dato una pulita ed ecco cosa è venuto fuori.»

Bosch si chinò a guardare. Lo zainetto era di tela blu, ma sulla patella c'era un punto dove il colore, nettamente più chiaro, formava una grande B.

«L'impressione è che qui ci fosse applicato una specie di adesivo» continuò Jesper. «Ora non c'è più e, in tutta sincerità, non posso dire se sia sparito prima o dopo che questo affare finisse nel terreno. Mi sembra più logico pensare che sia successo prima. Comunque, sembra che sia stato strappato via.»

Bosch si allontanò dal tavolo e scrisse qualcosa sul taccuino. Poi si rivolse a Jesper.

«Grazie, Antoine, hai fatto un buon lavoro. Nient'altro?»

«Direi di no.»

«Allora andiamo al reparto documenti.»

Jesper li precedette di nuovo attraverso il laboratorio centrale, fino a una sala più piccola, dove dovette digitare un codice per entrare.

La sala conteneva due file di scrivanie, che al momento non erano occupate. Ognuna era dotata di un visore orizzontale e di una lente d'ingrandimento montata su un perno. Jesper si diresse verso la scrivania centrale della seconda fila. Sul piano c'era un cartellino con un nome: Bernadette Fornier. Bosch la conosceva. Avevano lavorato insieme al caso di un presunto suicida, e grazie a lei avevano scoperto che il biglietto d'addio era chiaramente falso.

Jesper prese dalla scrivania una busta di plastica, di quelle utilizzate per conservare le prove. La aprì e ne estrasse due sacchetti trasparenti.

Uno conteneva una busta scurita dall'umidità e coperta di chiazze nere prodotte da formazioni fungose. Nell'altro c'era un pezzo di carta rettangolare, rotto in tre parti lungo le piegature e altrettanto rovinato.

«Questo è quello che succede quando gli oggetti restano bagnati a lungo» disse Jesper. «Bernie ci ha messo un giorno intero per aprire la busta e togliere la lettera. Come potete vedere, si è divisa in tre ed è poco probabile che si riesca a leggerne il contenuto.»

Bosch accese il visore e vi appoggiò contro i sacchetti trasparenti. Girò il perno della lente di ingrandimento e studiò la busta e la lettera che un tempo era stata al suo interno. Sui due documenti non c'era niente che fosse lontanamente leggibile. Fu colpito dal fatto che sulla busta non sembrava essere stato applicato alcun francobollo.

«Maledizione» esclamò.

Girò i sacchetti e continuò a guardare. Edgar gli si avvicinò, come per confermare ciò che ormai era ovvio.

«Peccato» disse.

«Quali sono i passi successivi?» chiese Bosch.

«Be', Bernadette proverà a utilizzare qualche reagente, o un tipo diverso di luce. Tenterà con qualcosa che aiuti a evidenziare l'inchiostro. Ma ieri non mi sembrava molto ottimista. Come ho detto, non mi farei troppe illusioni se fossi in voi.»

Bosch annuì e spense il visore.

9

VICINO ALL'INGRESSO della Divisione Hollywood c'era una panca con due grossi portacenere pieni di sabbia ai lati. Era stata chiamata Codice 7, come il codice radio per chi era fuori servizio o in pausa. Alle ventitré e quindici della sera di sabato non c'era seduto nessuno, tranne Bosch. Non stava fumando, nonostante morisse dalla voglia. Stava solo aspettando. La panca era debolmente illuminata dalle luci che sovrastavano la porta posteriore della Divisione ed era rivolta verso il parcheggio, condiviso dalla stazione di Polizia e dalla caserma dei pompieri, situata all'estremità del complesso.

Bosch osservava le unità di pattuglia che tornavano dal turno e gli agenti che entravano nell'edificio per cambiarsi l'uniforme, farsi una doccia e concludere la giornata lavorativa. Abbassò gli occhi sulla MagLite che aveva in mano e strofinò il pollice sul cappuccio, dove Julia Brasher aveva inciso il suo numero di matricola.

Poi la palleggiò nella mano, sentendone il peso. Pensò a quello che Golliher aveva detto a proposito dell'oggetto che aveva ucciso il ragazzo. Poteva anche aggiungere una torcia alla lista.

Osservò un'auto di pattuglia che si infilava nel parcheggio e andava a fermarsi accanto al garage. Un poliziotto, che riconobbe come il partner di Julia Brasher, emerse dal posto accanto a quello di guida ed entrò nell'edificio portando con sé l'arma di ordinanza. Bosch rimase in attesa, colto da un'improvvisa incertezza sull'opportunità di portare avanti il suo piano. Si chiese se non fosse il caso di lasciar perdere.

Prima che riuscisse a decidersi, Julia smontò dall'auto e si diresse verso la porta della stazione di Polizia. Camminava a testa bassa, come se fosse stanca o provata dalla lunga giornata. Era una sensazione che anche lui conosceva bene. Gli venne in mente che forse qualcosa era andato storto. Era solo un'impressione, ma il modo in cui Edgewood era entrato senza aspettarla gli faceva pensare che avessero avuto qualche problema. Julia Brasher era ancora una recluta ed Edgewood era l'agente che l'addestrava, anche se era più giovane di lei di almeno cinque anni. Forse le loro difficoltà erano determinate dalla differenza d'età, o forse c'era qualcos'altro.

La ragazza non si accorse di lui ed era già vicino alla porta quando Bosch parlò.

«Ehi, hai dimenticato di pulire il vomito dal sedile posteriore.»

Lei continuò a camminare, limitandosi a girare la testa, finché lo riconobbe. Si fermò e si avvicinò alla panca.

«Ti ho portato una cosa» disse Bosch, e le porse la torcia. Lei la prese con un sorriso stanco.

«Grazie, Harry. Non era necessario che mi aspettassi.»

«L'ho fatto volentieri.»

Per un attimo ci fu un silenzio imbarazzato.

«Hai lavorato al caso questa sera?»

«Più o meno. Ho cominciato a scrivere il rapporto. Oggi c'è stata l'autopsia, se si può definire tale.»

«Dalla tua faccia direi che è stata dura.»

Bosch annuì. Si sentiva strano a restarsene seduto, con lei in piedi davanti a lui.

«A guardarti, anche tu non devi aver avuto una gran giornata.»

«Non è sempre così?»

Prima che Bosch potesse rispondere, due agenti freschi di doccia e vestiti in abiti civili uscirono dalla stazione, diretti verso le loro auto.

«Su col morale, Julia. Ci vediamo là.»

«D'accordo, Kiko.»

Si voltò e tornò a guardare Bosch. Ora sorrideva.

«Qualcuno del nostro turno ha organizzato una piccola riunione da Boardner. Vuoi venire anche tu?»

«Non so...»

«Non preoccuparti. Non ti va di bere qualcosa?»

«Già, ho proprio bisogno di un drink. È per questo che ti stavo aspettando. Ma non so se ho voglia di mescolarmi a un mucchio di gente.»

«Cosa avevi in mente?»

Bosch guardò l'orologio. Erano già le undici e mezza.

«Dipende da quanto tempo ci metti a prepararti. Se fai in fretta, potremmo farci un Martini da Musso.»

Julia sorrise con entusiasmo.

«Mi piace quel posto. Dammi un quarto d'ora.»

Puntò dritta verso la porta senza attendere la risposta.

«Ti aspetto qui» le gridò Bosch.

10

MUSSO E FRANK'S ERA UN'ISTITUZIONE. Da circa un secolo serviva Martini agli abitanti di Hollywood, sia a quelli famosi sia ai perfetti sconosciuti.

La prima sala era tutta separé di cuoio rosso e conversazioni a bassa voce, con camerieri vecchiotti dai gesti pacati che indossavano giacche a coda di rondine rosse. La sala posteriore conteneva il lungo bar, dove quasi sempre c'era posto solo in piedi e i clienti dovevano elemosinare l'attenzione dei baristi, tanto anziani da sembrare i padri di quelli che servivano nell'altra sala. Mentre Bosch e Julia Brasher entravano nel locale, due avventori smontarono dai loro sgabelli per andarsene. Bosch e Julia si precipitarono a occuparli, battendo due tipi vestiti di nero che avevano l'aria di lavorare per qualche studio cinematografico. Un barista che conosceva Bosch si avvicinò subito ed entrambi ordinarono due Martini vodka, raccomandandosi che li facesse forti.

Come sempre, Bosch si sentiva a suo agio con lei. Nel corso degli ultimi due giorni avevano pranzato insieme sui tavoli da picnic predisposti sulla scena del crimine, ed erano stati a distanza di sguardo durante le ricerche sulla collina. Aveva l'impressione di conoscerla da un pezzo. Chiacchierarono un po' dei colleghi e della Divisione, e Bosch le confidò qualche particolare del caso di cui si stava occupando. Quando il barista arrivò con i Martini e con due caraffe piene di un long drink, era pronto a dimenticarsi tutto per un po', ossa, sangue e mazze da baseball.

Accostarono i bicchieri per fare un brindisi e Julia disse: «Alla vita».

«Già. E anche oggi è andata.»

«Mettiamola così.»

Bosch sapeva che era arrivato il momento di chiederle cosa la turbava. Se lei non avesse avuto voglia di parlare, però, non avrebbe certo insistito.

«Com'è che quel tizio al parcheggio, quello che hai chiamato Kiko, ti ha detto di star su col morale?»

Lei si scurì in viso e non rispose.

«Se preferisci non parlarne...»

«No, non è questo. È *pensarci* che mi disturba...»

«Capisco. Dimentica quello che ti ho chiesto.»

«No, non cambia niente. Il fatto è che il mio partner mi farà rapporto e, visto che sono ancora in prova, potrebbe costarmi parecchio.»

«E perché ti farà rapporto?»

Lei si strinse nelle spalle ed entrambi buttarono giù una lunga sorsata.

«Niente di speciale. La solita lite domestica. Non sai quanto le odio. Il tizio si era chiuso in camera con una pistola. Non sapevamo se l'avrebbe usata contro se stesso, contro la moglie o contro di noi. Restammo ad aspettare i rinforzi prima di entrare.»

Bevve un altro sorso. Il suo sguardo tradiva la sua agitazione.

«Edgewood era armato. Io e Fennel, il partner di Kiko, eravamo ai lati della porta. Kiko doveva aprirla con un calcio. Eravamo tutti pronti. Kiko, grande e grosso com'è, aprì la porta al primo colpo e io e Fennel entrammo. Il tizio era sdraiato sul letto, privo di conoscenza. Sembrava che non ci fossero problemi, ma evidentemente Edgewood aveva un problema con me. Dice che mi sono piazzata davanti alla sua arma.»

«È vero?»

«Non mi pare, ma se è successo, non sono stata l'unica. Anche Fennel l'ha fatto, però a lui è andata liscia.»

«Sei tu la recluta, quella ancora in prova.»

«Già, ma non ne posso più, questo è sicuro. Anche tu ci sei passato. Come sei riuscito a sopravvivere, Harry? Per te ormai è storia finita, ma io non faccio altro che rispondere alle chiamate giorno e notte, e passare da una situazione di squallore a un'altra. È come spegnere un incendio a forza di sputi. È tutto inutile, non si va avanti di un passo là fuori, e per giunta c'è quell'imbecille che ogni due minuti mi dice che ho sbagliato qualcosa.»

Bosch la capiva. Quello che raccontava era toccato a tutti i poliziotti che portavano l'uniforme. Si sguazzava in una fogna giorno dopo giorno con la sensazione che al mondo non ci fosse altro. Ecco perché non sarebbe mai più tornato al lavoro di pattuglia. Era come curare una ferita da arma da fuoco con un cerotto.

«Pensavi che sarebbe stato diverso quando eri all'Accademia?»

«Non lo so cosa pensavo. Mi domando solo se arriverà il momento in cui avrò l'impressione di contare qualcosa.»

«Devi avere pazienza. I primi due anni sono i più duri. Poi tutt'a un tratto vedi la luce in fondo al tunnel. Il mio consiglio è quello di combattere le tue battaglie. Vedrai che troverai la tua strada.»

Si sentiva un po' ipocrita a propinarle quella tiritera. Anche lui aveva attraversato lunghi periodi di incertezza sulle scelte compiute.

«Cambiamo discorso» disse lei.

«D'accordo.»

Bevve un altro sorso, cercando di pensare a che piega dare

alla loro conversazione. Poi appoggiò il bicchiere, si voltò e le sorrise.

«E così un bel giorno, mentre facevi trekking sulle Ande, ti sei detta: "Voglio entrare nella Polizia".»

Lei scoppiò a ridere, come se avesse superato il suo momento di depressione.

«Non è esattamente così. E non sono mai stata sulle Ande.»

«E cosa mi racconti della vita spensierata che facevi prima di prendere il distintivo? Mi hai detto che hai girato il mondo.»

«Sì, ma non sono mai andata in Sud America.»

«È lì che sono le Ande? Ero convinto che fossero in Florida.»

Lei scoppiò a ridere di nuovo, e Bosch si congratulò con se stesso per aver trovato l'argomento giusto. Gli piaceva guardarla mentre rideva. Aveva i denti leggermente storti, eppure sembravano perfetti.

«Parlo sul serio, che cosa facevi prima?»

Lei si voltò sullo sgabello e appoggiò la spalla a quella di lui. Si guardarono nello specchio, che stava dietro le bottiglie colorate allineate lungo la parte posteriore del bar.

«Ho fatto l'avvocato per un po'. No, non eccitarti, mi occupavo di diritto civile. Poi ho capito che non era per me e ho cominciato a viaggiare. Nei luoghi in cui mi fermavo, mi trovavo un lavoro. A Venezia mi sono occupata di ceramica. In Svizzera ho fatto la guida alpina. E alle Hawaii ho lavorato come cuoca sulle barche che portavano a spasso i turisti. Ho visto un sacco di posti... tranne le Ande. Poi sono tornata.»

«A Los Angeles?»

«È qui che sono nata e cresciuta. E tu?»

«Anch'io, a Queen.»

«Io a Cedars.»

Lei alzò il bicchiere e toccò il suo.

74

«Al popolo degli eletti» disse.

Bosch vuotò il bicchiere e vi versò il contenuto della caraffa. Aveva bevuto più di Julia, ma non gli importava. Si sentiva rilassato. Era piacevole non pensare a niente per un po' ed essere in compagnia di qualcuno che non era direttamente coinvolto con il caso di cui si stava occupando.

«E così sei nata a Cedars. E dove sei cresciuta?»

«Non ridere. A Bel Air.»

«A Bel Air? Mi sa che il tuo paparino non sarà tanto contento che tu sia entrata nella Polizia.»

«Soprattutto perché lo studio di avvocati dove esercitavo era il suo, e per due anni non ha più saputo niente di me.»

Bosch sorrise e alzò il bicchiere.

«Ne hai del fegato, ragazza.»

Quando riappoggiarono i bicchieri sul banco, lei disse: «Basta con le domande».

«D'accordo. Allora cosa facciamo?»

«Portami a casa, Harry. A casa tua.»

Lui rimase in silenzio per un attimo, guardandola negli occhi. Erano più azzurri del solito, e luccicavano. Il loro incontro aveva avuto un'improvvisa accelerazione, favorita dall'alcol. Ma era così che succedeva spesso tra poliziotti, gente che si sentiva parte di un ambiente chiuso, che si lasciava guidare dall'istinto, che andava a lavorare ogni giorno sapendo che avrebbe potuto essere l'ultimo.

«Sì» disse infine. «Stavo pensando la stessa cosa.»

Si chinò verso di lei e la baciò sulla bocca.

11

IN PIEDI, NEL SOGGIORNO DI BOSCH, Julia Brasher guardava i CD impilati accanto allo stereo.

«Mi piace il jazz.»

Bosch, che era in cucina, sorrise sentendo il suo commento. Finì di versare i Martini e andò in soggiorno, dove le porse il suo bicchiere.

«Cosa ti piace?»

«Ultimamente Bill Evans.»

Bosch annuì, andò al porta CD e ne estrasse *Kind of Blue*.

«Bill e Miles» disse. «Per non parlare di Coltrane e di pochi altri. Sono il massimo.»

Quando la musica cominciò a diffondersi, prese il suo Martini. Lei gli si avvicinò e toccò il bicchiere con il suo. Invece di bere si baciarono. A un tratto lei cominciò a ridere.

«Cosa succede?» le chiese lui.

«Niente. Mi sento spensierata. E felice.»

«Già, anch'io.»

«Pensavo a te, che mi davi la torcia.»

Bosch la guardò stupito.

«Cosa vuoi dire?»

«Be', è un simbolo fallico.»

L'espressione del volto di Bosch la fece ridere di nuovo, tanto che parte del suo drink finì per terra.

Più tardi, mentre lei era sdraiata a faccia in giù sul suo letto, seguendo con un dito il contorno del sole fiammeggiante tatuato nella parte bassa della schiena Bosch pensò che la sentiva vicina ed estranea al tempo stesso. Non sapeva niente di lei. Al pari del suo tatuaggio, c'era in lei qualcosa di sorprendente, da qualsiasi prospettiva la si guardasse.

«A cosa stai pensando?» gli chiese.

«A niente di particolare. Stavo solo pensando al tizio che ti ha tatuato il sole sulla schiena. Vorrei avertelo fatto io.»

«E perché?»

«Perché porterai sempre con te una parte di lui.»

Si voltò sul fianco, rivelandogli i seni e il suo sorriso. La treccia si era sciolta e i capelli le accarezzavano le spalle. Julia alzò un braccio e lo attirò a sé. Si baciarono a lungo. «È la cosa più bella che qualcuno mi abbia detto da un pezzo» osservò lei.

Lui appoggiò la testa sul cuscino, accanto alla sua. Sentiva l'odore dolce del suo profumo, mescolato a quello del sesso e del sudore.

«Non hai niente alle pareti. Nessuna foto, intendo.»

Bosch si strinse nelle spalle.

Lei si voltò di nuovo, girandogli la schiena. Lui allungò il braccio sotto il suo, appoggiandole la mano su un seno e stringendola a sé.

«Puoi fermarti questa notte?»

«Be'... mio marito si chiederà dove sono finita, ma forse posso chiamarlo.»

Bosch si immobilizzò, poi scoppiò a ridere.

«Sei piena di sorprese.»

«Non mi hai chiesto se c'era qualcun altro.»

«Nemmeno tu.»

«Nel tuo caso è evidente. Si vede lontano un miglio che sei il classico tipo del detective solitario.» E poi, con voce fonda e maschile, proseguì: «Non ho tempo da perdere con le donne. L'omicidio è il mio mestiere. Voglio i fatti, solo i fatti...».

77

Lui l'accarezzò con il pollice, seguendo la lieve ondulazione delle costole.

«Mi hai prestato la tua torcia» disse Bosch scherzando. «Sono cose che una donna sposata non dovrebbe fare.»

«Anch'io ho qualcosa da dirti, furbone. Ho visto la Mag-Lite nel baule della tua auto, prima che ti affrettassi a coprirla. Non credere di riuscire a imbrogliarmi tanto facilmente.»

Bosch si allontanò e tornò ad appoggiare la testa sul suo cuscino. Era imbarazzato e sentì una vampata di calore salirgli al viso. Si coprì le guance per nascondere il rossore.

«Oh Dio... sono così ovvio?»

Lei gli venne sopra e gli scostò le mani, poi lo baciò sul mento.

«A me è piaciuto, ha dato un senso alla mia giornata. E penso che, se succedesse ancora, sarei contenta.»

Gli girò le mani con le palme in basso e guardò le cicatrici che gli segnavano le nocche. Si erano rimpicciolite col tempo e non erano più molto visibili.

«E queste cosa sono?» gli chiese.

«Niente di speciale, sono solo cicatrici.»

«Questo lo vedo anch'io, ma come te le sei fatte?»

«Avevo dei tatuaggi e li ho tolti. Ma è successo tanto tempo fa.»

«E perché?»

«Mi hanno costretto a toglierli quando sono entrato nell'esercito.»

Lei scoppiò a ridere.

«Cos'erano? "Al diavolo l'esercito" o qualcosa del genere?»

«No, non si trattava di questo.»

«E allora cosa? Su dimmelo, voglio saperlo.»

«In realtà era una scritta, ma diceva TIENI DURO.»

«E qual era il problema?»

«Be', è una storia lunga...»

«Non ho fretta. Mio marito è un tipo conciliante. Dai, racconta.»

78

«Be', non è niente di speciale. Scappavo spesso di casa, da ragazzino, e una volta sono finito a San Pedro, vicino ai moli dove sono ormeggiate le barche da pesca. Ho visto che un sacco di pescatori aveva questo tatuaggio sulle dita. Così mi sono incuriosito e ho chiesto a uno di loro cosa volesse dire. Mi spiegò che era un motto, qualcosa che esprimeva la loro filosofia. Quando se ne andavano fuori per giorni, anche per settimane, e il mare si ingrossava da far paura, l'unica cosa che restava loro era di non mollare, di tenere duro.»

Bosch chiuse le mani a pugno e le alzò.

«Aggrapparsi alla vita... a quello che uno ha di importante.»

«Così anche tu ti sei fatto tatuare. Quanti anni avevi?»

«Non mi ricordo, sedici o diciassette.»

Fece un cenno d'assenso con la testa, poi sorrise.

«Quello che non sapevo era che quello era un motto della Marina. Così, un anno dopo, mi arruolo tutto giulivo nell'Esercito con il mio bel tatuaggio sulle mani e la prima cosa che il mio sergente mi dice è di farlo sparire. "Questa roba puzza di pesce" mi fa.»

Lei gli prese le mani e guardò attentamente le nocche.

«Queste cicatrici non sembrano opera di un laser.»

Bosch scosse il capo.

«Non esistevano i laser, allora.»

«E allora come ti sei tolto la scritta?»

«Il mio sergente, si chiamava Rosser, mi ha portato fuori dalla caserma, fino al retro dell'edificio che ospitava gli uffici dell'amministrazione. Il muro era di mattoni e lui mi ha costretto a colpirlo con i pugni fino a spappolarmi le nocche. Poi, dopo circa una settimana, quando si era ormai formata la crosta, mi ha obbligato a rifarlo.»

«Cristo santo, che barbarie!»

«Questo è l'Esercito.»

Sorrise al ricordo. Non era stato poi così terribile. La musica si fermò e lui si alzò e, nudo com'era, andò a cambiare il CD.

«Clifford Brown?» gli chiese lei quando tornò in camera da letto. L'aveva riconosciuto.

Fece cenno di sì e si avvicinò al letto. Non aveva mai incontrato una donna che conoscesse il jazz come lei.

«Fermati dove sei.»

«Perché?»

«Voglio guardarti. Come te le sei procurate le altre cicatrici?»

La stanza era in penombra, l'unica luce accesa era quella del bagno, ma Bosch provò un senso di imbarazzo per la sua nudità. Era in forma, ma aveva quindici anni più di lei. Si chiese se era mai stata con un uomo della sua età.

«Harry, sei fantastico. Mi ecciti da morire, lo sai. Raccontami di quelle cicatrici.»

Lui si passò le dita sul cordone di pelle ispessita sopra il fianco sinistro.

«Vuoi sapere come mi sono fatta questa? È stata una coltellata.»

«Dove è successo?»

«In una galleria.»

«E là, sulla spalla?»

«Questo è il ricordo di un proiettile.»

«Dove ti hanno sparato?»

Bosch sorrise.

«In una galleria.»

«Ehi, io me ne starei lontano dalle gallerie se fossi in te.»

«Ci proverò.»

Entrò nel letto e si coprì con il lenzuolo. Lei gli accarezzò la spalla, facendo scorrere le dita sull'increspatura prodotta dalla cicatrice.

«Dev'essere penetrato fino all'osso.»

«Già, sono stato fortunato. Non ho avuto danni permanenti. Mi fa male d'inverno e quando piove. Ma è sopportabile.»

«Che cosa si prova quando si viene colpiti?»

Bosch si strinse nelle spalle.

«Un male terribile. Poi un grande senso di debolezza.»

«Quanto tempo sei rimasto là sotto?»

«Tre mesi, più o meno.»

«Non sei riuscito a farti mettere in congedo?»

«Me l'hanno offerto, ma ho rifiutato.»

«E perché?»

«Non lo so. Forse mi piaceva quello che facevo. O forse pensavo che un giorno avrei incontrato una bella poliziotta su cui avrei fatto colpo grazie alle mie cicatrici.»

Lei gli diede un colpo sul torace, e lui fece una smorfia di dolore.

«Oh, povero piccolo» disse lei in tono di scherno.

«Mi hai fatto male.»

Poi lei gli sfiorò il tatuaggio sulla spalla.

«E questo cosa sarebbe, Topolino che si è fatto di acido?»

«Più o meno. È un topo delle gallerie.»

Dal volto di Julia scomparve ogni traccia di sorriso.

«Cosa ti succede?» le chiese lui.

«Sei stato in Vietnam.» Aveva finalmente capito. «Ci sono stata, in quei tunnel.»

«Spiegati meglio.»

«Quando viaggiavo. Ho passato sei settimane in Vietnam. Adesso nelle gallerie ci portano i turisti. Basta pagare l'ingresso. Ma allora, quando c'eri tu, dev'essere stato spaventoso.»

«Ho avuto più paura dopo, quando ci ripensavo.»

«Hanno costruito una sorta di percorso delimitato da corde per evitare che la gente si perda. In realtà non c'è nessun controllo. Così io ho scavalcato le corde e mi sono inoltrata per un bel pezzo. È così buio là sotto.»

Bosch la guardò negli occhi.

«Sei riuscita a vederla?» le chiese. «La luce perduta?»

Lei ricambiò lo sguardo e annuì.

«Sì. Quando i miei occhi si sono adattati all'oscurità. È

allora che l'ho vista. Era lieve come un sussurro, ma mi è bastata per ritrovare la strada.»

«La luce perduta. Nessuno ha mai capito da dove provenisse, eppure c'era. Simile a del fumo sospeso nell'aria. Qualcuno diceva che la luce non c'entrava, che erano i fantasmi di tutti quelli che erano morti là sotto, americani e vietnamiti.»

A questo punto smisero di parlare, e si tennero abbracciati finché lei si addormentò.

Bosch si accorse che non aveva pensato al caso per più di tre ore. All'inizio la scoperta lo fece sentire in colpa, ma poi se ne fece una ragione e in breve si addormentò anche lui. Sognò di trovarsi in una galleria, ma non stava strisciando. Gli sembrava di essere sott'acqua e di sgusciare come un'anguilla nel labirinto di cunicoli. Arrivò a un fondo cieco e vide un bambino, seduto contro la parete del tunnel. Era rannicchiato, con le ginocchia accostate al petto e il viso nascosto tra le braccia.

«Vieni con me» gli disse Bosch.

Il bambino lo sbirciò, senza muoversi, mentre un'unica bolla d'aria gli usciva dalla bocca. Poi spostò lo sguardo, fissandolo alle sue spalle, come se avesse visto qualcosa avvicinarsi dietro di lui. Bosch si voltò, ma non vide altro che il buio.

Quando si girò di nuovo il ragazzino era scomparso.

12

DOMENICA IN TARDA MATTINATA Bosch accompagnò Julia
Brasher alla stazione Hollywood perché recuperasse la sua
auto. Lei era fuori servizio, ma lui voleva riprendere a lavorare sul caso. Si misero d'accordo per cenare insieme quella
sera, a casa di lei. Julia abitava a Venice. C'erano altri agenti nel parcheggio quando Bosch la lasciò vicino alla sua macchina. Sapeva benissimo che in un attimo si sarebbe sparsa
la voce che avevano passato la notte insieme.

«Mi dispiace» le disse. «Avrei dovuto pensarci la notte
scorsa.»

«Non mi interessa, Harry. Ci vediamo più tardi.»

«Ehi, dovrebbe importarti, invece. I poliziotti possono
essere spietati.»

«Già, così dicono» rispose lei con una smorfia.

«Non sto scherzando. Tra l'altro è contro il regolamento.
Io sono un tuo superiore, non avrei dovuto approfittarne.»

«Allora sei tu nei guai. Ci vediamo stasera, spero.»

Scese e chiuse la portiera. Bosch parcheggiò nel posto che
gli era stato assegnato e si diresse verso l'ufficio dei detective,
cercando di non pensare alle complicazioni che quella storia
poteva riservargli.

La stanza era deserta, esattamente come si era augurato.
Desiderava passare un po' di tempo da solo per concentrar-

si sul caso. Aveva ancora un sacco di scartoffie da riempire, ma voleva anche riuscire a riflettere un po' su tutta la massa di prove e informazioni che aveva acquisito da quando erano state scoperte le ossa.

La priorità assoluta era stendere un elenco delle cose da fare. Il fascicolo dell'omicidio – la cartelletta azzurra che conteneva tutti i rapporti riguardanti il caso – doveva essere completato. Doveva compilare i mandati per accedere agli archivi degli ospedali locali ed esaminare i verbali delle operazioni al cervello. Doveva eseguire dei controlli di routine al computer su tutti i residenti nella zona circostante la scena del crimine. Non solo, ma doveva anche leggersi le registrazioni di tutte le telefonate arrivate dopo che la notizia del ritrovamento delle ossa era stata diffusa dalla stampa e dalle televisioni, e cominciare a raccogliere i rapporti sui ragazzini scomparsi o scappati di casa, che potevano avere qualche elemento in comune con la vittima.

Sapeva che avrebbe impiegato più di un'intera giornata se si ostinava a fare tutto da solo, ma aveva deciso che Edgar si godesse il suo giorno libero e non intendeva cambiare idea. Il suo partner, che aveva un figlio di tredici anni, era rimasto molto turbato dall'incontro con Golliher e Bosch voleva che avesse il tempo di riprendersi. Le settimane che li aspettavano sarebbero state lunghe ed emotivamente intense.

Quando terminò l'elenco, estrasse da un cassetto la sua tazza e si diresse verso l'ufficio di guardia per prendersi un caffè. Non aveva spiccioli, ma solo un biglietto da cinque dollari, che infilò ugualmente nel cestino adibito a cassa comune senza prendere il resto. Pensò che nel corso della giornata il suo credito si sarebbe annullato.

«Lo sai quello che si dice?» domandò una voce alle sue spalle, mentre Bosch si stava riempiendo la tazza.

Si girò. Era Mankiewicz, il sergente di guardia.

«A che proposito?»

«A proposito degli amori sul posto di lavoro.»

«Non lo so. Cosa si dice?»

«Nemmeno io lo so, per questo te lo chiedo.»

Mankiewicz sorrise e si avvicinò alla macchina del caffè per scaldarsi la tazza.

Così la voce stava già cominciando a girare, pensò Bosch. I pettegolezzi e le allusioni, soprattutto quelli di natura sessuale, si diffondevano in una stazione di Polizia come un incendio su una collina in piena estate.

«Be', fammelo sapere quando lo scopri» disse Bosch avviandosi verso la porta. «Potrebbe sempre venirmi utile.»

«Lo farò. Ah, c'è un'altra cosa, Harry.»

Bosch si voltò, pronto a far fronte a un'altra battuta di Mankiewicz.

«Di cosa si tratta?»

«Piantala di buttare via il tempo e concentrati sul tuo caso. Sono stufo che i miei ragazzi debbano rispondere a tutte quelle telefonate.»

La sua voce aveva un tono faceto. Ma dietro il sarcasmo si celava una protesta legittima, nata dal fatto che gli agenti di guardia erano impegnati a rispondere a un'infinità di chiamate da parte di gente che dava suggerimenti o credeva di sapere qualcosa sul caso.

«Già, hai ragione. È arrivato niente di interessante oggi?»

«Non saprei. Sarai tu a dirlo, quando ti deciderai a esaminare i rapporti. Comunque la CNN deve aver avuto una mattinata moscia, perché ha trasmesso tutta la storia nei dettagli. Un bel gruppo di eroici poliziotti con le loro scale di fortuna e delle cassette piene di ossa. Così adesso le telefonate arrivano anche dagli altri stati. Non avremo più pace finché non risolvi la faccenda, Harry. Contiamo tutti su di te, qui dentro.»

Lo disse con un sorriso, ma, ancora una volta, le sue parole contenevano un messaggio.

«D'accordo. Farò tutto quello che posso, Mank.»

«Bene. Era quello che mi aspettavo.»

Tornato alla scrivania, Bosch si mise a sorseggiare il suo caffè, lasciando che la sua mente vagasse in libertà tra i vari aspetti del caso. C'erano un sacco di anomalie e di contraddizioni. Prima di tutto quella tra la scelta del luogo e il metodo di sepoltura, notata da Kathy Kohl. Anche le conclusioni a cui era arrivato Golliher aprivano la strada a una serie di domande. Secondo Golliher, si trattava di un caso di maltrattamenti, ma lo zaino pieno di vestiti poteva anche indicare che la vittima fosse scappata di casa.

Bosch ne aveva parlato con Edgar il giorno prima, quando erano tornati alla Divisione Hollywood dopo aver lasciato il laboratorio della DIS, la Divisione Investigativa Speciale. Il suo partner non era così convinto degli aspetti conflittuali del caso. A suo parere il ragazzo poteva aver subito maltrattamenti sia da parte dei genitori, sia da un'altra persona, non legata a lui da alcun rapporto di parentela, che era poi la stessa che l'aveva ucciso. Accadeva frequentemente che molte vittime di abusi scappassero di casa, solo per essere attirate in un'altra forma di rapporto violento. La teoria non era infondata, ma era una strada che Bosch non voleva seguire, perché era ancora più deprimente del quadro tracciato da Golliher.

Il suo telefono diretto squillò, e Bosch rispose, aspettandosi che dall'altro capo ci fossero Edgar o il tenente Billets che si informavano su eventuali novità. Invece era un giornalista del *Los Angeles Times*, un certo Josh Meyer. Bosch lo conosceva appena e si domandò come avesse avuto il suo numero privato. E tuttavia cercò di non lasciar trapelare che era infastidito. Anche se era tentato di rivelare che i controlli da eseguire si spingevano anche fuori dallo stato, si limitò a dire che non c'erano novità rispetto alla conferenza stampa tenuta venerdì dai funzionari delle Relazioni Esterne.

Quando riappese, finì di bere il caffè e si immerse nel lavoro. La parte dell'indagine che gli piaceva meno erano le ricerche al computer. Non a caso cercava sempre di sbolognarle al suo partner. Decise quindi di metterle in fondo alla lista e cominciò invece a scorrere rapidamente i rapporti delle telefonate ricevute dagli agenti di guardia.

C'era una trentina di fogli in più rispetto all'ultima volta che aveva scorso la pila, ma nessuna conteneva informazioni utili o su cui valesse la pena di indagare al momento. Le segnalazioni provenivano da parenti o amici di ragazzini scomparsi, che non si erano rassegnati all'accaduto o che cercavano una via d'uscita al mistero che li angosciava.

Gli venne un'idea e fece scorrere la sedia per avvicinarsi a una delle vecchie macchine da scrivere che non erano state ancora mandate in pensione. Inserì un foglio di carta e cominciò a scrivere.

Sapete se il vostro congiunto ha subito un intervento chirurgico il mese precedente la sua scomparsa?
In caso affermativo, in quale ospedale è stato ricoverato?
Di che tipo di intervento si trattava?
Come si chiamava il suo medico curante?

Estrasse il foglio e lo portò nell'ufficio di guardia, dove lo porse a Mankiewicz perché lo utilizzasse come campione delle domande da fare a tutti quelli che chiamavano per dare o chiedere informazioni sulla vittima.

«Contento?» chiese Bosch.

«Non esageriamo, però mi sembra un buon inizio.»

Visto che era già lì, Bosch prese un bicchierino di plastica e lo riempì di caffè, poi tornò nel suo ufficio e lo versò nella tazza. Si fece un appunto per ricordarsi di chiedere alla Billets di mettergli a disposizione qualcuno che contribuisse a contattare tutti quelli che avevano telefonato nel corso degli ultimi giorni, per rivolgere loro le domande di tipo sanitario che aveva appena elaborato. A questo punto gli venne in mente Julia Brasher. Sapeva che aveva il lunedì libero e che si sarebbe data da fare se fosse stato necessario. Ma accantonò subito l'idea: ora di lunedì l'intera Divisione avrebbe saputo quello che c'era stato fra loro e coinvolgerla nel caso non avrebbe fatto che peggiorare le cose.

Poi cominciò a preparare i mandati. Capitava sempre nel corso di un'indagine per omicidio di aver bisogno delle cartelle mediche. Nella maggioranza dei casi erano i medici generici o i dentisti a fornirle. A volte anche gli ospedali. Bosch aveva un file con i moduli dei mandati per gli ospedali, oltre a un elenco dei ventinove ospedali situati nell'area di Los Angeles e degli avvocati che gestivano gli archivi legali per ognuno di essi. Questo gli permise di preparare i ventinove mandati in poco più di un'ora. In essi si chiedevano le cartelle cliniche di tutti i pazienti di sesso maschile e di età inferiore ai sedici anni che avevano subito un intervento chirurgico alla testa tra il 1975 e il 1985.

Dopo aver stampato i moduli li infilò nella sua cartella. Anche se, durante un fine settimana, poteva capitare di mandare via fax un mandato a casa di un giudice per l'approvazione e la firma, la cosa diventava impensabile se i mandati erano ventinove. Senza contare che, di domenica, sarebbe stato impossibile raggiungere gli avvocati degli ospedali. Bosch decise quindi di portarli a un giudice la mattina di lunedì. Li avrebbe poi divisi tra sé ed Edgar, per recapitarli di persona agli ospedali. Era il metodo più sicuro per parlare con gli avvocati, convincendoli dell'urgenza della faccenda. Anche se tutto fosse andato secondo i suoi piani, Bosch escludeva di poter ricevere le cartelle prima della metà della settimana, se non più tardi.

Poi scrisse un riepilogo di tutte le informazioni che aveva fornito Golliher e un rapporto in cui elencava i risultati preliminari a cui erano giunti quelli della DIS a seguito degli esami compiuti sullo zainetto. Ripose il tutto nel fascicolo dell'omicidio.

Quando ebbe finito, si appoggiò allo schienale e si mise a pensare alla lettera ormai illeggibile contenuta nello zainetto. Dubitava che il reparto documenti sarebbe riuscito a tirarne fuori qualcosa. Sarebbe rimasta per sempre un mistero, all'interno di quell'altro mistero rappresentato dal caso. Buttò giù l'ultimo sorso della sua seconda tazza di caffè e aprì il fascicolo alla pagina che conteneva una copia del disegno e della mappa della scena del crimine. Si mise a studiarla e notò che lo zainetto era stato ritrovato vicino al luogo in cui, secondo le indicazioni della Kohl, doveva essere stato sepolto il corpo.

Bosch non sapeva ancora che conclusioni trarre, ma intuiva che ogni nuova prova avrebbe dovuto essere vagliata e interpretata in base agli elementi che aveva a disposizione.

Mise il rapporto nel fascicolo, che infilò nella cartella.

Poi portò la tazza in bagno e la lavò sotto il rubinetto. Rimise anche questa nel cassetto, prese la cartella e uscì dalla porta posteriore dell'edificio, diretto alla sua macchina.

13

NEL SEMINTERRATO DEL PARKER CENTER, il quartier generale del Dipartimento di Polizia di Los Angeles, erano situati gli archivi in cui veniva conservata la documentazione di ogni caso su cui la Polizia avesse fatto rapporto nel corso del tempo.

Fino alla metà degli anni Novanta i documenti venivano conservati su carta per un periodo di otto anni, e poi trasferiti su microfilm. Ora il Dipartimento si serviva dei computer per l'archiviazione, recuperando anche i casi più vecchi per inserirli nelle banche dati di tipo digitale. Ma era un processo lento, e i dati risalivano per il momento solo alla fine degli anni Ottanta.

Bosch arrivò all'archivio all'una in punto. Aveva con sé due bicchieri di plastica pieni di caffè e un sacchetto di carta con due panini al roastbeef che si era fermato a prendere da Philippe. Guardò l'impiegato seduto dietro il bancone dell'ingresso e gli sorrise.

«Le sembrerà strano, ma ho bisogno di vedere il microfilm con i rapporti sulle persone scomparse, relativo agli anni tra il 1975 e il 1985.»

L'impiegato, un uomo anziano con il pallore tipico di chi non vede mai il sole, fischiettò e disse: «Attenta, Christine, eccoli che arrivano».

Bosch sorrise e annuì, anche se la cosa gli sembrava senza senso. Non c'era nessun altro dietro il bancone.

«Cosa cerca, adulti o minori?» gli chiese il tipo.

«Minori.»

«Be', almeno questo restringe la ricerca.»

«Grazie.»

«Dovere.»

L'impiegato sparì e Bosch rimase in attesa. Dopo cinque minuti l'uomo ricomparve portando con sé dieci piccole buste contenenti le *microfiche* relative agli anni che interessavano Bosch. Questi le guardò preoccupato, formavano una pila alta più di dieci centimetri.

Bosch si diresse verso il lettore, estrasse dal sacchetto un panino e le due tazze di caffè e portò l'altro panino all'impiegato. Questi all'inizio rifiutò, poi quando seppe che Bosch l'aveva comprato da Philippe, cambiò idea e accettò volentieri.

Bosch tornò al lettore, inserì la *fiche* e cominciò a cercare, iniziando dal 1985. Si concentrò sui rapporti riguardanti i ragazzi scomparsi o fuggiti di casa che avevano un'età più o meno simile a quella della vittima. Man mano che acquistava disinvoltura, la sua velocità di lavoro aumentava. In primo luogo avrebbe cercato il timbro con la scritta "chiuso", indicante che la persona scomparsa era tornata a casa o era stata localizzata. Se il timbro mancava, il suo sguardo correva immediatamente alle caselle in cui erano indicati l'età e il sesso del soggetto. Quando coincidevano con il profilo della vittima, Bosch leggeva il sommario, poi ne faceva una stampa da portare con sé.

La *microfiche* conteneva anche i verbali dei rapporti inviati al Dipartimento da agenzie esterne che indagavano su persone scomparse che si riteneva si fossero recate a Los Angeles.

Nonostante si fosse sveltito, Bosch impiegò più di tre ore per esaminare tutti i rapporti relativi agli anni che aveva chiesto. Quando finì, nel vassoio accanto al lettore aveva le copie di più di trecento rapporti. Ma non aveva la minima idea se tanta fatica sarebbe servita a qualcosa.

Si strofinò gli occhi e si pizzicò la sella del naso. Gli era venuto mal di testa a furia di guardare lo schermo e di leggere tutte quelle storie, che lasciavano trasparire conflitti familiari, rabbia e angoscia. Vide il panino nel sacchetto accanto a lui e si rese conto di non aver mangiato. Restituì le buste con le *microfiche* all'impiegato e decise di restare a lavorare al Parker Center piuttosto che tornare alla Divisione Hollywood. Dal Parker Center avrebbe imboccato la Freeway numero 10 che l'avrebbe portato a Venice, a casa di Julia Brasher. Era molto più semplice così.

La sala detective della Divisione Rapine-Omicidi era quasi deserta, fatta eccezione per i due detective di turno, che se ne stavano seduti davanti a un televisore a guardare una partita di football. Bosch riconobbe la sua ex partner, Kizmin Rider. L'altro non l'aveva mai visto. Quando lo vide, la Rider si alzò sorridendo.

«Cosa ci fai qui, Harry?»

«Sto lavorando a un caso. Posso usare uno dei vostri computer?»

«È quella faccenda delle ossa?»

Lui annuì.

«L'ho sentita al telegiornale. Ti presento Rick Thornton, il mio partner.»

Bosch gli strinse la mano e si presentò.

«Sei un uomo fortunato a lavorare con lei.»

Thornton fece un cenno d'assenso, mentre Kizmin Rider li guardava imbarazzata.

«Vieni al mio tavolo» lo invitò. «Puoi utilizzare il computer.»

Lo precedette fino alla scrivania.

«Qui ci stiamo girando i pollici. Non succede un accidente di niente e a me il football non piace.»

«Non lamentarti dei giorni di piatta. Te l'ha mai detto nessuno?»

«Già, il mio vecchio partner. Di tutte le cose che diceva, era l'unica che avesse senso.»

«Non ho dubbi.»

«C'è qualcosa che posso fare per te?»

«Sto controllando dei nomi. La solita routine.»

Aprì la cartella ed estrasse il fascicolo relativo al crimine, che sfogliò fino a una pagina dove aveva elencato i nomi, gli indirizzi e le date di nascita dei residenti di Wonderland Avenue. Erano già stati tutti interrogati durante i primi controlli nella zona, ma era un atto dovuto quello di effettuare delle verifiche sulle persone che erano collegate in qualche modo a un'indagine.

«Vuoi un caffè o qualcos'altro?» gli chiese la Rider.

«No, ti ringrazio.»

Fece un cenno in direzione di Thornton che era voltato di spalle, all'altra estremità della stanza.

«Come va con lui?»

Lei si strinse nelle spalle.

«Di tanto in tanto lascia fare qualcosa anche a me» disse, quasi sussurrando.

«Be', puoi sempre tornartene alla Hollywood» rispose lui sorridendo, nello stesso tono di voce.

Cominciò a digitare i comandi per accedere allo Schedario Criminale Nazionale. Guardandolo, Kizmin Rider sbuffò con aria di scherno.

«Vedo che non hai fatto molti progressi. Scrivi ancora con due dita!»

«Non so cosa farci, sono trent'anni che scrivo così. E per dirla tutta, biascico appena qualche parola di spagnolo e non ho neanche imparato a ballare. È appena un anno che te ne sei andata.»

«Avanti, alzati, dinosauro. Ci penso io, altrimenti qui si fa notte.»

Bosch levò le mani in segno di resa e si alzò. Kizmin si sedette al suo posto e cominciò a lavorare. In piedi, alle sue spalle, Bosch sorrise.

«Proprio come ai vecchi tempi» disse.

«Non farmici pensare. A me toccano sempre i lavori merdosi. E smettila di sorridere.»

Non aveva alzato gli occhi e le sue mani volavano sulla tastiera. Bosch rimase a guardarla ammirato.

«Ehi, guarda che non era voluto. Non sapevo nemmeno che fossi qui.»

«Già, mi sembra la storia del lupo e dell'agnello.»

«Cosa c'entra?»

«Lascia perdere. Piuttosto parlami della tua nuova conquista.»

«Cosa?»

Bosch era senza parole.

«È tutto quello che sai dire? Mi hai sentito, no? Dimmi qualcosa della recluta con cui ti vedi.»

«Come diavolo fai a saperlo?»

«Sono bravissima a raccogliere le informazioni. E ho ancora le mie fonti alla Hollywood.»

Bosch si allontanò di un passo, scuotendo il capo.

«Be', è carina? Il resto non mi interessa, non sono abituata a ficcare il naso nelle faccende degli altri.»

«Sì, è carina, ma la conosco appena. A quanto pare, ne sai di più tu.»

«Ceni insieme a lei stasera?»

«Proprio così, ceniamo insieme.»

«Ehi, Harry!» La voce di Kizmin Rider era diventata improvvisamente seria.

«Cosa c'è?»

«Da' un'occhiata a questo.»

Bosch si chinò a guardare lo schermo. Dopo aver digerito quello che vedeva, disse: «Credo che mi toccherà rinunciare alla cena».

14

Bosch si fermò davanti alla casa e rimase a osservare le finestre buie e il portico.

«Il tipo non sarà certo a casa» disse Edgar. «Per me se l'è già filata.»

Edgar ce l'aveva con Bosch, che l'aveva richiamato in servizio. Per come la pensava lui, con tutti gli anni che quelle ossa erano rimaste sotto terra, che male c'era ad aspettare il lunedì mattina per parlare con quel tizio? Ma Bosch aveva detto che sarebbe andato da solo se Edgar non fosse venuto. E lui non aveva potuto tirarsi indietro.

«Ti dico che è a casa» insisté Bosch.

«E tu come lo sai?»

«Lo so e basta.»

Guardò l'orologio e scrisse l'ora e l'indirizzo sul suo taccuino. Gli venne in mente che era la stessa casa in cui aveva visto qualcuno accostare la tenda alla finestra, la sera della prima chiamata.

«Andiamo. Sei stato tu a parlargli la prima volta, quindi tocca a te il discorsetto iniziale. Io interverrò quando sarà il caso.»

Smontarono dall'auto e risalirono il vialetto che portava alla casa. L'uomo che cercavano si chiamava Nicholas Trent. Viveva da solo, a due isolati di distanza dalla collina dove avevano trovato le ossa. Aveva cinquantasette anni e, a quanto aveva detto a Edgar durante la sua precedente visita, lavorava come arredatore per uno studio di Burbank. Era scapolo e senza figli. Naturalmente non sapeva niente delle ossa sulla collina e non aveva dato alcuna indicazione utile.

Edgar bussò energicamente alla porta, ma non accadde niente.

«Signor Trent, è la Polizia» gridò allora. «Sono il detective Edgar. La prego di aprire.»

Era pronto a bussare un'altra volta, quando un uomo con la testa rasata si presentò sulla soglia. La luce proveniente dall'alto creava ombre profonde sul suo viso.

«Buonasera, sono il detective Edgar e questo è il mio partner, il detective Bosch. Ci siamo già parlati l'altro giorno, ma, se non le dispiace, avrei ancora qualche domanda da farle.»

Trent non rispose e a questo punto Edgar prese in pugno la situazione e, appoggiando la mano sulla porta, la spalancò.

«Possiamo entrare?» chiese poi, muovendo un passo verso l'interno.

«No» lo bloccò Trent.

Edgar si fermò. Sul viso aveva un'espressione perplessa. «Si tratta solo di qualche domanda supplementare.»

«Tutte stronzate!»

«Mi scusi?»

«So benissimo cosa avete in mente. Ho già parlato con il mio avvocato. È tutta una messa in scena, ecco cos'è. Roba da dilettanti.»

Bosch capì che non avrebbero ottenuto niente con le buone maniere. Si fece avanti e scostò Edgar prendendolo per un braccio. Poi guardò in faccia Trent.

«Se pensava che saremmo tornati, allora sa anche che abbiamo scoperto tutto sul suo passato. Perché non ne ha parlato subito con il detective Edgar? Ci avrebbe fatto risparmiare del tempo. Il suo silenzio, invece, ha fatto nascere dei sospetti. Sono sicuro che mi capisce.»

«Il passato è passato. E io non voglio più parlarne.»

«Dipende da quello che nasconde, e in questo caso potrebbe trattarsi di un cadavere» proruppe Edgar con aria accusatoria. Bosch lanciò a Edgar un'occhiata che lo invitava a moderare i toni.

«Visto? Ecco perché dovete andarvene. Non ho niente da dirvi. Assolutamente niente.»

«Signor Trent, lei è stato accusato di molestie nei confronti di un bambino di nove anni.»

«Era il 1966. Sono stato condannato e ho scontato la mia pena fino in fondo. Da allora mi sono comportato in modo esemplare. Non c'entro niente con le ossa che avete trovato.»

Bosch aspettò un istante, poi riprese a parlare con una nuova pacatezza nella voce.

«Se è la verità, allora ci lasci entrare. Prima chiariamo le cose con lei, più presto riusciremo a vagliare altre possibilità. Voglio essere esplicito. Il cadavere di un ragazzino è stato trovato a un centinaio di metri dalla casa di un uomo che è stato condannato per molestie nei confronti di un minore. Non mi interessa che da quel momento in poi lei abbia rigato dritto, noi abbiamo bisogno di farle delle domande. E gliele faremo, non abbiamo altra scelta. Dipende da lei decidere se preferisce rispondere qui, in casa sua, o alla stazione di Polizia con il suo avvocato e una selva di telecamere che l'aspettano fuori.»

Si interruppe. Trent lo guardava con un'espressione terrorizzata.

«Così stanno le cose, signor Trent. Spero che ci capisca, come noi capiamo lei. Abbiamo tutta l'intenzione di agire in fretta e con discrezione, ma non possiamo farlo se lei non collabora.»

L'uomo scosse il capo, come se sapesse che la sua vita era a rischio, e comunque non sarebbe stata più la stessa da quel momento. Alla fine mosse un passo indietro e fece cenno ai due detective di entrare.

Trent era a piedi nudi e indossava una camicia larga di seta e un paio di short, che gli scoprivano le gambe sottili e bianchicce, senza l'ombra di un pelo. Aveva un corpo asciutto e spigoloso.

Li precedette verso il soggiorno, ingombro di anticaglie, e si sedette al centro di un divano. Bosch ed Edgar si accomodarono sulle due poltrone di pelle, sistemate di fronte. Bosch decise di prendere in mano la situazione, non gli piaceva l'atteggiamento che Edgar aveva avuto alla porta.

«Per procedere correttamente, le leggerò i suoi diritti costituzionali. Poi le chiederò di firmare un modulo di rinuncia. Proteggerà lei quanto noi. La nostra conversazione verrà registrata, così nessuno di noi potrà essere accusato di aver detto cose che non ha detto. Le farò avere una copia del nastro, se desidera.»

Trent si strinse nelle spalle e Bosch prese il gesto come una sorta di assenso, pur se riluttante. Poi infilò il modulo firmato nella cartella e ne estrasse un registratore. Lo accese e, dopo aver declinato le generalità dei presenti, oltre all'ora e alla data, fece un cenno in direzione di Edgar, indicandogli di proseguire. Tutto sommato, più che le risposte, gli interessava poter osservare Trent e il locale in cui si trovavano con tutta calma.

«Da quanto tempo abita in questa casa?» esordì Edgar.

«Dal 1984.»

Poi scoppiò a ridere.

«Cosa c'è di tanto divertente?» domandò Edgar.

«È per via dell'anno. Non vi dice niente? È il titolo del libro di George Orwell, quello sul Grande Fratello.»

E li indicò con un gesto, come se fossero loro gli emissari del Grande Fratello. Edgar parve non capire e continuò con le domande.

«La casa è di proprietà o in affitto?»

«È mia. All'inizio ero in affitto, ma nell'87 l'ho rilevata dal proprietario.»

«Bene. Lei lavora come scenografo nell'industria dello spettacolo, è esatto?»

«No, faccio l'arredatore. Non è la stessa cosa.»

«E qual è la differenza?»

«Lo scenografo pianifica la costruzione del set e sovrintende ai lavori. L'arredatore si occupa dei dettagli. Dei piccoli particolari che creano l'atmosfera.»

«Da quanto tempo fa questo mestiere?»

«Da ventisei anni.»

«È stato lei a seppellire il ragazzino sulla collina?»

Trent si alzò in piedi indignato.

«Assolutamente no. Non ci ho mai messo piede, su quella collina. State facendo un grosso errore a perdere tempo con me, quando il vero assassino di quell'anima innocente se ne va in giro libero come l'aria.»

Bosch si protese in avanti.

«Si sieda, signor Trent.»

L'intensità del tono con cui Trent aveva negato ogni coinvolgimento gli fece pensare che, o era davvero innocente, o era uno dei migliori attori che gli fosse mai capitato di incontrare. Lentamente, l'uomo riprese il suo posto sul divano.

«Lei è una persona intelligente» disse Bosch, decidendo che era arrivato il momento di intervenire. «Ha capito esattamente quello che siamo venuti a fare. O la accusiamo di omicidio, o la liberiamo definitivamente da ogni sospetto. Tutto qui. Perché non collabora? Perché, invece di continuare con questo stupido balletto, non ci aiuta a stabilire la sua innocenza?»

Trent allargò le braccia.

«Perché non so da che parte cominciare! Come faccio ad aiutarvi se non so niente di questo caso?»

«Be', potrebbe lasciarci dare un'occhiata attorno. Se lei

fosse un po' più disponibile, forse mi sarebbe più facile vedere le cose dal suo punto di vista. Ma per ora... come le ho già detto, da una parte c'è lei con i suoi trascorsi penali, dall'altra lo scheletro di un ragazzino trovato a poca distanza da qui.»

Bosch alzò le mani come per contenere entrambe le cose.

«Per come la vedo, non mi sembra una gran bella prospettiva.»

Trent si alzò e allargò un braccio, a indicare l'interno della casa.

«Perfetto! Si accomodi. Si guardi attorno quanto le pare. Non troverà un bel niente!»

«Grazie, signor Trent» disse Bosch, alzandosi.

Mentre si dirigeva verso il corridoio che portava nella parte posteriore della casa, udì Edgar chiedere a Trent se avesse mai notato qualche attività insolita sulla collina.

«Ricordo solo che i ragazzini ci andavano a giocare...»

Si interruppe, come se temesse che qualsiasi accenno a persone di giovane età potesse inasprire i sospetti che gravavano su di lui. Bosch si lanciò una rapida occhiata alle spalle per essere sicuro che la luce rossa del registratore fosse accesa.

«Le piaceva stare a guardare i bambini che giocavano lassù?» chiese Edgar.

Bosch si fermò, ormai fuori di vista. Voleva sentire la risposta di Trent.

«Da qui non riuscivo a vederli. Di tanto in tanto, mentre guidavo o portavo a spasso il cane, mi capitava di scorgerli mentre si arrampicavano nel bosco. La bambina che abitava dall'altra parte della strada. I Foster, che stavano nella casa accanto. Insomma, tutta la banda di ragazzini della zona. Quello era terreno libero, l'unico dove non avessero ancora costruito. Alcuni dei vicini pensavano che i più grandi andassero su a fumare, ed erano preoccupati che inavvertitamente dessero fuoco alla collina.»

«A quale periodo si riferisce?»

«A quando mi sono trasferito. Ma nessuno ha cercato di coinvolgermi. Della faccenda si sono occupati quelli che risiedevano qui da tempo.»

Bosch si incamminò lungo il corridoio. La casa era piccola, appena più grande della sua. In fondo al corridoio c'erano tre porte, due camere da letto, a destra e a sinistra, e una cabina armadio nel mezzo. Aprì per prima la cabina armadio, non notò niente di insolito e allora entrò nella camera da letto sulla destra, quella di Trent. Era piuttosto in ordine, ma il piano dei due cassettoni gemelli e dei comodini era ingombro di paccottiglia. Pensò che Trent se ne servisse per arredare i set, un tocco in più per dare l'impressione della realtà.

Poi tornò alla cabina armadio. Sullo scaffale più in alto erano impilate delle scatole da scarpe. Cominciò ad aprirle e scoprì che contenevano delle calzature vecchie, ormai consunte. Evidentemente Trent aveva l'abitudine di riporle, senza buttarle via. Forse anche loro facevano parte del repertorio di oggetti che utilizzava professionalmente. Aprì una delle scatole e vi trovò un paio di stivali da lavoro. Notò che nelle cuciture c'erano tracce di fango secco. Pensò al terriccio scuro della collina, sotto il quale erano state ritrovate le ossa, e di cui erano stati raccolti dei campioni.

Rimise gli stivali al loro posto e si fece un appunto mentale di recuperarli quando avesse avuto un mandato di perquisizione. Per ora voleva solo dare un'occhiata in giro. Se poi Trent fosse diventato un sospetto a tutti gli effetti, sarebbero tornati con il mandato e avrebbero rivoltato ogni angolo della casa, in cerca di prove che lo collegassero all'omicidio. Gli stivali potevano costituire un indizio utile. L'uomo aveva dichiarato di non essere mai stato sulla collina, ma se il fango indurito si fosse rivelato uguale a quello dei campioni di terriccio prelevati sul luogo dello scavo, la sua affermazione si sarebbe dimostrata falsa.

Nella cabina armadio non c'era altro che catturò l'attenzione di Bosch. E lo stesso avvenne in camera da letto e nel bagno comunicante. Bosch naturalmente sapeva che, se l'omicida era Trent, aveva avuto a disposizione molti anni per cancellare ogni traccia del delitto. Non solo, ma negli ultimi tre giorni, da quando Edgar l'aveva interrogato la prima volta, avrebbe potuto dare un'ultima controllata per non correre rischi.

L'altra stanza da letto era stata adibita a ufficio e a magazzino. Alle pareti erano appese delle locandine incorniciate dei film per cui Trent doveva aver lavorato. Bosch andava al cinema molto raramente, ma alcuni li aveva visti in televisione. Notò in particolare la locandina di un film, il cui produttore era stato ucciso anni prima. Se ne ricordava bene, perché era stato lui a condurre le indagini sull'omicidio. Aveva sentito dire che, dopo la morte dell'uomo, le locandine di quel film erano andate a ruba tra i collezionisti del sottobosco di Hollywood.

Quando ebbe finito di ispezionare quella parte della casa, Bosch passò nel garage, attraverso una delle porte della cucina. C'erano due posti macchina. In uno era parcheggiata la monovolume di Trent, l'altro, invece, era ingombro di casse che recavano dei contrassegni corrispondenti alle varie stanze di una casa. All'inizio Bosch rimase sorpreso del fatto che Trent non le avesse ancora disfatte, nonostante avesse traslocato da più di vent'anni. Poi si rese conto che anche le casse dovevano essere collegate al suo lavoro.

Si voltò e si trovò di fronte un'intera parete tappezzata di teste imbalsamate di animali selvatici, che lo fissavano con gli occhi vitrei privi di espressione. Bosch sentì un brivido corrergli lungo la spina dorsale. Non sapeva perché, ma quelle teste gli ispiravano una totale ripugnanza.

Passò ancora qualche minuto nel garage, a esaminare una scatola contrassegnata con l'etichetta "Cameretta da ragazzo dai 9 ai 12 anni". Conteneva dei giocattoli, dei modellini di aerei, uno skateboard e un pallone da football. Estrasse lo skateboard e lo esaminò, pensando alla scritta sulla camicia contenuta nello zainetto. Poi lo rimise nella scatola e la richiuse.

Nel garage c'era una porta laterale che si apriva sul vialetto che portava alla parte posteriore della casa. La parte pianeggiante era occupata quasi interamente da una piscina, poi il terreno si inerpicava bruscamente. Era troppo buio per vederci bene e Bosch decise che sarebbe tornato a esaminare l'esterno nelle ore di luce.

Venti minuti dopo l'inizio della perlustrazione, Bosch tornò nel soggiorno a mani vuote. Trent lo scrutò con aria di attesa.

«Soddisfatto?»

«Per adesso. La ringrazio della collaborazione.»

«Visto? Non c'è fine. Non mollate mai, vero? Se fossi uno spacciatore o un rapinatore, una volta scontata la condanna mi lascereste in pace. E invece no. Il fatto di aver toccato un ragazzino quarant'anni fa mi rende colpevole per la vita.»

«Penso che abbia fatto qualcosina di più che toccarlo» intervenne Edgar. «Ma andremo a leggerci i verbali, non si preoccupi.»

Trent affondò la faccia tra le mani e borbottò che era stato un errore collaborare. Bosch guardò Edgar, il quale a sua volta gli fece cenno di aver finito e di essere pronto ad andare. Bosch prese il registratore e se lo infilò nel taschino della giacca, senza spegnerlo. Aveva imparato una lezione importante un anno prima, durante le indagini di un caso: a volte la gente si lascia andare a rivelazioni interessanti proprio quando pensa che un interrogatorio sia finito.

«Grazie della collaborazione, signor Trent. Noi andiamo, ma potremmo avere ancora bisogno di lei. Lavora domani?»

«Per carità, non chiamatemi al lavoro! Mi rovinereste.»

Diede il numero del suo cercapersone a Bosch, che lo annotò e si diresse verso la porta. Poi si rivolse a Edgar.

«Gli hai chiesto quali sono i suoi spostamenti?»

Edgar guardò Trent.

«Signor Trent, lei lavora nel cinema, conosce le battute. Se prevede di allontanarsi dalla città, ci chiami. Se non lo fa, e noi dovessimo cercarla... be', le assicuro che non sarebbe piacevole.»

Trent rispose in tono piatto, come se citasse a memoria, lo sguardo fisso su un punto lontano.

«Non prevedo di allontanarmi, non ho alcun progetto del genere. E ora vi prego di andare e di lasciarmi in pace.»

Uscirono e Trent richiuse la porta sbattendola forte. In fondo al vialetto c'era un grande cespuglio di buganvillea completamente fiorito, che bloccava la visuale dal lato sinistro. Quando Bosch arrivò sulla strada, fu accecato all'improvviso dalla luce di un riflettore. Una giornalista con un cameraman al seguito si avvicinò ai due detective.

«Salve, sono Judy Surtain, di Channel 4. C'è qualche novità nel caso delle ossa sulla collina?»

«No comment» abbaiò Edgar. «E spenga quella maledetta luce.»

Finalmente Bosch riuscì a vederla, nonostante la luce abbagliante. La riconobbe. L'aveva già vista in televisione e nel gruppo di giornalisti assiepati al posto di blocco, il giorno del ritrovamento. Capì anche che non potevano cavarsela con un semplice "no comment". Doveva dilungarsi un po', se voleva tenere la televisione lontano da Trent.

«No» disse. «Purtroppo non ci sono novità. Per ora ci stiamo limitando a seguire le procedure di routine.»

Judy Surtain gli sbatté il microfono davanti alla bocca.

«Perché siete tornati qui?»

«Stiamo terminando le visite di routine ai residenti. Non avevo avuto ancora l'occasione di parlare con la persona che abita qui.»

Aveva assunto un'aria annoiata, sperando che lei ci cascasse.

«Mi dispiace. Niente di clamoroso, stasera.»

«Be', almeno è stato utile il colloquio con i vicini?»

«Sono stati tutti molto disponibili, ma non ci sono stati dei passi avanti dal punto di vista dell'indagine. Molta di questa gente non abitava nemmeno qui, quando il cadavere è stato sepolto.»

Bosch indicò la villetta di Trent.

«Il proprietario di quella casa, per esempio. Abbiamo appena scoperto che l'ha comprata solo nel 1987 e il delitto è stato compiuto alcuni anni prima.»

«Quindi siamo al punto di partenza...»

«Più o meno. Purtroppo non c'è altro. Buona notte.»

La scostò gentilmente e si avviò verso l'auto. Un attimo dopo lei era lì, accanto alla portiera, ma senza il cameraman.

«Detective, potrebbe dirmi come si chiama?»

Bosch aprì il portafoglio e prese un biglietto da visita, quello con il numero di telefono della stazione di Polizia. Glielo porse e la salutò di nuovo.

«Senta, se c'è qualcosa che vuole aggiungere a camera spenta, le prometto che non farò il suo nome» insisté lei.

«No, non c'è niente» disse Bosch, aprendo la portiera. «Buona notte.»

Quando furono al sicuro dentro l'auto, Edgar cominciò a imprecare.

«Come diavolo ha fatto a sapere che eravamo qui?»

«Chissà, forse è stato uno dei vicini. È rimasta qui attorno per i due giorni in cui ha avuto luogo lo scavo. Deve esserseli lavorati per bene, senza contare che è una celebrità. Poi c'è anche questa maledetta auto. È peggio di una calamita.»

Bosch pensò all'assurdità di fare del lavoro d'indagine con una macchina dipinta di bianco e nero come quelle della Polizia. Per dare maggior visibilità ai poliziotti sulle strade, il Dipartimento aveva assegnato ai detective le auto d'ordinanza, che non avevano la luce intermittente sul tetto, ma erano altrettanto identificabili.

Videro che la giornalista e il suo cameraman si stavano dirigendo alla casa di Trent.

«Vuole cercare di parlargli» osservò Edgar.

Bosch ficcò una mano nella cartella e ne estrasse il telefono cellulare. Stava per comporre il numero di Trent per dirgli di non aprire, quando si rese conto che mancava il segnale.

«Maledizione» esclamò.

«Comunque è troppo tardi. Speriamo che se la cavi bene.»

Trent era in piedi sulla soglia, illuminato in pieno dalla luce bianca del riflettore. Disse qualche parola, poi fece un gesto come per liquidare i due e richiuse la porta.

«Bene» disse Edgar.

Bosch avviò la macchina, invertì la marcia e si diresse lungo il canyon verso la stazione.

«E adesso come procediamo?» chiese Edgar.

«Dobbiamo esaminare il fascicolo su Trent. Abbiamo bisogno di saperne di più sui suoi precedenti.»

«Sarà la prima cosa che faccio.»

«No, la nostra priorità è consegnare i mandati di ricerca agli ospedali. Abbiamo bisogno di identificare il ragazzino, se vogliamo stabilire un eventuale collegamento con Trent. Incontriamoci al tribunale di Van Nuys domattina alle otto. Ci facciamo firmare i mandati, poi ce li dividiamo.»

Bosch aveva scelto il tribunale di Van Nuys perché Edgar abitava lì vicino. Da lì avrebbero cominciato il loro giro.

«Perché non ci facciamo firmare anche un mandato di perquisizione della casa di Trent?» chiese Edgar. «Hai visto niente di interessante?»

«Non mi pare. C'è uno skateboard in una delle casse del garage. È tutta roba che gli serve per montare i set. Però, quando l'ho visto, mi è venuta in mente la maglietta della vittima. Ho scovato anche un paio di stivali con del fango secco sulle cuciture. Potremmo confrontarlo con i campioni che abbiamo preso sulla collina. Ma mi sembra un'ipotesi azzardata. Quel tizio ha avuto più di vent'anni per eliminare qualsiasi prova. Sempre che sia lui l'assassino.»

«Non mi sembri convinto.»

Bosch scosse il capo.

«I tempi non coincidono. Il ragazzino è stato fatto fuori al più tardi nell'84.»

«Be', forse Trent si è trasferito lì proprio per essere vicino al corpo. Prima seppellisce il ragazzino, poi viene a vivere nella zona. Quella è gente malata, Harry, lo sai.»

Bosch annuì.

«Già. Non so come spiegarlo, ma quel tipo non mi ha fatto drizzare le antenne. Per me è pulito.»

«Harry, non è che il tuo sesto senso ci azzecchi sempre.»

«Anche tu hai ragione.»

«Per me è stato lui. L'hai sentito quando ha detto "solo perché ho toccato un ragazzino". Forse per lui sodomizzare un bambino di nove anni equivale a toccarlo.»

Edgar stava esagerando, ma Bosch lo lasciò dire. Il fatto di essere padre lo giustificava in parte.

«Esaminiamo il fascicolo, ci faremo un'idea più precisa. Dobbiamo andare anche in Comune a consultare gli elenchi del telefono ordinati per indirizzo se vogliamo scoprire i nomi dei precedenti abitanti di quella strada.»

Una serie completa degli elenchi era conservata agli archivi del Municipio. Avrebbe permesso ai due detective di determinare chi aveva vissuto nella strada dal 1975 al 1985, il decennio in cui veniva collocato approssimativamente il decesso del ragazzino.

«Ci sarà da divertirsi» commentò Edgar.

«Già, non vedo l'ora.»

Restarono in silenzio per il resto del percorso. Bosch si sentiva depresso. Era deluso da come aveva condotto l'indagine fino a quel momento. Le ossa erano state scoperte già da cinque giorni. Sapeva che avrebbe dovuto passare al vaglio tutti i nomi dei residenti ben prima di quando l'aveva fatto. Rimandandolo, aveva messo Trent in posizione di vantaggio. L'uomo aveva avuto tre giorni per parlare con il suo avvocato e prepararsi alle loro domande. Bosch si fidava del suo istinto, ma sapeva anche che un bravo attore poteva benissimo ingannarlo.

15

BOSCH STAVA BEVENDO UNA BIRRA nel portico che si apriva
sul retro della casa, con la porta scorrevole aperta per sentire il CD di Clifford Brown che aveva messo sullo stereo.
Quasi cinquant'anni prima il trombettista aveva inciso una
serie di dischi, prima di morire in un incidente d'auto. Era
morto troppo presto, pensò Bosch. Quanta musica perduta.
Poi gli vennero in mente le ossa, e quella piccola vita spez-
zata. Da lì, passò a riflettere su se stesso e su tutto quello che
lui aveva perso. Il jazz e la birra e il mistero da cui era avvol-
to il caso avevano formato uno strano miscuglio nella sua
mente. Aveva i nervi a fior di pelle e provava la sgradevole
sensazione che gli stesse sfuggendo qualcosa che era lì, a portata di mano. Per un detective, non c'era niente di peggio.

Alle undici entrò e abbassò lo stereo per sentire le notizie
su Channel 4. Quello di Judy Surtain era il terzo servizio. Il
conduttore annunciò: «Nuovi sviluppi nel caso delle ossa
ritrovate a Laurel Canyon. Diamo la linea a Judy Surtain che
si trova sul posto».

«Merda» esclamò Bosch, già preoccupato dal tono della
presentazione.

Il servizio iniziava con l'immagine della Surtain davanti
alla casa di Trent.

«Mi trovo a Wonderland Avenue, nel Laurel Canyon, dove quattro giorni fa un cane ha ritrovato un osso che, a quanto dicono le autorità, appartiene a un corpo umano. La scoperta ha portato al ritrovamento di altre ossa appartenenti a un ragazzino che, secondo gli investigatori, è stato ucciso e sepolto sul luogo più di venti anni fa.»

Il telefono di Bosch iniziò a squillare. Lo prese dal bracciolo della poltrona dove l'aveva appoggiato e rispose.

«Un attimo, per favore» disse, e lo riappoggiò accanto a sé, continuando a guardare il notiziario.

«Questa notte gli investigatori che si occupano del caso sono tornati nella zona per parlare con uno dei residenti, la cui casa dista meno di cento metri dal punto in cui è stato ritrovato il corpo. L'uomo in questione si chiama Nicholas Trent, un arredatore di set cinematografici di cinquantasette anni.»

L'immagine della Surtain fu sostituita da quella di Bosch che veniva intervistato dalla giornalista. Ma invece della sua voce si udì quella fuori campo della donna che continuava il servizio.

«Gli investigatori hanno rifiutato di commentare la loro visita a Trent, ma noi di Channel 4 abbiamo scoperto che l'uomo anni fa ha subito una condanna per molestie nei confronti di un minore.»

Bosch affondò nella poltrona, stringendosi le braccia. Poi il sonoro passò a lui, nel momento esatto in cui diceva: «Mi dispiace, non ho altro da dirle».

L'inquadratura seguente mostrava Trent fermo sulla soglia di casa, che faceva il gesto di allontanare la camera e richiudeva la porta.

«Trent non ha voluto fare commenti sulla sua posizione, ma gli altri residenti della zona, fino a questo momento assolutamente tranquilla, sono rimasti sconvolti dalle notizie sul suo passato.»

Mentre il servizio continuava con un'intervista registrata a Victor Ulrich, uno dei vicini, Bosch premette il pulsante del telecomando che annullava l'audio e prese in mano il telefono. Era Edgar.

«Stai guardando quella merda?»

«Già.»

«Sembriamo due imbecilli. Diamo l'impressione di aver parlato. Ha usato la tua frase fuori contesto, Harry. Vedrai che casino ci pioverà addosso.»

«Be', tu non le hai detto niente, vero?»

«Ma che domande mi fai?»

«Non era una domanda, era un'affermazione. Comunque non le hai detto niente...»

«Sicuro che no!»

«E nemmeno io. Il che significa che ci solleveranno di peso, ma noi siamo puliti.»

«Ma chi altro era al corrente? Non è stato certo Trent a chiamarla. Adesso circa un milione di persone sa che lui è un molestatore di bambini.»

Bosch si rese conto che le uniche persone oltre a loro a esserne informate erano Kiz, la prima a scoprirlo mentre stava facendo le ricerche al computer, e Julia Brasher, a cui Bosch l'aveva detto quando si era scusato di non andare a cena da lei. Improvvisamente gli comparve davanti agli occhi l'immagine della Surtain al posto di blocco di Wonderland Avenue. Julia aveva lavorato come volontaria tutti e due i giorni in cui si erano svolte le ricerche sulla collina. Era del tutto possibile che avesse conosciuto la Surtain. E se fosse stata lei a fare la soffiata?

«Probabilmente le è bastato il nome. Può aver chiesto a qualsiasi poliziotto di sua conoscenza di fare qualche ricerca sui residenti. Oppure l'ha cercato da sola sul registro dei crimini di natura sessuale. È materiale pubblico. Aspetta un attimo.»

Aveva un'altra telefonata e lo mise in attesa. Era il tenente Billets a chiamarlo. La pregò di aspettare. Disse a Edgar che l'avrebbe richiamato se c'erano novità importanti.

«Se non mi senti, resta tutto come prima. Ci vediamo domattina alle otto a Van Nuys.»

Poi riprese la Billets.

«Immagino che tu abbia visto Channel 4.»

«Be', sì, certo che l'ho visto. Quello che posso dire è che né io né Edgar abbiamo parlato. Qualcuno ha detto alla Surtain che eravamo là, ma noi ci siamo limitati a un "no comment". Non so come diavolo abbia fatto a...»

«Altro che "no comment". Si è visto benissimo che stavi parlando e poi la tua voce che diceva: "Mi dispiace. Per il momento non c'è altro". Dunque devi averle ben detto qualcosa prima.»

«No, ti assicuro. Mi sono limitato al solito discorsetto di rito, e cioè che stavamo completando le visite di routine e che non ero ancora riuscito a parlare con Trent.»

«Era vero?»

«No, ma non intendevo certo spifferarle che eravamo lì perché quel tizio è un molestatore di bambini. Dammi ascolto, non sapeva niente di lui. In caso contrario mi avrebbe fatto un sacco di domande. L'ha scoperto dopo. Come, non lo so. È di questo che stavo parlando con Jerry quando mi hai chiamato.»

Ci fu un attimo di silenzio.

«È meglio che ti prepari una storiella credibile, perché domani voglio una spiegazione scritta da fare avere ai capi. Prima ancora che il servizio fosse finito, ho ricevuto una telefonata dal capitano LeValley, che a sua volta ne aveva avuto una dal vicecapo Irving.»

«Ma bene. Si è messa in moto la macchina.»

«Senti, sai benissimo che le fughe di notizie sui precedenti penali di un cittadino non sono tollerate all'interno del Dipartimento, indipendentemente dal fatto che lo stesso cittadino sia oggetto di un'indagine. Spero solo che tu abbia detto la verità. Mi sembra superfluo ricordarti che nel Dipartimento c'è gente che aspetta solo che tu faccia un errore per azzopparti.»

«Ascolta, non credere che sottovaluti quello che è successo. È una brutta storia. Ma io sto cercando di risolvere un caso di omicidio e adesso mi trovo davanti un nuovo ostacolo da superare. E questo è tipico. Non c'è una volta che vada liscia.»

«Allora cerca di essere più attento.»

«E perché? Che cosa ho sbagliato? Seguo le mie piste e vado dove mi portano.»

Bosch si pentì immediatamente di quello sfogo. Il tenente Billets non faceva parte del lungo elenco di quelli che aspettavano solo di vederlo in ginocchio. E al tempo stesso si rendeva conto di avercela anche con se stesso. La Billets aveva ragione. Era stato un ingenuo.

«Senti, mi dispiace» disse con voce pacata. «Penso di essere caduto in una trappola.»

«Già» commentò lei, in tono altrettanto piano. «A proposito, cosa sta succedendo esattamente? La faccenda di Trent mi giunge del tutto nuova. Non dovevate tenermi informata?»

«È stata una sorpresa anche per noi. Te l'avrei riferita domani mattina. Non avevo idea che sarei stato preceduto da Channel 4. E questo vale anche per LeValley e Irving.»

«Lasciamoli fuori per adesso. Parlami di Trent.»

16

ERA MEZZANOTTE PASSATA quando Bosch arrivò a Venice. Parcheggiare nelle viuzze vicino ai canali era praticamente impossibile. Continuò a girare per una decina di minuti e finì per fermarsi in un lotto di terreno non edificato accanto alla biblioteca, sul Venice Boulevard, da cui tornò indietro a piedi.

Non tutti i sognatori che erano stati attratti da Los Angeles, vi erano venuti per lavorare nel cinema. Venice era il sogno, ormai vecchio di cent'anni, di un uomo chiamato Abbot Kinney. Prima ancora che l'industria cinematografica diventasse realtà, Kinney era arrivato alle paludi che si stendevano lungo la costa del Pacifico, dove aveva avuto una visione. Quella di una città costruita su una rete di canali attraversati da ponti ad arco, in uno stile architettonico simile a quello delle città italiane. Sarebbe stato un omaggio all'arte e alla cultura, la Venezia d'America.

Ma come capita a molti sognatori, la sua visione fu condivisa solo in parte. Molti finanzieri non sposarono il suo progetto, decidendo di investire il loro denaro in imprese meno impegnative e perdendo una bella opportunità. Così la Venezia d'America fu soprannominata "La Follia di Kinney".

Ma un secolo dopo molti dei canali e dei ponti ad arco che si riflettevano nelle loro acque erano ancora lì, mentre i progetti meno grandiosi preferiti dai finanzieri erano stati cancellati dal tempo. A Bosch piaceva l'idea che la Follia di Kinney fosse sopravvissuta a tutto.

Erano molti anni che non ci veniva, anche se per un certo periodo, dopo il suo ritorno dal Vietnam, ci aveva abitato, condividendo una villetta con altri tre uomini che aveva conosciuto laggiù. Da allora, molte delle villette erano state rase al suolo per essere sostituite da edifici moderni a due o tre piani dal costo esorbitante.

Julia Brasher viveva in una casa all'incrocio di due canali. Bosch si aspettava di trovare una struttura moderna costruita con i soldi dello studio legale paterno. Ma quando ci arrivò, vide che si era sbagliato. Julia abitava in una villetta di legno bianco con un portico aperto che si affacciava sull'acqua.

Le finestre erano illuminate. Se il suo turno era quello dalle tre alle undici, era improbabile che andasse a letto prima delle due.

Salì sul portico, ma ebbe un attimo di esitazione prima di bussare. Fino a poco prima, quando aveva cominciato a nutrire dei dubbi nei suoi confronti, il suo giudizio su di lei e sulla loro brevissima relazione era stato totalmente positivo. Ora sapeva che doveva comportarsi con prudenza. Forse non era successo niente, e lui avrebbe rovinato tutto se avesse compiuto un passo falso.

Infine si decise a bussare. Julia gli aprì subito.

«Mi stavo giusto domandando se avresti bussato o saresti rimasto fuori tutta la notte.»

«Come facevi a sapere che ero qui?»

«Il portico è vecchio e scricchiola. Ti ho sentito arrivare.»

«Be', ho avuto paura che fosse troppo tardi. Avrei dovuto telefonare.»

«Vieni. C'è qualcosa che non va?»

Bosch entrò e si guardò attorno senza rispondere.

Il soggiorno aveva un inconfondibile gusto marino, fino ai mobili di bambù e vimini e la tavola da surf appoggiata in un angolo. L'unico elemento dissonante era la cintura con la fondina, appesa a un attaccapanni vicino alla porta. Era un errore giustificabile solo in una recluta quello di averla lasciata così in vista, ma Bosch pensò che forse Julia era così orgogliosa della sua scelta professionale, da farne sfoggio con gli amici che erano estranei al mondo della Polizia.

«Accomodati» gli disse. «Vuoi un po' di vino? Ho appena aperto una bottiglia.»

Bosch ebbe un attimo di esitazione. Temeva che, mescolando il vino con la birra che aveva bevuto un'ora prima, si sarebbe svegliato con il mal di testa, mentre doveva essere lucido per affrontare la giornata che lo aspettava.

«È vino rosso.»

«Allora va bene. Ma dammene solo mezzo bicchiere.»

«Hai paura di non essere in forma domani?»

«Già.»

Mentre lei andava in cucina, si sedette sul divano e si guardò attorno. Sopra il caminetto di mattoni bianchi era appeso un pesce con il muso lungo e appuntito. Era di un blu brillante, con la pancia bianca e gialla. I pesci imbalsamati non lo disturbavano quanto le teste degli animali selvatici, ma quell'occhio vitreo che sembrava fissarlo lo metteva a disagio.

«L'hai pescato tu?» gridò.

«Sì. Ci ho messo tre ore e mezzo per tirarlo su.»

Julia entrò in soggiorno con due bicchieri in mano.

«Che cos'è?»

«Un black marlin.»

Alzò il bicchiere in un brindisi, prima in direzione del pesce e poi verso Bosch.

«Tieni duro.»

Bosch la guardò.

«È il mio nuovo brindisi. Si adatta a quasi tutto.»

Si sedette sulla poltrona più vicina a Bosch. Alle sue spalle c'era la tavola da surf. Era bianca, con i colori dell'arcobaleno disegnati tutt'attorno al bordo.

«E così cavalchi le onde.»

Lei si girò a guardare la tavola, poi si voltò verso di lui e sorrise.

«Ci provo. Ho imparato alle Hawaii.»

«Conosci John Burrows?»

Lei scosse il capo.

«Ci sono un sacco di surfisti alle Hawaii. Non sai che spiaggia frequenta?»

«No, vive a Los Angeles. Fa il poliziotto nella sezione Omicidi della Divisione Pacific. Vive in una stradina vicino alla spiaggia, non lontano da qui. È un appassionato di surf.»

«John Burrows, eh? Non me lo lascerò sfuggire.»

Aveva l'aria vagamente ironica, come se si stesse prendendo gioco di lui. Gli piaceva il modo in cui scherzava, lo divertiva, ma questo lo faceva sentire ancora più depresso, pensando alla ragione per cui era lì. Guardò il bicchiere.

«Sono andato a pesca tutto il giorno e non ho preso niente» disse.

«Ti ho visto in televisione questa sera. Hai intenzione di mettere sotto pressione quel tizio, il molestatore di bambini?»

Bosch sorseggiò il vino per prendere tempo. Lei aveva fatto la prima mossa. Ora toccava a lui, ma doveva stare molto attento.

«Cosa te lo fa pensare?»

«Il fatto di aver informato quella giornalista dei suoi precedenti penali. Ho pensato che avessi in mente qualche trucchetto, tipo spaventarlo per costringerlo a parlare. Mi sembra piuttosto rischioso.»

«Perché?»

«Be', prima di tutto io non mi fiderei troppo dei giornalisti. Lo so da quando facevo l'avvocato. Ho pagato di persona per essermi fidata. E poi... non si sa mai come uno possa reagire quando i suoi segreti vengono a galla.»

Bosch la fissò per un attimo, poi scosse il capo.

«Non sono stato io a informarla. Ci ha pensato qualcun altro.»

La guardò negli occhi come se volesse leggerle dentro, ma il suo sguardo era impenetrabile.

«Questa storia non passerà liscia» osservò lui.

Lei alzò le sopracciglia con aria sorpresa.

«E perché? Se non sei stato tu a farle la soffiata, perché dovrebbero prendersela...»

Si interruppe e Bosch vide che cominciava a mettere insieme i pezzi. Il suo viso si rabbuiò.

«Oh, Harry...»

Lui cercò di battere in ritirata.

«Non preoccuparti per me. Me la caverò.»

«Non sono stata io. È per questo che sei venuto, vero? Per capire se la fuga di notizie era partita da me?»

Appoggiò il bicchiere così bruscamente che il vino traboccò, macchiando il tavolino. Lei non se ne curò. Bosch sapeva che non era più possibile evitare lo scontro. Aveva combinato un disastro.

«Senti, solo quattro persone erano al corrente...»

«E io ero una di quelle. E tu sei capitato per giocare come il gatto con il topo, pensando che mi sarei tradita.»

Poi tacque, in attesa di una risposta, ma Bosch riuscì solo ad annuire.

«Be', ti sei sbagliato. E adesso vattene, per favore.»

Bosch appoggiò il bicchiere e si alzò.

«Senti, mi dispiace, ho rovinato tutto. Credevo di fare il furbo e questo è il risultato. Ma dovevo sapere. Se tu fossi stata al mio posto, forse ti saresti comportata come me.»

Fece un gesto d'impotenza e si diresse verso la porta, poi l'aprì e si voltò a guardarla.

«Mi dispiace davvero. Grazie per il vino.»

Si girò per andarsene, ma lei lo richiamò. Poi gli si avvicinò, e lo afferrò con entrambe le mani per il bavero della giacca e lo scrollò lentamente. Abbassò lo sguardo come se stesse riflettendo e finalmente prese la sua decisione.

«Forse riuscirò a perdonarti» disse. «Almeno lo spero.»

Lo guardò negli occhi e lo attirò a sé. Lo baciò sulla bocca, a lungo, poi lo scostò.

«Chiamami domani.»

Bosch annuì e uscì, mentre lei gli chiudeva la porta alle spalle. Si avviò lungo il marciapiede che costeggiava il canale, guardando le luci delle case che si riflettevano nell'acqua. A una ventina di metri un ponte ad arco, illuminato soltanto dalla luna, proiettava nel canale la sua forma perfetta. Si fermò, poi, come per un ripensamento, risalì gli scalini che portavano al portico. Ebbe un attimo di esitazione davanti alla porta e lei gli aprì.

«Le assi scricchiolano, te l'ho detto.»

Lui rimase in silenzio. Non trovava le parole per esprimere quello che aveva dentro. Poi si decise.

«Una volta, mentre ero all'interno di una galleria, in Vietnam, mi ritrovai faccia a faccia con un uomo. Era un vietcong, vestito di nero, la faccia annerita dal grasso. Ci guardammo per una frazione di secondo, poi l'istinto prevalse. Entrambi alzammo il fucile e sparammo contemporaneamente. Poi ci mettemmo a correre a perdifiato in direzione opposta, urlando di paura.»

Si interruppe. Il ricordo era così intenso che gli sembrava di rivivere quel momento.

«Ero convinto che mi avesse colpito. Era così vicino che non poteva avermi mancato. Io invece pensavo che il mio fucile si fosse inceppato. Il rinculo mi era sembrato strano. Una volta all'esterno, mi spogliai e mi controllai dappertutto. Non c'era sangue, non provavo dolore. Doveva avermi mancato. Ma come era possibile, da quella distanza?»

Lei si appoggiò al muro, sotto la luce del portico, senza dire niente.

«Poi controllai il fucile, per capire cosa non aveva funzionato, e così scoprii perché non mi aveva colpito. Il proiettile era finito dritto nella canna. Era lì, insieme al mio. Quante erano le probabilità che succedesse una cosa del genere? Una su un miliardo?»

Mentre parlava, alzò la mano puntandogliela contro come se fosse un'arma. Quel proiettile, laggiù nella galleria, era stato diretto al cuore.

«È solo per farti capire che so di avere avuto la stessa fortuna con te, stanotte.»

Le fece un cenno di saluto, poi si voltò e discese nuovamente i gradini.

17

L'INDAGINE SU UN OMICIDIO è una caccia all'uomo con un'infinità di vicoli ciechi, ostacoli di ogni tipo e ore e ore di sforzi buttati al vento. Non c'era giorno che Bosch non si scontrasse con questa realtà, ma fu costretto a ricordarsene una volta di più quel lunedì quando, poco prima di mezzogiorno, arrivò al tavolo della Omicidi e trovò ad attenderlo un problema nuovo di zecca.

La Squadra Omicidi occupava l'estremità più lontana della sala detective. Era formata da tre gruppi di tre uomini ciascuno e ogni gruppo aveva a disposizione un tavolo. In realtà, più che un tavolo, erano tre scrivanie unite assieme, due di fronte e la terza di lato.

Seduta al tavolo di Bosch, al posto che un tempo era stato di Kiz Rider, c'era una giovane donna vestita con un tailleur. Aveva i capelli scuri e gli occhi quasi neri, che non gli tolse di dosso neanche per un istante mentre lui attraversava la sala. Il suo sguardo era tagliente come una lama.

«C'è qualcosa che posso fare per lei?» le chiese lui quando arrivò al tavolo.

«È lei Harry Bosch?»

«Sì.»

«Sono il detective Carol Bradley, della Divisione Affari Interni. Ho bisogno di una dichiarazione da parte sua.»

Bosch si guardò attorno. C'era parecchia gente nella sala, e tutti fingevano di darsi da fare, mentre sbirciavano incuriositi verso di loro.

«Che tipo di dichiarazione?»

«Il vicecapo Irving ha chiesto alla nostra Divisione di determinare se i precedenti penali di Nicholas Trent sono stati divulgati impropriamente ai mezzi di informazione.»

Bosch, che non si era ancora seduto, appoggiò le mani allo schienale della sedia.

«Mi sembra di poter affermare con una certa sicurezza che è esattamente quello che è avvenuto.»

«Allora devo scoprire chi è stato.»

Bosch scrollò la testa.

«Sto cercando di svolgere un'indagine, ma pare che questo sia l'ultima cosa che conta, qui dentro.»

«Senta, so benissimo che secondo lei sono tutte sciocchezze. E forse lo penso anch'io. Ma ho ricevuto un ordine. Quindi andiamocene in una stanza tranquilla e registriamo quello che ha da dire. Non ci vorrà molto, poi potrà tornare a concentrarsi sulla sua indagine.»

Bosch depositò la cartella sulla scrivania e l'aprì. Poi ne estrasse il registratore. Si era ricordato di non averlo ancora tolto mentre faceva il giro degli ospedali locali per consegnare i mandati di ricerca.

«A proposito di registratori, perché non si porta questo in una delle stanze e lo ascolta, prima di parlare con me? L'avevo con me ieri sera. Dovrebbe essere sufficiente a escludere un mio coinvolgimento.»

Lei lo prese con qualche esitazione, e Bosch le indicò il corridoio che portava alle stanze destinate agli interrogatori.

«Comunque avrò bisogno ugualmente di una dichiarazione.»

«D'accordo. Ascolti il nastro, poi parleremo.»

«Dovrò sentire anche il suo partner.»

«Sarà qui da un momento all'altro.»

Mentre Carol Bradley si avviava lungo il corridoio, Bosch si sedette evitando di guardare gli altri detective presenti.

Non era neanche mezzogiorno e si sentiva già esausto. Aveva passato la mattinata ad aspettare che un giudice gli firmasse i mandati, poi a girare per la città in lungo e in largo per recapitarli agli uffici legali dei diciannove ospedali che, nella divisione con Edgar, erano toccati a lui.

Il suo socio, che ne aveva solo dieci, terminate le consegne era andato alla Sede Centrale per approfondire le ricerche sul passato di Trent e sui precedenti abitanti di Wonderland Avenue.

Bosch notò che sul piano della scrivania stazionavano una pila di messaggi e l'ultima infornata di comunicazioni telefoniche sul caso, raccolte dai centralinisti di turno.

Decise per prima cosa di occuparsi dei messaggi. Ben nove su dodici erano stati lasciati da giornalisti che, sulla base della nuova pista aperta da Channel 4, erano a caccia di novità da trasmettere nei notiziari del mattino. Gli altri erano dell'avvocato di Trent, Edward Morton, che aveva chiamato tre volte tra le otto e le nove e mezza.

Bosch non lo conosceva, ma immaginava che avesse telefonato per lamentarsi del fatto che i precedenti penali di Trent fossero stati dati in pasto alla stampa. Di solito se la prendeva comoda quando si trattava di richiamare un avvocato, ma in questo caso preferì affrontarlo subito, anche per assicurargli che la fuga di notizie non dipendeva dagli investigatori che si occupavano del caso. Era certo che Morton, comunque, non gli avrebbe creduto. Gli rispose una segretaria, la quale gli disse che l'avvocato aveva un'udienza in tribunale, ma sarebbe stato di ritorno molto presto. Bosch le chiese di essere richiamato.

Riappese e buttò nel cestino della carta straccia i foglietti rosa con i numeri di telefono dei giornalisti. Poi cominciò lo spoglio delle chiamate provenienti da persone a cui era scomparso qualcuno e che raccontavano la loro storia per

verificare se esistevano analogie con il caso delle ossa trovate sulla collina. Si accorse ben presto che gli agenti di turno
stavano facendo le domande che lui aveva consegnato a
Mankiewicz la mattina del giorno prima.

Arrivato all'undicesimo foglio della pila capì di aver fatto
centro. Una donna di nome Sheila Delacroix aveva chiamato alle otto e quarantacinque. Aveva visto il servizio di
Channel 4. Suo fratello minore, Arthur Delacroix, era sparito a Los Angeles nel 1980. All'epoca aveva dodici anni e
da allora non ne avevano saputo più niente.

Alle domande di argomento medico aveva risposto che il
fratello si era fatto male cadendo con lo skateboard alcuni
mesi prima di sparire. La caduta gli aveva procurato un trauma cranico che aveva richiesto un intervento chirurgico.
Non si ricordava i particolari dell'intervento, ma era quasi
certa che l'ospedale in cui era avvenuto il ricovero fosse il
Queen of Angels. Non ricordava nemmeno i nomi dei medici che avevano curato suo fratello. Non c'era altro sul foglio,
tranne un indirizzo e un numero di telefono. Bosch tracciò
un cerchio intorno alla parola "skateboard". Poi aprì la cartella e ne estrasse il biglietto da visita di Bill Golliher. Chiamò
prima in ufficio e gli rispose una segreteria telefonica. Compose quindi il numero del telefono cellulare e trovò l'antropologo, che stava pranzando al Westwood Village.

«Sarò rapidissimo. Devo solo chiederle una cosa. Riguarda il trauma che ha reso necessaria l'operazione.»

«Vuol dire l'ematoma?»

«Sì. Potrebbe essere stato causato da una caduta con lo
skateboard?»

Ci fu un attimo di silenzio mentre Golliher rifletteva. In
quel momento l'agente di turno al centralino si avvicinò alla
scrivania e richiamò l'attenzione di Bosch, che coprì il microfono con una mano.

«Che cosa c'è?»

«Kiz Rider in linea.»

«Mettila in attesa.»

Poi riprese la conversazione.

«È ancora lì, dottore?»

«Sì, stavo pensando. È anche possibile, dipende da cosa ha colpito cadendo. L'area della frattura è molto ridotta, il che sta a indicare che l'impatto è avvenuto in un punto preciso. C'è anche da tener presente che il trauma è localizzato in una parte molto alta del cranio e non sulla nuca, una delle zone più critiche in caso di caduta.»

Bosch si sentì cadere le braccia. Aveva sperato di riuscire a risolvere l'enigma dell'identità del ragazzo.

«È successo qualcosa di nuovo?» chiese Golliher.

«Sì, abbiamo appena ricevuto una telefonata.»

«Ci sono delle lastre, la cartella dell'intervento?»

«Ci stiamo lavorando.»

«Be', vorrei vederle per poter fare un paragone.»

«Appena riesco a rintracciarle. Cosa mi dice degli altri traumi? Secondo lei il ragazzo potrebbe esserseli procurati cadendo?»

«In qualche caso direi di sì, ma non in tutti. Alcuni poi sono avvenuti nella prima infanzia e non mi risulta che ci siano molti bambini di tre anni che vanno su uno skateboard.»

Bosch annuì, mentre pensava se aveva altro da chiedere.

«Detective, lei non ignora che nei casi di maltrattamenti la vera causa del trauma non è sempre quella che viene dichiarata, vero?»

«Naturalmente. Chiunque abbia portato quel ragazzino al pronto soccorso, ben difficilmente avrebbe ammesso di averlo colpito con un oggetto contundente.»

«Esatto. Si sarebbe inventato qualcosa e il ragazzino non avrebbe smentito.»

«Magari un incidente con lo skateboard.»

«È possibile.»

«Grazie, dottore, ora la lascio. Cercherò di procurarle quelle lastre al più presto.»

Premette un pulsante sul telefono e prese l'altra linea.

«Ciao, Kiz.»

«Ciao, Harry, come va?»

«Sono preso fino al collo. Cosa c'è?»

«Mi sento una merda, Harry. Credo di averla fatta grossa.»

Bosch si appoggiò allo schienale. Non avrebbe mai pensato che fosse stata lei.

«Alludi al servizio di Channel 4?»

«Sì. Ieri, dopo che te ne sei andato, il mio partner ha chiesto cosa ci facevi lì e io gliel'ho detto. Chi poteva pensare che avrebbe spifferato tutto? Gli ho raccontato che ti avevo aiutato a fare una ricerca e che, nell'esaminare i nomi dei vicini, avevamo scoperto che uno di loro aveva dei precedenti per molestie. Tutto qui, Harry, lo giuro.»

Bosch respirò a fondo. Si sentiva meglio. Ci aveva visto giusto, non era Kiz Rider la spia. Lei si era limitata a fidarsi di qualcuno che non meritava la sua fiducia.

«Kiz, c'è qui una degli Affari Interni che mi tiene il fiato sul collo. Come fai a sapere che è stato Thornton a passare l'informazione a Channel 4?»

«Ho visto il servizio questa mattina mentre mi stavo preparando. So che Thornton conosce la Surtain. Qualche mese fa abbiamo lavorato insieme a un caso di omicidio. Qualcuno era stato fatto fuori per riscuotere l'assicurazione. Era uno importante e i giornalisti avevano rizzato le antenne. Sono sicura che lui le ha passato sottobanco delle informazioni. Li ho visti insieme. Ieri poi, dopo che gli ho raccontato tutta la storia, mi ha detto che doveva andare al cesso. Ha preso su le pagine sportive e si è incamminato, ma al cesso non c'è nemmeno entrato. Abbiamo ricevuto una chiamata, così io sono andata a bussare alla porta per avvertirlo. Nessuna risposta. Non ci ho più pensato finché non ho visto quel servizio. Secondo me è andato da qualche altra parte a telefonarle.»

«Be', questo spiega tutto.»

«Mi dispiace, Harry, davvero. In quel servizio non ci facevi una gran figura, ma adesso spiegherò tutto a quelli della DAI.»

«Lascia perdere, Kiz. Almeno per il momento. Se ho bisogno, te lo farò sapere. Piuttosto, *tu* cosa hai intenzione di fare?»

«Trovarmi un nuovo socio. Con questo non ci posso più lavorare.»

«Stai attenta. Se continui a cambiare partner, tra un po' ti ritroverai da sola.»

«Preferisco sfangarmela da sola che con un imbecille di cui non posso fidarmi.»

«Questo sistema tutto.»

«E tu cosa mi dici? È ancora valida l'offerta?»

«Perché? Io sarei un imbecille di cui ti puoi fidare?»

«Non fare il furbo. Mi hai capito benissimo.»

«Certo che è valida. Non devi far altro che...»

«Ehi, Harry, devo andare. Il fesso sta arrivando.»

«D'accordo. Ciao.»

Bosch riattaccò e si strofinò la bocca con il dorso della mano mentre pensava a cosa fare con Thornton. Certo, poteva riferire la telefonata di Kiz a Carol Bradley, ma c'era ancora un margine di incertezza in quella storia e lui non voleva coinvolgere gli Affari Interni senza la sicurezza totale di come fossero andate le cose. L'idea stessa di rivolgersi alla DAI gli procurava una viva ripugnanza, ma in quel caso specifico qualcuno stava danneggiando la sua indagine. E lui non intendeva passarci sopra.

Dopo qualche istante gli venne in mente una soluzione. Guardò l'orologio, era mezzogiorno meno dieci. Richiamò Kiz Rider.

«Sono Harry. È ancora lì?»

«Sì, perché?»

«Prova a ripetere quello che ti dico, possibilmente in tono eccitato: "Davvero, Harry? Ma è fantastico! E lui chi era?".»

Kiz ripeté.

«D'accordo, e adesso fingi di ascoltare. Devi avere l'aria attenta, come se ti stessi raccontando la storia più appassionante del mondo. Ora ripeti: "Come ha fatto un ragazzino di dieci anni ad arrivare fin qui da New Orleans?".»

Lei eseguì di nuovo.

«Perfetto. Adesso riattacca e se lui ti chiede qualcosa digli che abbiamo identificato il ragazzino grazie alle impronte dei denti. Era scappato da New Orleans nel 1975. I suoi genitori sono già su un aereo, diretti qui. E il Capo sta organizzando una conferenza stampa per oggi alle quattro.»

«Va bene, Harry. Buona fortuna.»

«Anche a te.»

Bosch riattaccò e alzò gli occhi. Edgar era in piedi dall'altra parte del tavolo. Aveva sentito l'ultima parte della conversazione e lo stava guardando con aria perplessa.

«Tutte cazzate» gli disse Bosch. «Sto cercando di incastrare il bastardo che ha fatto la spia.»

«E chi sarebbe?»

«Il nuovo partner di Kiz. Così pare, almeno.»

Edgar si sedette, limitandosi ad annuire.

«Forse abbiamo identificato il ragazzino» continuò Bosch. Riferì a Edgar la telefonata su Arthur Delacroix e la successiva conversazione con Bill Golliher.

«1980, hai detto? Allora Trent non c'entra. Ho controllato al catasto e negli elenchi per indirizzo. Lui è arrivato a Wonderland Avenue nell'84. Ieri sera ci ha detto la verità.»

«Me lo sentivo che non era lui il nostro uomo.»

«Vai a dirlo a quelli di Channel 4.»

Il telefono di Bosch squillò. Era di nuovo Kiz Rider.

«Non ci crederai. È appena andato al cesso.»

«Gli hai detto della conferenza stampa?»

«Certo. Mi ha bersagliata di domande, quel gran pezzo di merda.»

128

«Be', se le riferisce che tutti quanti verranno informati alle quattro, puoi giurarci che lei partirà con un'esclusiva nel telegiornale di mezzogiorno. Non voglio perdermela.»

«Fammi sapere.»

Bosch riattaccò e controllò l'ora. Aveva ancora qualche minuto. Poi guardò Edgar.

«A proposito, c'è qui una della DAI. Si è chiusa in una delle stanze in fondo al corridoio. Siamo sotto indagine.»

Edgar si afflosciò. Come molti poliziotti detestava gli Affari Interni perché, anche quando uno cercava di fare il suo lavoro al meglio, rischiava di averli alle costole per qualsiasi sciocchezza.

Erano come quelli delle tasse, bastava vedere una lettera con l'intestazione Agenzia delle Entrate per sentire un nodo allo stomaco.

«Rilassati. Riguarda la faccenda di Channel 4. Dovremmo esserne fuori in qualche minuto. Vieni con me.»

Andarono nell'ufficio del tenente Billets, dove c'era un piccolo televisore sul suo apposito supporto. La Billets era seduta alla sua scrivania e stava scrivendo qualcosa.

«Ti dispiace se guardiamo il notiziario delle dodici su Channel 4?» chiese Bosch.

«Fate pure. Sono sicura che anche il capitano LeValley e il vicecapo Irving lo stanno guardando.»

Il notiziario si apriva con un servizio su un gravissimo incidente avvenuto a causa della nebbia sulla Santa Monica Freeway, quella mattina. Non era una storia così importante, visto che non c'erano stati morti, ma le immagini erano buone, per questo l'avevano messo all'inizio. Poi il giornalista che presentava il notiziario annunciò un altro servizio esclusivo di Judy Surtain su quello che veniva definito "Il caso delle ossa".

«Abbiamo saputo che le ossa trovate nel Laurel Canyon sono state identificate. A quanto pare appartengono a un ragazzino di dieci anni fuggito da New Orleans.»

Bosch guardò prima Edgar e poi la Billets, che si stava alzando con un'espressione di sorpresa dipinta in volto. Alzando una mano, le fece segno di aspettare un attimo.

«I genitori del ragazzo, che ne hanno denunciato la scomparsa più di venticinque anni fa, sono in volo diretti a Los Angeles per incontrarsi con la Polizia. L'identificazione è avvenuta grazie alle impronte dei denti. Si prevede che, nel pomeriggio, il capo della Polizia terrà una conferenza stampa per dare ufficialmente la notizia e parlare degli sviluppi delle indagini. Come vi abbiamo già annunciato la notte scorsa, la Polizia si sta concentrando su...»

Bosch spense il televisore.

«Cosa diavolo sta succedendo?» chiese subito la Billets.

«Niente, è tutto falso. Solo un espediente per stanare l'informatore.»

«E chi sarebbe?»

«Rick Thornton, il nuovo partner di Kiz.»

Bosch le raccontò quello che la Rider gli aveva riferito prima e il trucco che lui aveva escogitato.

«Dov'è finita la detective della DAI?» chiese la Billets.

«In una delle stanze degli interrogatori. Sta ascoltando un nastro che ho registrato ieri sera, sia a casa di Trent, sia dopo, quando la Surtain è venuta a parlarmi.»

«Un nastro? E perché io non ne so niente?»

«Perché mi sono dimenticato di parlartene.»

«D'accordo, lasciamo perdere. Credi che Kiz sia pulita?»

Bosch fece cenno di sì.

«Probabilmente si fidava del suo partner abbastanza da dirgli tutto. Ma lui se n'è fregato della sua fiducia ed è andato dritto a fare la soffiata a Channel 4. Non so cosa gli danno in cambio e non mi interessa. Il fatto è che sta facendo casino con la mia indagine.»

«Va bene, Harry, ti ho già detto che me ne sarei occupata. Tu torna al tuo lavoro. C'è nient'altro che dovrei sapere?»

«Forse abbiamo identificato il ragazzino. Questa volta sul serio. Oggi stesso faremo tutte le verifiche necessarie.»

«Cosa succede a Trent?»

«Per il momento lo lasciamo stare, almeno finché non saremo veramente sicuri dell'identificazione. Il problema sono i tempi, che non coincidono. Il bambino è sparito nel 1980, mentre Trent è venuto ad abitare nella zona solo quattro anni dopo.»

«Fantastico. Nel frattempo ci siamo impadroniti del suo segreto e l'abbiamo diffuso ai quattro venti. A quanto ho saputo dagli agenti di pattuglia, c'è una folla di giornalisti accampata sul suo vialetto.»

«Dovreste parlarne con Thornton» disse Bosch.

«Puoi star certo che lo faremo.»

Si sedette alla scrivania e tirò su il telefono. Era un modo di congedarli. Mentre tornavano al loro tavolo, Bosch chiese a Edgar se aveva preso il fascicolo sui precedenti di Trent.

«Sì, ce l'ho. Ma non è niente di speciale. Per una cosa del genere, oggi non l'avrebbero neanche processato.»

Si sedettero alle rispettive scrivanie e Bosch vide che, mentre era assente, l'avvocato di Trent l'aveva richiamato. Fece per prendere il telefono, ma poi ci ripensò e aspettò che Edgar finisse di aggiornarlo.

«L'uomo faceva l'insegnante in una scuola elementare di Santa Monica. Fu sorpreso da un altro insegnante nel bagno della scuola, mentre teneva in mano il pene di un bambino di otto anni che stava urinando. Si giustificò dicendo che gli stava insegnando a dirigere il getto nella tazza, perché il bambino continuava a pisciare sul pavimento. Ma i genitori sostennero che il bambino era da un pezzo che non sporcava più in giro. Così Trent fu condannato a due anni, più uno di libertà vigilata.»

Bosch rimase a riflettere, con la mano ancora appoggiata al telefono.

«È ben diverso che picchiare un ragazzino a morte con una mazza da baseball.»

«Infatti, Harry. Sto cominciando a rivalutare il tuo istinto.»

«Vorrei averlo seguito di più.»

Questa volta prese il telefono e compose il numero di Edward Morton. La chiamata fu trasferita al telefono cellulare. L'avvocato stava andando a pranzo.

«Pronto.»

«Sono il detective Bosch.»

«Voglio sapere dov'è.»

«Chi?»

«Non faccia il furbo con me, detective. Ho chiamato tutte le prigioni della contea. Voglio parlare con il mio cliente. Subito.»

«Immagino che stia parlando di Nicholas Trent. Ha provato a cercarlo al lavoro?»

«L'ho cercato dappertutto. Nessuna risposta. Anche il cercapersone è muto. Se l'avete preso, ha diritto a una difesa. E io ho diritto di sapere. Mi stia bene ad ascoltare, se mi avete fatto qualche scherzo, vado dritto da un giudice e vi sputtano con la stampa.»

«Trent non è con noi, avvocato. Non lo vedo da ieri sera.»

«Già, mi ha chiamato quando ve ne siete andati. E di nuovo dopo aver guardato la televisione. Vi siete comportati come dei bastardi con lui, dovreste vergognarvi.»

Bosch arrossì per il rimprovero, ma si guardò bene dal rispondere. Se lui non era personalmente responsabile dell'accaduto, lo era il Dipartimento. Per il momento, comunque, toccava a lui incassare il colpo.

«Pensa che sia fuggito?»

«Lei taglierebbe la corda se fosse innocente?»

«Non lo so. Lo chieda a O.J. Simpson.»

Un pensiero orribile gli attraversò la mente. Si alzò di scatto, con il telefono ancora premuto all'orecchio.

«Dove si trova adesso, signor Morton?»

«Sul Sunset, in direzione ovest. Vicino a Book Soup.»

«Torni indietro e vada a casa di Trent. Ci incontreremo lì.»

«Non posso, ho un appuntamento.»

«La aspetto a casa di Trent. E faccia in fretta. Io esco subito.»

Riappoggiò il telefono e disse a Edgar di sbrigarsi. Gli avrebbe spiegato tutto lungo la strada.

18

Davanti alla casa di Trent si era radunata una piccola folla di giornalisti televisivi. Bosch parcheggiò dietro il camioncino di Channel 2, poi lui ed Edgar smontarono dall'auto. Bosch non aveva mai visto Edward Morton, ma non c'era nessuno nel gruppo che avesse l'aria dell'avvocato. I venticinque anni passati nella Polizia gli permettevano di riconoscere a colpo d'occhio sia gli avvocati che i giornalisti.

«Se dobbiamo entrare, è meglio passare dal retro. Vorrei evitare il pubblico» disse Bosch, restando vicino all'auto per evitare di essere sentito.

«Capito.»

Risalirono il vialetto e furono immediatamente circondati dalle troupe televisive, che accesero le telecamere e li assalirono con domande che rimasero senza risposta. Bosch si accorse che Judy Surtain non era nel gruppo.

«Siete venuti ad arrestare Trent?»

«Cosa ci dite del ragazzo di New Orleans?»

«E la conferenza stampa? Non ci risulta che sia stata convocata nessuna conferenza stampa.»

«Sospettate di Trent o no?»

Quando Bosch riuscì a oltrepassare la barriera umana, si voltò all'improvviso a fronteggiare le telecamere.

Ebbe un attimo di esitazione, come se stesse mettendo a fuoco i suoi pensieri. In realtà voleva dare tempo agli altri di concentrarsi, perché non perdessero niente di quello che stava per dire.

«Non è stata organizzata alcuna conferenza stampa. E le ossa non sono state ancora identificate. L'uomo che vive in questa casa è stato interrogato ieri sera, esattamente come tutti gli altri abitanti della zona. Non è mai stato considerato un sospetto da chi indaga su questo caso. C'è stata una fuga di notizie ad opera di una persona estranea alle indagini, notizie che sono state trasmesse senza alcuna verifica. Peccato che fossero completamente false, e che la loro diffusione abbia ostacolato le indagini. Questo è tutto. Quando avremo qualche cosa da dire, lo faremo attraverso il nostro Ufficio Relazioni Esterne.»

Si voltò di nuovo e si diresse verso la casa con Edgar. I giornalisti si scatenarono in una serie di altre domande, ma Bosch li ignorò.

Arrivati alla porta, Edgar bussò. Chiamò Trent e disse che si trattava della Polizia. Dopo qualche istante bussò di nuovo e ripeté l'annuncio. Nessuno venne ad aprire.

«Passiamo da dietro?» chiese Edgar.

«Sì, oppure dal garage. C'è una porta laterale.»

Attraversarono il vialetto e si diressero verso il lato della casa. I giornalisti riattaccarono con le domande. Bosch si disse che erano così abituati a porre domande che restavano senza risposta da prenderlo come un fatto naturale. Un po' come fanno i cani quando abbaiano senza ragione.

Oltrepassarono la porta del garage e Bosch notò che c'era un'unica serratura sul battente. Proseguirono nel giardino posteriore. La porta della cucina era chiusa con un chiavistello e con una serratura sulla maniglia. C'era anche una porta scorrevole lì accanto, che non sarebbe stato difficile aprire. Edgar si avvicinò ma, guardando in basso attraverso il vetro, si accorse che nella guida su cui scorreva la porta era stato inserito un tassello di legno che rendeva impossibile l'apertura.

«Da qui non si entra, Harry.»

Bosch aveva in tasca una borsa che conteneva una serie di piccoli grimaldelli, ma voleva evitare di mettersi a scassinare la serratura.

«Proviamo a passare dal garage. Aspetta un attimo...»

Si avvicinò alla porta e girò la maniglia. Non era chiusa a chiave e si aprì subito. In quel preciso istante capì che in casa avrebbero trovato Trent, morto. Trent era un tipo gentile, quello che, suicidandosi, lascia la porta aperta perché la gente non debba sfondarla.

«Merda.»

Edgar si avvicinò, estraendo la pistola dalla fondina.

«Mettila via, non ce n'è bisogno» gli disse Bosch.

Entrarono e attraversarono la cucina.

«Signor Trent» gridò Edgar. «È la Polizia! È in casa, signor Trent?»

«Vai in soggiorno.»

Si separarono e Bosch si avviò lungo il corridoio, verso le stanze da letto sul retro. Trovò Trent nella doccia del bagno adiacente alla sua camera da letto. Aveva legato due corde da bucato al tubo della doccia in modo da formare un nodo scorsoio, poi, infilando il collo nel nodo, si era lasciato cadere con tutto il suo peso, morendo asfissiato. Indossava ancora gli stessi abiti della sera prima. Non c'erano segni che avesse avuto qualche ripensamento. I suoi piedi nudi poggiavano a terra e, visto che non si era impiccato per sospensione, avrebbe potuto cambiare idea in qualsiasi momento. Ma non l'aveva fatto.

La lingua sporgeva dalla bocca e, a giudicare dal colore, Bosch pensò che la morte dovesse risalire ad almeno dodici ore prima. Trent si era ucciso nel cuore della notte, poco dopo il servizio di Channel 4 in cui il suo segreto era stato divulgato al mondo intero e lui stesso era stato indicato come un possibile sospetto nel caso delle ossa trovate sulla collina.

«Harry.»

Bosch sobbalzò. Poi si voltò e guardò Edgar.

«Non sono scherzi da fare. Cosa c'è?»

Edgar parlò, continuando a fissare il corpo.

«Ha lasciato una lettera di tre pagine sul tavolino del soggiorno.»

Bosch uscì dalla doccia e, oltrepassando Edgar, si diresse verso il soggiorno. Si tolse dalla tasca un paio di guanti di gomma e vi soffiò all'interno per allargarli prima di infilarseli.

«L'hai letta tutta?»

«Sì, sostiene di non essere stato lui a far fuori il ragazzino. Dice che si è ucciso perché la Polizia e i media l'hanno distrutto, che ormai era un uomo finito e non aveva più senso stare al mondo. Però nella sua lettera ci sono anche delle cose strane.»

Bosch andò in soggiorno, tallonato da Edgar. Sul tavolino, davanti al divano, c'erano tre fogli disposti uno accanto all'altro.

«Erano così anche prima?» chiese sedendosi.

«Sì, non li ho toccati.»

Le ultime parole di Trent erano uno sproloquio farraginoso che andava dall'affermazione ostinata della sua innocenza rispetto al delitto della collina, all'espressione di una rabbia incontenibile per quello che gli era stato fatto.

Ora TUTTI *sapranno! Mi avete rovinato, siete responsabili della mia* MORTE. *Siete voi ad avere le mani sporche di sangue, non io! Io sono innocente, innocente,* INNOCENTE! *Non ho mai fatto male a nessuno. Mai, mai, mai. Io amo i bambini, li* AMO!!! *Siete stati voi a farmi del male.* VOI! *Ma io non posso vivere con questo dolore.*

Era un atto d'accusa feroce e ripetitivo, una sorta di diatriba estemporanea che rifletteva l'angoscia da cui erano stati segnati gli ultimi momenti della sua vita. La parte centrale della seconda pagina conteneva una specie di box con un elenco di nomi. Il titolo era "I responsabili". La prima della lista era Judy Surtain, seguita dal giornalista che aveva condotto il telegiornale della notte, da Bosch, da Edgar e da tre nomi che a Bosch non dicevano niente. Calvin Stumbo, Max Rebner e Alicia Felzer.

«Stumbo era il detective e Rebner il procuratore distrettuale del caso in cui Trent è stato condannato» disse Edgar.

«E la Felzer?»

«Non lo so.»

Mentre continuava a leggere, Bosch notò che Trent aveva siglato in calce ogni foglio. In fondo all'ultimo c'era una strana implorazione il cui senso era piuttosto oscuro.

Mi dispiace solo per i miei bambini. Chi si occuperà di loro? Hanno bisogno di essere nutriti e vestiti. Quel po' di denaro che ho messo da parte è per loro. Queste sono le mie ultime volontà, che il mio denaro vada ai bambini. Mio esecutore testamentario è Morton. Morton, sistema tutto, ma non prenderti la parcella. Fallo per i bambini.

«Di che bambini sta parlando?» chiese Bosch.

«E chi lo sa. Comunque è strano.»

«Cosa ci fate qui? Dov'è Nicholas?»

Un uomo basso vestito con un completo era in piedi sulla soglia del soggiorno. Dall'aspetto, Bosch pensò che si trattasse di Morton.

«È morto. A un primo esame direi che si tratta di suicidio.»

«Dov'è?»

«Nel bagno principale, ma se fossi in lei non...»

Ma Morton si era già avviato.

«Non tocchi niente» gridò Bosch, poi fece cenno a Edgar di seguirlo per controllare che lasciasse tutto com'era.

Tornò a sedersi e riprese a leggere. Si chiese quanto tempo aveva impiegato Trent per decidere che l'unica via d'uscita era il suicidio e per stendere quelle tre pagine. Di solito le lettere scritte dai suicidi erano più brevi.

Morton tornò in soggiorno, seguito alle calcagna da Edgar. Aveva il volto terreo e lo sguardo fisso a terra.

«Le avevo detto di lasciar perdere» osservò Bosch.

L'avvocato alzò gli occhi su di lui e lo guardò a lungo con un'espressione di rabbia che parve ridare un po' di colore al suo viso.

«Sarete felici, adesso. L'avete rovinato. L'avete dato in pasto agli avvoltoi e queste sono le conseguenze.»

E indicò il bagno con un gesto della mano.

«Signor Morton, le sue informazioni non sono corrette, ma in linea di massima le cose sono andate così. Forse si stupirà, ma io sono assolutamente d'accordo con lei.»

«Facile dirlo, adesso che è morto. È una lettera, quella? L'ha lasciata lui?»

Bosch si alzò dal divano e gli fece cenno di sedersi al suo posto.

«Le raccomando di non toccare i fogli.»

Morton si sedette, inforcò un paio di occhiali da lettura e iniziò a leggere.

Bosch si avvicinò a Edgar e a bassa voce gli disse: «Vado in cucina a telefonare».

Edgar annuì.

«Sarà meglio avvertire le Relazioni Esterne. Questa merda si spargerà ai quattro venti in un baleno.»

«Già.»

Bosch prese il ricevitore del telefono a muro della cucina e notò la presenza del pulsante con cui si poteva richiamare l'ultimo numero. Lo premette e attese. La voce che gli rispose era quella di Morton, registrata sulla segreteria telefonica. Morton diceva di non essere in casa e pregava di lasciare un messaggio.

139

Bosch compose poi il numero diretto del tenente Billets, che gli rispose subito. Bosch capì che stava mangiando.

«Forse non è il momento migliore per darti la notizia, ma siamo a casa di Trent e, a giudicare dalle apparenze, l'uomo si è suicidato.»

Ci fu un lungo silenzio, poi lei chiese a Bosch se ne era sicuro.

«Sono sicuro che è morto e abbastanza sicuro che si sia ucciso. Ha utilizzato un paio di corde da bucato e si è impiccato nella doccia. Ha lasciato una lettera di tre pagine, in cui nega qualsiasi implicazione nel caso delle ossa sulla collina. Addossa la responsabilità della sua morte a Channel 4 e alla Polizia, soprattutto a me e a Edgar. Tu sei la prima persona che chiamo.»

«Be', lo sappiamo tutti che non siete stati voi a...»

«Lascia perdere, tenente, non ho bisogno di assoluzioni. Voglio solo sapere cosa devo fare.»

«Occupati delle telefonate di routine. Io parlerò con Irving. Questa è roba che scotta.»

«Sì. Hai pensato a cosa fare con i media? C'è già una banda di giornalisti giù in strada.»

«Chiamerò le Relazioni Esterne.»

«Non è successo ancora niente riguardo a Thornton?»

«È tutto avviato. La tipa degli Affari Interni, Carol Bradley, è già all'opera. Con la sua ultima trovata, non solo Thornton deve essersi giocato il posto, ma è anche possibile che decidano di perseguirlo legalmente.»

Bosch pensò che l'uomo se lo meritava. Quanto a lui, per il momento non aveva ripensamenti sull'espediente a cui era ricorso.

«Bene. Noi resteremo qui, almeno per un po'.»

«Avvertitemi subito se trovate qualcosa che rappresenti un legame fra Trent e il caso delle ossa.»

Bosch pensò agli stivali con il fango rappreso nelle cuciture e allo skateboard.

«D'accordo» disse.

Appena conclusa la telefonata, Bosch chiamò l'ufficio del medico legale e della DIS.

Tornato in soggiorno, vide che Morton aveva finito di leggere la lettera.

«Signor Morton, quando è stata l'ultima volta in cui ha parlato con Trent?» gli chiese.

«Ieri sera. Mi ha telefonato a casa dopo il notiziario di Channel 4. L'aveva chiamato il suo capo, che aveva visto la televisione.»

«Sa come si chiama?»

Morton indicò il box al centro della seconda pagina.

«Alicia Felzer. È qui sulla lista. Gli ha detto che intendeva rescindere il suo contratto di lavoro. Lo studio cinematografico fa film per bambini e lei non poteva permettere che lui lavorasse su un set dove erano presenti dei minori. Visto? Con la vostra leggerezza avete distrutto un uomo. Gli avete rovinato l'esistenza e...»

«Limitiamoci ai fatti, signor Morton. Risparmi la sua tirata per quando uscirà e potrà parlare con i giornalisti. Cosa mi dice dell'ultima pagina? Allude a dei bambini. I suoi bambini. Che cosa significa?»

«Non ne ho idea. Ovviamente era molto turbato quando ha scritto questa lettera. Forse non significa niente.»

Bosch era rimasto in piedi e studiava l'avvocato.

«Perché l'ha chiamata ieri sera?»

«Secondo lei? Per dirmi che eravate stati qui, naturalmente, che il suo passato era stato dato in pasto ai media, che il suo capo aveva visto la televisione e che voleva licenziarlo.»

«Non le ha confessato per caso di essere stato lui a seppellire quel ragazzino in cima alla collina?»

Morton assunse un'aria debitamente indignata.

«Semmai il contrario. Ha affermato di non aver niente a che fare con quella faccenda. Era convinto di venire perseguitato per colpa di un vecchio errore, di una colpa che apparteneva a un lontano passato. E ne aveva tutte le ragioni.»

«D'accordo, signor Morton, ora può andare.»

«È impazzito? Non ho nessuna intenzione di muovermi da qui!»

«Questa casa è diventata la scena di un crimine. Noi stiamo indagando sulla morte del suo cliente, allo scopo di accertare che si sia tolto la vita di sua volontà. Lei non è più gradito qui dentro. Jerry?»

Edgar si avvicinò al divano e fece cenno a Morton di alzarsi.

«Avanti. È arrivato il momento di uscire e di farsi riprendere dalle TV. È un'ottima pubblicità, non le pare?»

Morton si alzò e uscì in un baleno. Bosch andò alla finestra e scostò di poco la tenda. Vide Morton che si dirigeva verso il gruppo di giornalisti e iniziava a parlare in tono irato. Non sentiva quello che diceva, ma non stentava a immaginarselo.

Quando Edgar tornò, Bosch gli disse di chiamare l'ufficio di guardia e di fare arrivare una pattuglia a Wonderland Avenue per disperdere un assembramento. Aveva la sensazione che, come un virus, la folla di giornalisti avrebbe cominciato a replicarsi, diventando sempre più numerosa e famelica di minuto in minuto.

19

SCOPRIRONO I BAMBINI di Nicholas Trent quando perquisirono la casa, dopo la rimozione del corpo. I due cassetti della piccola scrivania del soggiorno erano pieni di fotografie, cartelline e ricevute bancarie. Trent mandava mensilmente piccole somme di denaro a svariati enti di beneficenza che si occupavano di bambini in difficoltà. Erano anni che l'uomo spediva i suoi soldi nei posti più diversi della terra, dagli Appalachi alla foresta pluviale brasiliana, fino al Kosovo. Gli importi non superavano quasi mai i dieci dollari. Bosch scoprì un'infinità di fotografie, raffiguranti i bambini che Trent aiutava, oltre a un certo numero di biglietti scritti a mano con calligrafia infantile.

Personalmente aveva sempre nutrito molti sospetti nei confronti delle organizzazioni di carità che si facevano pubblicità in televisione, di solito nelle ore notturne. Era sicuro che qualche dollaro potesse aiutare un bambino a non morire di fame, dubitava solo che i dollari in questione arrivassero davvero a chi ne aveva bisogno. Si chiese se le fotografie che Trent aveva accumulato nel corso degli anni erano identiche per tutti quelli che mandavano il loro contributo. Si chiese se anche i messaggi di ringraziamento non fossero falsi.

«Caspita, è come se questo tizio stesse facendo una sorta

di penitenza, con tutti i soldi che distribuiva in giro» disse Edgar, mentre passava in rassegna il contenuto del cassetto.

«Chissà perché.»

«Forse non lo sapremo mai.»

Mentre il suo partner andava a perquisire il bagno di servizio, Bosch si concentrò sulle foto che aveva sparso sul piano della scrivania. Raffiguravano bambini e bambine che, dall'aspetto, non dovevano avere più di una decina di anni, anche se determinarne l'età non era facile perché tutti avevano lo sguardo fondo e disperato di chi era passato attraverso indicibili sofferenze. Prese l'istantanea di un bambino di razza bianca e la girò. Sul retro c'era scritto che il piccolo era rimasto orfano durante la guerra del Kosovo. Era stato ferito in un'esplosione, la stessa in cui erano morti i suoi genitori. Si chiamava Milos Fidor e aveva dieci anni.

Bosch era rimasto orfano a undici. Guardando gli occhi del ragazzino, vide i suoi.

Alle quattro del pomeriggio chiusero la casa di Trent e si diressero alla macchina con tre scatole di materiale. Un piccolo gruppo di giornalisti indugiava ancora lì davanti, nonostante le Relazioni Esterne avessero comunicato che le informazioni sugli eventi della giornata sarebbero state diffuse unicamente da loro.

I giornalisti li aggredirono con una serie di domande, ma Bosch tagliò corto, dicendo che non erano autorizzati a rilasciare commenti sull'indagine in corso. Misero le scatole nel bagagliaio e si diressero verso il Parker Center, dove il vicecapo Irvin Irving aveva fissato una riunione.

Bosch era profondamente scontento. Il suicidio di Trent – e ora non aveva più alcun dubbio che l'uomo si fosse suicidato – aveva praticamente bloccato le indagini sul caso delle ossa ritrovate sulla collina.

Bosch aveva trascorso più di mezza giornata a passare al

144

vaglio la casa di Trent, mentre ciò che avrebbe voluto era procedere all'identificazione del ragazzino, verificando le informazioni ricevute dalla telefonata della presunta sorella.

«Che cosa ti prende, Harry?» Edgar gli chiese a un certo punto.

«Perché?»

«Non so. Te ne stai lì muto come un pesce. Lo so che hai un pessimo carattere, ma di solito ti sforzi di nasconderlo.» La frase fu pronunciata con un sorriso, che Bosch si guardò bene dal ricambiare.

«Non c'è niente. Stavo solo pensando. Quel tizio potrebbe essere ancora vivo, se avessimo gestito la faccenda diversamente.»

«Dai, Harry. Secondo te avremmo dovuto lasciarlo perdere? Impossibile. Abbiamo fatto il nostro lavoro, purtroppo qualcosa è andato storto. Se c'è un colpevole, quello è Thornton, ma avrà quello che gli spetta. Comunque, se vuoi il mio parere, il mondo è un posto migliore senza una persona come Trent in giro. Io mi sento la coscienza a posto, amico.»

«Beato te.»

Bosch pensò alla sua decisione di lasciare libero Edgar, la domenica precedente. Se non l'avesse fatto, sarebbe toccato al suo partner il compito di fare le ricerche al computer, e le informazioni sul passato di Trent non sarebbero mai arrivate a Thornton.

Sospirò. La vita era come il gioco del domino. Tutto dipendeva dal modo in cui i pezzi si combinavano.

«Come la vedi, Jerry? Secondo te Trent c'entra qualcosa con il caso del ragazzino?»

«Non lo so. Prima vorrei vedere i risultati degli esami effettuati sul fango degli scarponi e sentire cosa ha da dire la sorella. Se è davvero sua sorella.»

Bosch non rispose. Non gli piaceva doversi affidare a

degli esami di laboratorio per determinare il corso di una indagine.

«E tu, Harry? Cosa pensi, tu?»

Bosch si rivide davanti le foto dei bambini che Trent era convinto di aiutare. Il suo atto di contrizione. La sua speranza di redenzione.

«Penso che stiamo perdendo tempo. Non è lui il colpevole.»

20

IL VICECAPO IRVING era seduto dietro la scrivania, nell'ufficio spazioso che occupava al sesto piano del Parker Center. Con lui, nella stanza, c'erano il tenente Grace Billets, Bosch ed Edgar, oltre a un funzionario delle Relazioni Esterne, un certo Sergio Medina. In piedi sulla soglia, a portata di voce, c'era l'aiutante di Irving, una donna che si chiamava Simonton.

Il piano della scrivania era ricoperto da un cristallo. Era completamente vuoto, fatta eccezione per due fogli di carta con sopra scritto qualcosa che Bosch, dalla posizione in cui si trovava, non riusciva a leggere.

«Insomma» esordì Irving. «Che cosa sappiamo di Trent? Sappiamo che era un pedofilo con dei precedenti penali per molestie nei confronti di un minore. Sappiamo che viveva a un tiro di schioppo dal luogo dove era stato sepolto il cadavere di un bambino. E sappiamo che si è suicidato la sera stessa in cui è stato interrogato dagli investigatori sui primi due punti che ho enunciato.»

Irving prese uno dei fogli dalla scrivania e lo studiò senza condividerne il contenuto con i presenti. Poi ricominciò a parlare.

«Ho qui un comunicato stampa che, partendo dai tre punti di cui vi ho parlato, continua così: "Il signor Trent è oggetto di un'inchiesta. La determinazione di una sua eventuale responsabilità nell'omicidio della vittima trovata sepolta nei pressi della sua casa dipende dagli esami di laboratorio attualmente in corso e dalle successive indagini".»

Rimase a fissare il foglio per qualche istante, poi lo rimise sulla scrivania.

«Chiaro e succinto. Ma non servirà a placare la fame dei media, né ci aiuterà a evitare che il nostro Dipartimento si trovi ancora una volta in una situazione difficile.»

Bosch si schiarì la gola. All'inizio Irving parve ignorarlo, ma poi gli chiese, senza guardarlo: «Sì, detective Bosch?».

«Be', sembra che lei non sia soddisfatto. Il problema è che noi siamo esattamente a questo punto. Mi piacerebbe poterle dire che secondo me è stato quel tizio a uccidere il bambino sulla collina, anzi che sono *sicuro* che sia stato lui. Ma in realtà siamo ben lontani da poter fare un'affermazione del genere. Ed è probabile che la conclusione finale sia esattamente l'opposto.»

«E cosa glielo fa pensare?» sbottò Irving.

Bosch stava cominciando a capire qual era lo scopo della riunione. Probabilmente il secondo foglio sulla scrivania era il comunicato stampa che il vicecapo voleva far uscire, in cui Trent veniva individuato come colpevole e il suo suicidio veniva interpretato come il gesto disperato di un uomo che sapeva di non avere via di scampo. Questo avrebbe permesso al Dipartimento di occuparsi di Thornton, la spia, in tutta tranquillità, sottraendolo alla lente d'ingrandimento dei media ed evitando il clamore di uno scandalo. Con un'unica mossa avrebbero ottenuto un doppio risultato. Si sarebbero risparmiati l'umiliazione di ammettere che per colpa di un agente un uomo si era ucciso e avrebbero potuto chiudere in modo indolore il caso del ragazzo sulla collina.

Tutti i presenti sapevano che chiudere un caso del genere era un vero colpo di fortuna. Trent, con il suo suicidio, aveva offerto loro una via d'uscita. Sarebbe stato facile scaricare i sospetti sul pedofilo e finirla così, passando al prossimo caso.

Bosch lo capiva, ma non riusciva ad accettarlo. Lui aveva visto le ossa. Aveva sentito Golliher snocciolare l'elenco dei traumi subiti dalla vittima e, nella sala delle autopsie, aveva giurato a se stesso di trovare l'assassino. Le strategie del Dipartimento e i problemi di immagine venivano in secondo piano.

Si mise la mano in tasca e tirò fuori il taccuino. Lo aprì a una pagina con un angolo piegato e la guardò come se stesse studiando un lungo elenco di note. Ma sulla pagina c'era un'unica annotazione, scritta la domenica precedente durante il colloquio con Golliher:

Individuate 44 diverse lesioni.

Il suo sguardo rimase fisso sul numero finché Irving riprese a parlare.

«Detective Bosch, le ho fatto una domanda.»

Bosch alzò gli occhi e chiuse il taccuino.

«I tempi non coincidono. Quando Trent si è trasferito nella zona, la vittima era già sepolta da un pezzo. C'è poi l'analisi delle ossa. Quel ragazzino ha subito maltrattamenti per un lungo periodo di tempo, sin da quando era piccolo. E questo esclude il nostro uomo.»

«Sia i tempi sia l'analisi delle ossa non sono elementi conclusivi» intervenne Irving. «C'è sempre una possibilità, seppur remota, che il colpevole del crimine sia Trent.»

«Mi sembra molto improbabile.»

«Che risultati ha dato la perquisizione della casa?»

«Abbiamo scovato dei vecchi stivali da lavoro con del fango secco nelle cuciture. Verrà paragonato con i campioni di terriccio presi sul luogo della sepoltura. Ma nemmeno questo è un elemento conclusivo. Anche nel caso in cui combacino, Trent avrebbe potuto sporcarsi gli stivali semplicemente passeggiando dietro casa. Da un punto di vista geologico, il terreno è lo stesso.»

«C'è dell'altro?»

«Non molto. Abbiamo trovato uno skateboard.»

«Uno skateboard?»

Bosch li informò della telefonata, dicendo che, per via del suicidio, non aveva ancora avuto tempo di fare le necessarie verifiche. Mentre parlava, si accorse che Irving si stava ringalluzzendo all'idea che lo skateboard trovato in casa di Trent potesse essere collegato al ragazzino.

«La consideri una priorità. Voglio che vada immediatamente a fondo della cosa e che mi tenga informato in tempo reale.»

Bosch si limitò ad annuire.

«Certo, signore» intervenne la Billets.

Irving rimase in silenzio con gli occhi fissi sui fogli che aveva davanti.

Finalmente prese quello che non aveva ancora letto, probabilmente il comunicato stampa fasullo, e lo infilò in una macchina trita-documenti, che con un sibilo fastidioso lo distrusse. Si girò nuovamente verso di loro e porse l'altro foglio a Medina.

«Agente Medina, lo distribuisca pure alla stampa.»

Medina si alzò per prenderlo, mentre Irving controllava il suo orologio.

«Appena in tempo per il telegiornale delle sei» concluse.

«Signore» disse Medina.

«Sì?»

«Siamo stati subissati di domande sul servizio fasullo di Channel 4. Forse dovremmo...»

«Dica che è contro la politica del Dipartimento rilasciare commenti su un'inchiesta interna. Se vuole può aggiungere che non ci saranno sconti nei confronti di chi ha fornito informazioni confidenziali ai media. È tutto, agente Medina.»

Medina parve sul punto di chiedere qualcos'altro, ma evidentemente ci ripensò. Con un cenno del capo lasciò l'ufficio.

Irving indicò alla sua aiutante di chiudere la porta e lei eseguì, restando fuori. Poi il vicecapo tornò a fissare i tre rimasti, facendo scorrere lo sguardo da uno all'altro.

«La situazione è delicata» disse. «Sapete tutti come dovete procedere?»

«Sì» risposero all'unisono Edgar e la Billets.

Bosch rimase in silenzio.

«Detective, non ha niente da dire?» gli chiese Irving.

«Solo che ho tutte le intenzioni di trovare il bastardo che ha ucciso quel ragazzino e di schiaffarlo dentro. Se è stato Trent, benissimo, ma se non è stato lui, intendo andare avanti fino in fondo.»

Irving fissò il piano della scrivania come se avesse visto qualcosa di infinitamente piccolo, un capello o una particella di polvere. Qualcosa che a Bosch sfuggiva totalmente. D'un tratto lo prese con due dita e lo lasciò cadere nel cestino della carta straccia alle sue spalle. Mentre lo guardava, Bosch si chiese se la dimostrazione non fosse per caso diretta a lui.

«Non tutti i casi si possono risolvere, detective» osservò Irving. «Alcuni sono irrisolvibili. E può anche darsi che, a un certo punto, il nostro dovere ci obblighi a dedicarci a questioni più pressanti.»

«Mi sta dando una scadenza?»

«No, detective. Intendo dire che la capisco, ma spero anche che lei capisca me.»

«Che fine farà Thornton?»

«Per il momento è sotto inchiesta, ma non posso parlarne con lei in questa fase.»

Bosch scosse il capo. Si sentiva profondamente frustrato.

«Si controlli, detective Bosch. Ho sempre avuto molta pazienza con lei, non potrà negarlo.»

«Con il suo comportamento, Thornton ci ha creato un sacco di problemi.»

«Se è colpevole, verrà trattato di conseguenza. Ma deve tenere presente che non ha operato nel vuoto. Per poter trasmettere l'informazione, deve ben averla ricevuta. Comunque l'inchiesta è in corso.»

Bosch lo fissò. Il messaggio era chiaro. Anche Kiz Rider sarebbe caduta con Thornton se lui non si metteva al passo.

21

PRIMA DI RIPORTARE EDGAR alla Divisione Hollywood per poi procedere verso Venice, Bosch estrasse dal bagagliaio la scatola che conteneva lo skateboard e la portò al laboratorio della Scientifica, al Parker Center.

Al banco chiese di Antoine Jesper. Mentre aspettava, studiò lo skateboard.

Sembrava fatto di legno compensato e sulla superficie laccata erano state applicate numerose decalcomanie, tra cui una con un teschio e due tibie incrociate incollata proprio nel mezzo dell'asse.

Quando Jesper arrivò, Bosch gli porse la scatola.

«Voglio sapere il nome della ditta produttrice, quando è stato fatto e dove è stato venduto. È urgentissimo. Quelli del sesto piano mi tengono il fiato sul collo.»

«Non ci sono problemi. La marca posso dirtela anche subito. Era la Boney, ma hanno cessato la produzione. Il padrone ha venduto e deve essersi ritirato alle Hawaii.»

«E tu come lo sai?»

«Quando ero un ragazzino ero un fanatico dello skate. Non sai cosa avrei dato per possedere uno di questi, ma non avevo i soldi.»

«Ho bisogno di tutti i dati per domani.»

«Ci proverò, ma non ti prometto niente.»

«Domani, Antoine. Non un giorno di più. Pensa a quelli del sesto piano.»

«Lasciami anche la mattina, almeno.»

«D'accordo. Nessuna novità per quello che riguarda la lettera?»

«Ancora niente. Abbiamo provato con i reagenti, ma non ha funzionato. Se fossi in te non ci farei conto, Harry.»

«D'accordo.»

Tornando a Hollywood, lasciò Edgar alla guida mentre lui chiamava Sheila Delacroix con il telefono cellulare. La donna rispose subito. Bosch si presentò e disse che gli era stato passato il rapporto sulla sua telefonata.

«Crede che si tratti di Arthur?» gli chiese ansiosa.

«Non lo sappiamo, signora. Ma dovremmo farle qualche domanda.»

«Oh.»

«Sarebbe possibile che io e il mio partner venissimo a trovarla domani mattina per parlare di Arthur? Ci aiuterebbe a determinare se i resti che abbiamo trovato sono quelli di suo fratello.»

«Capisco. Be', certo. Venite pure, se è necessario.»

«Mi dà il suo indirizzo, signora?»

«Ah, sì. È sul Miracle Mile, vicino al Wilshire.»

«Orange Grove, esatto?»

«Già, proprio lì.»

«È troppo presto alle otto e mezza?»

«Va benissimo, agente. Sarei contenta di collaborare. Mi turba l'idea che quell'uomo sia rimasto impunito tutti questi anni dopo aver fatto una cosa simile. Anche se la vittima non è mio fratello.»

Bosch pensò che non valesse la pena di dirle che forse Nicholas Trent era innocente. Al mondo c'era decisamente troppa gente che credeva a tutto quello che vedeva in televisione.

Le diede, invece, il suo numero di cellulare, pregandola di

chiamarlo se avesse avuto degli impedimenti o se avesse cambiato idea sull'ora della visita.

«Non si preoccupi» insisté la donna. «Sono felice di aiutarvi. Se si tratta di Arthur, voglio saperlo. Da una parte mi auguro che quel ragazzino sia veramente lui, per mettere un punto a questa storia. Dall'altra vorrei che fosse qualcun altro. Così potrei continuare a pensare che lui è vivo, e magari si è fatto una famiglia.»

«Capisco» disse Bosch. «Ci vediamo domattina.»

22

BOSCH ARRIVÒ A VENICE con mezz'ora di ritardo, dopo un viaggio a dir poco infernale, ulteriormente complicato dalla vana ricerca di un parcheggio. Alla fine gli toccò tornare allo spiazzo accanto alla biblioteca per lasciare la macchina. La sua mancanza di puntualità non sembrava aver turbato Julia Brasher, che si stava dando da fare in cucina per completare la preparazione della cena. Gli disse di andare in soggiorno a mettere un po' di musica e di versarsi un bicchiere di vino dalla bottiglia che era già aperta sul tavolino. Non accennò a toccarlo né a baciarlo, ma i suoi modi erano decisamente affettuosi. Lui provò di nuovo quella sensazione di calore che lo prendeva sempre quando stava con lei, e sperò che la sua gaffe della sera prima fosse stata davvero superata.

Scelse il CD di una registrazione dal vivo del Bill Evans Trio, effettuata al Village Vanguard, a New York. A casa l'aveva anche lui, e sapeva che era perfetto per una cena a due. Si versò un bicchiere di vino rosso e si mise a girare per il soggiorno.

La mensola sopra il camino di mattoni bianchi era coperta di piccole foto incorniciate che la sera prima non aveva avuto occasione di guardare. Non tutte raffiguravano delle persone. Alcune erano fotografie dei luoghi che, con molta probabilità, Julia aveva visitato nel corso dei suoi viaggi. In una si vedeva un vulcano attivo che eruttava fumo e lapilli. In un'altra, scattata sott'acqua, era stata immortalata la bocca aperta di uno squalo, con i denti acuminati in bella vista. Sembrava che la bestia assassina si stesse lanciando dritta contro la macchina fotografica. Ma ai bordi della foto Bosch vide le sbarre di ferro della gabbia in cui chi l'aveva scattata, forse Julia stessa, aveva cercato protezione.

C'era una foto di lei con due aborigeni ai lati, scattata in qualche zona sperduta dell'Australia. E ce n'erano altre, in cui Julia compariva con i suoi compagni di viaggio in luoghi esotici o selvaggi, che Bosch non riuscì a identificare. Lo colpì il fatto che lei non guardava mai nell'obiettivo. Il suo sguardo era perso in lontananza o si rivolgeva a uno o all'altro di quelli che posavano con lei.

In fondo alla mensola, quasi nascosta dietro le altre, c'era la foto di una Julia molto più giovane in compagnia di un uomo più vecchio. Estraendola dal mucchio con cautela, Bosch la prese per osservarla meglio. I due erano seduti al tavolo di un ristorante, forse durante una festa nuziale. Julia indossava un abito beige con una profonda scollatura, mentre il suo compagno era in frack.

«Sai, quest'uomo è un dio in Giappone» gridò lei all'improvviso.

Bosch rimise la foto al suo posto e si diresse verso la cucina. Julia si era sciolta i capelli e lui non sapeva decidere in quale modo la preferisse.

«Stai parlando di Bill Evans?»

«Sì. Pare che ci siano intere stazioni radio dedicate alla sua musica.»

«Non dirmi che sei stata anche in Giappone.»

«Un paio di mesi. È un posto affascinante.»

Gli parve che stesse preparando un risotto con il pollo e gli asparagi.

«Ha un buon profumo.»

«Grazie. Speriamo che il sapore sia all'altezza.»

«Da cosa stavi scappando?»

Lei lo guardò, smettendo di mescolare il risotto.

«Che cosa vuoi dire?»

«Lo sai, tutti quei viaggi. Hai lasciato lo studio di papà per andare a nuotare con i pescecani e a esplorare i vulcani. Che cosa ti ha spinto a farlo? Il desiderio di lasciare il tuo vecchio o il fatto che non ne potevi più di tutti quegli avvocati?»

«Non credi che forse avevo una meta da raggiungere?»

«Il tizio con il frack?»

«Harry, togliti la pistola e il distintivo e lasciali accanto alla porta. Io lo faccio sempre quando entro in casa.»

«Scusami.»

Lei si rimise al lavoro e lui le si accostò. Le appoggiò le mani sulle spalle e con i pollici cominciò a premere sulla parte alta delle vertebre. Lei non fece resistenza e dopo un po' lui sentì che i muscoli si stavano rilassando. Notò il bicchiere vuoto sul piano accanto alla cucina.

«Vado a prendere il vino.»

Tornò con la bottiglia e le riempì il bicchiere. Lei lo prese e toccò quello di Bosch in una specie di brindisi.

«Alla fuga» disse.

«Che fine ha fatto "Tieni duro"?»

«Va sempre bene, dipende dai momenti.»

«Al perdono e alla riconciliazione.»

Urtarono di nuovo i bicchieri uno contro l'altro. Lui le mise di nuovo le mani sulle spalle e cominciò a massaggiarle il collo.

«Ho pensato molto alla tua storia ieri sera, quando te ne sei andato.»

«Quale storia?»

«Quella del tunnel.»

«E allora?»

Lei si strinse nelle spalle.

«Niente. È sorprendente, tutto qui.»

«Sai, da quel giorno non ho più avuto paura quando scen-

158

devo là sotto, nel buio. Ero sicuro che me la sarei cavata. Forse era una stupidaggine, perché in situazioni del genere non esistono garanzie. Ma il fatto è che da allora sono diventato incosciente.»

Le sue mani si fermarono per un attimo.

«È sbagliato non tener conto del pericolo. Se ti avvicini troppo alla fiamma, finisci per bruciarti.»

«Ehi, mi stai facendo la lezione?»

«No. Mi sono tolto la pistola e il distintivo, non ricordi?»

«Allora va bene.»

Lei si voltò e lo baciò. Poi si scostò di nuovo.

«Sai, la cosa fantastica di questa qualità di riso è che tiene la cottura a lungo.»

Bosch sorrise.

Più tardi, dopo aver fatto l'amore, si alzò dal letto e andò in soggiorno.

«Dove vai?» gli gridò dietro lei.

Non sentendo risposta, gli disse di accendere il fuoco sotto il riso. Bosch tornò con la foto nella cornice dorata. Si infilò nel letto e accese la lampada sul comodino. La lampadina era piuttosto debole e la luce che filtrava dal paralume lasciava la stanza immersa nella penombra.

«Harry, cosa stai facendo?» chiese Julia. La sua voce lasciava intendere che aveva imboccato una strada pericolosa. «Hai acceso il fuoco?»

«Sì. Parlami di quest'uomo.»

«Perché?»

«Così, voglio sapere.»

«È una storia privata.»

«Lo so. Ma a me puoi raccontarla.»

Cercò di strappargli la foto, ma lui la allontanò, tenendola fuori portata della sua mano.

«È lui che ti ha spezzato il cuore, costringendoti a scappare?»

«Non ti eri tolto il distintivo, Harry?»

«Certo, e anche i vestiti. Mi sono tolto tutto.»

Lei sorrise.

«È inutile, non ti dirò niente.»

Era sdraiata sulla schiena, con la testa appoggiata al cuscino. Bosch posò la foto sul comodino e le andò vicino. Poi l'abbracciò, attirandola a sé.

«Ognuno ha le sue ferite. C'è una donna che mi ha spezzato il cuore per ben due volte. E vuoi sapere una cosa? Ho tenuto la sua foto su uno scaffale del soggiorno per un sacco di tempo. A Capodanno ho deciso che poteva bastare e così l'ho tolta. Poi mi hanno chiamato perché il cane aveva trovato le ossa del ragazzino e ho incontrato te.»

Lei lo guardò, scrutandolo a lungo come se stesse cercando sul suo viso anche il minimo accenno di menzogna.

«Sì» disse infine. «Mi ha spezzato il cuore. Contento?»

«Certo che no. E chi è il bastardo?»

Lei cominciò a ridere.

«Cosa fai, Harry, il cavaliere senza macchia e senza paura?»

Si mise a sedere e il lenzuolo le scivolò di dosso, scoprendole i seni. Incrociò le braccia per coprirseli.

«Lavorava nello studio. Ero innamorata persa. Poi, un bel giorno, ha deciso di darci un taglio. Il peggio è che mi ha tradita, andando a raccontare a mio padre delle cose che non doveva sapere.»

«Quali cose?»

Lei scosse il capo.

«Cose che non dirò mai più a nessun uomo.»

«Dove è stata scattata la foto?»

«Oh, a una festa dello studio... forse al banchetto di Capodanno. Non mi ricordo. Le occasioni non mancavano.»

Bosch si chinò e le baciò una spalla.

«Non potevo più lavorare nello stesso posto dove c'era lui. Così me ne andai. Dissi che volevo viaggiare. Mio padre pensò che si trattasse di una crisi dovuta all'età, perché avevo appena compiuto trent'anni, e io ho lasciato che lo pensasse.

Sono stata via quasi quattro anni. E quando sono tornata, sono entrata nell'Accademia della Polizia. Camminavo lungo un marciapiede e ho visto il piccolo ufficio di reclutamento di Venice. Sono entrata e ho preso un dépliant. Poi tutto è successo molto rapidamente.»

«La tua storia rivela un comportamento impulsivo e uno scarso senso di responsabilità. Mi domando come hanno fatto a prenderti.»

Lei gli diede una gomitata nel fianco, che gli procurò una fitta lancinante alle costole.

«Oh, Harry, scusa. Mi ero dimenticata» disse, vedendolo impallidire.

«Come no!»

Lei scoppiò a ridere.

«Presumo che voi anziani sappiate benissimo che il Dipartimento si è dato un gran daffare per reclutare delle tardone negli ultimi anni. Lo scopo era quello di abbassare il livello di testosterone nei ranghi.»

Si strusciò contro di lui come per sottolineare il concetto.

«A proposito di testosterone, non mi hai detto come è andata oggi con il vecchio caprone.»

Come tutta risposta Bosch emise un grugnito.

«Sai» continuò lei «una volta Irving è venuto a farci una lezione sulle responsabilità morali che comporta il fatto di portare il distintivo. E tutti quanti sapevamo che l'amico metteva a tacere più cose con i suoi traffici sottobanco di quanti giorni ci sono in un anno. Irving è il classico maneggione. Non sai che fatica abbiamo fatto a trattenere le risate.»

Bastò il nome di Irving per farlo tornare bruscamente alla realtà. Sentì i muscoli irrigidirsi, mentre il pensiero del caso cominciava a insinuarsi in quella che, fino a quel momento, era stata un'oasi di pace.

Lei percepì la sua tensione.

«Che cosa c'è?»

«Niente.»

Julia rimase in silenzio per un attimo.

«A pensarci è stupefacente» continuò poi. «Quelle ossa sono rimaste lassù per un sacco di tempo, poi, tutt'a un tratto, sono sbucate fuori. Sembra una storia di fantasmi.»

«In questa città ce n'è un mucchio di ossa che aspettano solo di sbucare fuori. Comunque, non voglio parlare di Irving, né del caso, né di niente altro.»

«E allora che cosa vuoi?»

Non rispose. Lei si voltò a guardarlo, poi cominciò a spingerlo giù, facendolo scivolare dai cuscini, finché lui non si ritrovò completamente sdraiato.

«E se una tardona si desse da fare per abbassare il *tuo* livello di testosterone?»

Bosch non poté far altro che sorridere.

23

Bosch era già per strada prima dell'alba. Aveva lasciato Julia Brasher a letto e si era avviato verso casa, dopo essersi fermato da Abbot's Habit per un primo caffè propiziatorio. I piccoli sbuffi di nebbia che fluttuavano per le strade davano a Venice l'aria di una città fantasma. Man mano che si avvicinava a Hollywood, tuttavia, i fari delle auto cominciarono a moltiplicarsi, così da ricordargli che la città delle ossa non andava mai a dormire.

Arrivato a casa, si fece una doccia e si cambiò. Poi si rimise in macchina e ridiscese la collina diretto alla Divisione Hollywood. Erano le sette e mezza quando vi entrò. Si sorprese nel notare che un certo numero di detective era già al lavoro, a riempire scartoffie o a occuparsi delle loro indagini. Edgar non era tra loro. Bosch posò la cartella e puntò verso l'ufficio di guardia e una ciambella, nell'eventualità che qualche bravo cittadino le avesse portate. Quasi ogni giorno qualche anima buona che non aveva perso la fiducia nelle forze dell'ordine arrivava con la sua scatola di ciambelle per la Divisione. Un piccolo gesto per dire che là fuori c'era ancora qualcuno che capiva le difficoltà di quel lavoro. Ogni giorno, in ogni Divisione, i poliziotti si mettevano il distintivo e cercavano di fare del loro meglio in una città che non li capiva, non li amava e, in molti casi, li disprezzava. Era strano come, in fondo, bastasse una scatola di ciambelle per ri-stabilire l'equilibrio.

Si versò una tazza di caffè e depositò un dollaro nel ce-stino. Poi prese una ciambella da una scatola che era già sta-ta decimata dai ragazzi di pattuglia. Non c'era da stupirsi, la marca era una delle migliori. Vide Mankiewicz, seduto alla sua scrivania. Le sue sopracciglia scure formavano una V, mentre studiava un prospetto con l'assegnazione dei turni.

«Ehi, Mank, forse abbiamo trovato una pista spulciando le telefonate. Ho pensato che ti facesse piacere saperlo.»

Mankievicz rispose senza alzare gli occhi.

«Bene. Fammi sapere quando sarà il momento di smet-tere. Sarò a corto di personale nei prossimi giorni.»

Era un messaggio per informarlo che stava facendo i gio-chi di prestigio. Quando scarseggiavano i poliziotti di pattu-glia, perché qualcuno era malato, o in vacanza, o impegnato in tribunale, il sergente di guardia doveva prendere quelli che stavano in ufficio e spedirli in giro sulle auto.

«Capito.»

Edgar non era ancora arrivato quando Bosch tornò nella sala investigativa. Posò il caffè e la ciambella e andò a pren-dere un modulo per un mandato di ricerca. Durante i quin-dici minuti successivi compilò un addendum al mandato che aveva già consegnato all'ufficio legale del Queen of Angels, in cui chiedeva di esaminare tutte le cartelle cliniche riguar-danti Arthur Delacroix dal 1975 al 1985.

Quando finì lo portò al fax e lo spedì al giudice John A. Houghton per la firma. Aggiunse una nota in cui chiedeva al giudice di accelerare i tempi, perché il mandato avrebbe potuto portare all'identificazione delle ossa, e dare quindi una svolta decisiva alle indagini.

Poi tornò al tavolo ed estrasse da un cassetto la pila di denunce su persone scomparse che aveva raccolto spulcian-do negli archivi. Le scorse rapidamente, limitandosi a guar-dare la casella corrispondente al nome. Nel giro di dieci minuti aveva finito. Non c'era alcuna denuncia su Arthur Delacroix. Si domandò cosa volesse dire e si ripropose di parlarne con la sorella.

Erano ormai le otto e Bosch era pronto, ma di Edgar nessuna traccia. Mangiò il resto della ciambella e decise di concedere al suo partner ancora dieci minuti, poi se ne sarebbe andato senza di lui. Erano più di dieci anni che lavorava con Edgar, ma non si era mai abituato alla sua mancanza di puntualità. Un conto era arrivare in ritardo a una cena, un altro prendersela comoda quando si stava indagando su un caso. Non riusciva a togliersi dalla mente che i ritardi di Edgar corrispondessero a una mancanza di impegno.

La sua linea diretta squillò e Bosch rispose con un grugnito seccato, convinto che fosse Edgar che annunciava il suo ritardo. Invece era Julia Brasher.

«Le lasci così le donne, senza una parola?»

Bosch sorrise, dimenticandosi per un attimo del partner ritardatario.

«Ho una giornata piena. Mi dispiace, ma dovevo andare.»

«Lo so, ma avresti potuto salutarmi.»

In quel momento Bosch scorse Edgar che entrava nella sala. Voleva mettersi in moto prima che questi cominciasse il solito rituale, fatto di caffè, ciambella e pagine sportive del giornale.

«Be', ti saluto adesso. Ho una gran fretta e non ho un minuto da perdere.»

«Harry...»

«Dimmi.»

«Pensavo che stessi per riattaccare...»

«No, ma devo proprio salutarti. Senti, passa di qui prima di prendere servizio. Probabilmente sarò tornato per quell'ora.»

«D'accordo. A più tardi.»

Bosch riappese e si alzò, mentre Edgar si avvicinava al tavolo e posava il giornale sulla sua scrivania.

«Sei pronto?»

«Sì, vorrei solo prendermi un caffè.»

«No, andiamo. Non voglio fare aspettare la signora. Te lo farai offrire da lei, il caffè.»

Mentre uscivano, Bosch controllò il vassoio dei fax in arrivo. Il suo addendum era lì, debitamente firmato dal giudice Houghton.

«Si parte» disse a Edgar, mostrandogli il mandato mentre si dirigevano verso la macchina. «Visto? La mattina ha l'oro in bocca.»

«Cosa significa? Fai lo spiritoso?»

«Hai capito benissimo cosa significa.»

«Voglio solo un caffè.»

24

SHEILA DELACROIX viveva in una zona della città chiamata Miracle Mile. Era un quartiere a sud del Wilshire, non esattamente all'altezza del vicino Hancock Park, ma era composto da case individuali o bifamiliari con qualche aggiustamento stilistico personalizzato che le distingueva l'una dall'altra.

La casa di Sheila Delacroix era al secondo piano di una villetta decorata in finto stile Beaux Arts. La donna li accolse amichevolmente, ma quando Edgar le chiese se poteva avere un caffè, rispose che non era ammesso dalla sua religione. Gli offrì invece del tè, che Edgar accettò con riluttanza. Bosch rifiutò, chiedendosi quale religione fosse quella che bandiva il caffè.

Si sedettero in soggiorno, mentre la padrona di casa andava in cucina a preparare il tè. Da lì disse che aveva solo un'ora, poi sarebbe dovuta andare al lavoro.

«Di che cosa si occupa, signora?» chiese Bosch, mentre lei entrava con una tazza fumante, da cui pendeva l'etichetta della bustina. Mise un sottobicchiere su un tavolino vicino a Edgar, e ve la depositò. Era una donna alta, leggermente soprappeso, con i capelli biondi tagliati corti. Bosch notò che era troppo truccata.

«Ho un'agenzia di casting» disse, sedendosi sul divano.

167

«Lavoro soprattutto per produzioni indipendenti, a volte anche per la televisione. Questa settimana devo fare il casting per un film sulla Polizia.»

Bosch osservò Edgar che sorseggiava il tè con una smorfia involontaria sul viso. Lo vide alzare la tazza ed esaminare l'etichetta.

«Darjeeling e fragola» disse la donna. «Le piace?»

«Niente male» rispose Edgar, deponendo la tazza sul sottobicchiere.

«Signora Delacroix, visto che lei lavora nello spettacolo, le è mai capitato di incontrare Nicholas Trent?»

«Mi chiami Sheila. Nicholas Trent, ha detto? Mi suona familiare, ma non riesco a ricordare chi sia. È un attore o lavora nel casting?»

«Niente di tutto questo. Era l'uomo che abitava a Wonderland Avenue. Un arredatore di set.»

«Ah, è il tipo di cui hanno parlato in televisione, quello che si è ucciso. Adesso capisco perché il nome mi era familiare.»

«Quindi non l'ha mai conosciuto per lavoro.»

«Assolutamente no.»

«D'accordo, comunque è poco importante. Forse non avrei neanche dovuto chiederglielo. Siamo qui per suo fratello. Ci parli di Arthur. Ha una sua foto, per caso?»

«Sì» rispose lei, alzandosi e girando dietro di lui. Si diresse verso un armadietto basso che Bosch non aveva notato entrando. Sul piano erano disposte delle foto incorniciate, che gli ricordarono quelle sulla mensola del caminetto di Julia. Sheila Delacroix ne prese una e la porse a Bosch.

Era la foto di un ragazzo e di una ragazza seduti su una scalinata, la stessa che portava all'appartamento. Il ragazzo era molto più piccolo della ragazza. Entrambi sorridevano, ma il loro sorriso era fisso e privo di vera allegria, come se stessero obbedendo a un ordine.

Bosch porse la foto a Edgar e guardò Sheila, che era tornata a sedersi.

«È stata scattata sulle scale di questa casa, la foto?»

«Sì, è qui che siamo cresciuti.»

«Così quando è scomparso vivevate qui?»

«Sì.»

«C'è ancora qualche suo oggetto personale in casa?»

Sheila Delacroix fece un sorrisetto triste e scosse il capo.

«No, non c'è più niente. Ho regalato tutto alla chiesa, ormai da un pezzo.»

«Di che chiesa si tratta?»

«La Chiesa della Natura, sul Wilshire.»

Bosch si limitò ad annuire.

«Sono loro che non le permettono di bere caffè?» intervenne Edgar.

«Non possiamo prendere niente che contenga caffeina.»

Edgar posò la fotografia incorniciata vicino alla tazza di tè.

«Ha delle altre foto di suo fratello?» chiese.

«Ne ho una scatola intera.»

«Possiamo dare un'occhiata intanto che parliamo?»

La donna aggrottò le sopracciglia, perplessa.

«Sheila» disse Bosch. «Abbiamo trovato dei brandelli di capi d'abbigliamento insieme ai resti. Vorremmo guardare le foto per vedere se qualcosa combacia. Ci sarebbe molto utile.»

Lei annuì.

«Capisco. Sono nell'armadio del corridoio. Ci metto un attimo.»

«Ha bisogno d'aiuto?»

«No, grazie. Posso arrangiarmi da sola.»

Quando uscì dalla stanza, Edgar si protese verso Bosch e gli sussurrò: «Questo tè sa di pipì».

«E tu come fai a saperlo? L'hai mai bevuta?»

Edgar strinse gli occhi per l'imbarazzo. Ci era cascato in pieno. Prima che potesse escogitare una risposta, Sheila Delacroix entrò nella stanza portando una vecchia scatola da

169

scarpe. La depose sul tavolino e tolse il coperchio. La scatola era piena di fotografie, buttate dentro alla rinfusa.

«Mi dispiace, non sono in ordine. Ma in molte dovrebbe esserci anche lui.»

Bosch fece un cenno a Edgar, che affondò le mani nella scatola e ne estrasse un mucchietto di foto.

«Mentre il mio partner le esamina, perché non mi parla di suo fratello e delle circostanze della sua scomparsa?»

Sheila annuì e rimase un istante in silenzio, come per raccogliere le idee.

«Era il 4 maggio 1980. Arthur non tornò da scuola. Tutto qui. Mio padre andò a guardare nei suoi cassetti e si accorse che mancavano dei vestiti. Per questo pensammo che fosse scappato.»

Bosch prese qualche appunto.

«Ha detto che, qualche mese prima, si era fatto male cadendo con lo skateboard.»

«Sì, aveva battuto la testa e hanno dovuto operarlo.»

«Quando scomparve, aveva con sé lo skate?»

La donna rimase a riflettere a lungo.

«È passato tanto tempo... l'unica cosa che so è che lui non faceva un passo senza il suo skate. Quindi è probabile che l'avesse preso.»

«Avete denunciato la sua scomparsa?»

«Non lo so, allora avevo sedici anni. Però mio padre ha parlato con la Polizia, di questo sono sicura.»

«Non sono riuscito a trovare traccia della denuncia. È sicura che l'abbia fatta?»

«L'ho accompagnato io alla stazione di Polizia.»

«Era la Divisione Wilshire?»

«Presumo, ma non mi ricordo.»

«Sheila, dov'è suo padre? È ancora vivo?»

«Sì. Vive nella Valley. Ma non sta bene in questo periodo.»

«Dove, esattamente?»

«A Van Nuys. Nel Manchester Trailer Park.»

Ci fu un attimo di silenzio, mentre Bosch riportava sul taccuino l'informazione. Era stato al Manchester Trailer Park nel corso di qualche indagine. Non era un bel posto per viverci.

«Mio padre beve... da quando Arthur è scomparso.»

Bosch la guardò e annuì con aria di comprensione. In quel momento Edgar si allungò verso di lui e gli porse una fotografia. Raffigurava un ragazzino che scivolava sul marciapiede su uno skateboard, con le braccia alzate nel tentativo di mantenere l'equilibrio. L'angolatura della foto non rivelava niente della parte superiore dello skateboard, solo il suo profilo, e quindi Bosch non riuscì a individuare la presenza della decalcomania con il teschio e le tibie incrociate.

«Non è che si veda molto» commentò, restituendo la foto a Edgar.

«Guarda la maglietta.»

Bosch riguardò la foto. Edgar aveva ragione. Il ragazzino indossava una maglietta grigia con la scritta SOLID SURF bene in vista sul davanti.

«Questo è suo fratello, vero?» domandò, passando la foto a Sheila.

«Sì, certo.»

«Si ricorda se quella maglietta era tra i capi che mancavano?»

Lei scosse il capo.

«Purtroppo no. So solo che aveva una vera passione per quella maglietta. Se la metteva sempre.»

Bosch restituì la foto a Edgar. Non era il tipo di conferma netta che avrebbero potuto ottenere solo dalle analisi, ma era già qualcosa. Quanto a lui, era sempre più certo che fossero molto vicini a un'identificazione. Osservò Edgar che metteva la foto in un mucchietto separato che, evidentemente, intendeva chiedere in prestito a Sheila Delacroix.

Bosch controllò l'orologio, poi spostò lo sguardo sulla donna.

«Cosa mi dice di sua madre?»

«Oh, se n'era andata da un pezzo quando è successo.»

«Vuol dire che era morta?»

«No, è salita su un autobus quando la situazione si è fatta dura. Vede, Arthur è stato un bambino difficile sin dall'inizio. Aveva bisogno di un mucchio di attenzioni e tutta la fatica ricadeva sulle spalle di mia madre. A un certo punto non ce l'ha fatta più. Una sera è uscita a comperare delle medicine e non è più tornata. Ci ha lasciato delle lettere sotto il cuscino.»

Bosch fissò gli occhi sul taccuino. Non era facile continuare a guardarla mentre raccontava quella storia.

«Quanti anni aveva quando è successo? E suo fratello?»

«Ne avevo sei e Artie solo due.»

«Ha conservato la lettera?»

«No. Che senso aveva? Sarebbe servito solo a ricordarmi che forse ci amava, ma non abbastanza da stare con noi.»

«E Arthur? Secondo lei l'ha tenuta?»

«Be', aveva solo due anni e quindi l'ha conservata mio padre. Gliel'ha data quando era più grande. Arthur non ha quasi conosciuto nostra madre e forse per questo era così incuriosito da lei. Mi tempestava di domande, voleva sapere com'era. In giro non c'erano foto. Mio padre le aveva buttate tutte.»

«Sa che fine ha fatto? Se è ancora viva?»

«Non ne ho la più pallida idea e, per dirle la verità, non mi interessa.»

«Come si chiama?»

«Christine Dorsett Delacroix. Dorsett era il suo nome da signorina.»

«Sa la sua data di nascita o il numero della Sicurezza Sociale?»

Sheila scosse il capo.

«Se avesse un certificato di nascita, potremmo ricavare da lì i dati di sua madre.»

«Devo averlo messo via da qualche parte. Vado a cercarlo.»

Fece per alzarsi.

«No, aspetti, può farlo anche dopo. Vorrei continuare la nostra conversazione.»

«D'accordo.»

«Suo padre si è risposato?»

«No. Vive da solo.»

«Quando abitava qui ha avuto per caso una compagna o una convivente?»

Lei lo guardò con occhi privi di espressione.

«No» rispose. «Mai.»

Bosch decise di passare ad argomenti meno coinvolgenti.

«Che scuola frequentava suo fratello?»

«L'ultima è stata The Brethren.»

Bosch non commentò. Scrisse il nome della scuola sul suo taccuino e, sotto, una grossa B, attorno a cui tracciò un cerchio pensando allo zainetto.

«È una scuola privata per ragazzi difficili» continuò Sheila. «Dalle parti di Crescent Height, vicino a Pico. Costava un mucchio di soldi.»

«Perché è finito lì? Che tipo di problemi aveva?»

«Era stato cacciato da tutte le altre scuole perché era aggressivo. Picchiava i compagni.»

Edgar prese la foto che aveva appena messo da parte e la studiò.

«Questo ragazzino sembra leggero come una piuma. Era lui a cominciare?»

«Il più delle volte. Aveva problemi di relazione. L'unica cosa che gli interessava era andarsene in giro con il suo skateboard. Credo che oggi la diagnosi sarebbe "disordini della personalità".»

«Si è mai fatto male durante queste liti con i compagni?»

«A volte, ma più che altro si trattava di lividi.»

«Niente ossa rotte?»

173

«No, che io ricordi. Erano solo risse tra ragazzini.»

Bosch era nervoso. Le informazioni che stavano raccogliendo puntavano in direzioni molto diverse, mentre lui aveva sperato che dal colloquio potesse emergere un quadro più preciso.

«Ha detto che suo padre, frugando nei cassetti di suo fratello, aveva scoperto che mancavano dei capi di vestiario.»

«È esatto. In realtà erano solo pochi oggetti.»

«Ha idea di cosa si trattasse?»

Lei scosse il capo.

«Mi dispiace, non mi ricordo.»

«Dove ha messo i vestiti suo fratello per portarli con sé?»

«Credo che abbia preso il suo zainetto, quello che usava per andare a scuola. Deve aver tolto i libri per mettere dentro il resto.»

«Si ricorda che aspetto aveva?»

«No. Comunque la scuola di Arthur obbligava tutti i bambini a utilizzare lo stesso modello. Ancora adesso incontro dei ragazzini a Pico che portano gli zainetti con la grande B sulla schiena.»

Bosch lanciò un'occhiata a Edgar, poi riprese con le domande.

«Torniamo allo skateboard. È sicura che l'abbia preso?»

«Direi di sì. Mi sembrerebbe strano il contrario.»

A questo punto Bosch decise di interrompere il colloquio. Voleva concentrarsi sugli altri aspetti che potevano permettergli di arrivare a un'identificazione. Dalla donna sarebbero potuti tornare anche in seguito.

Pensò all'interpretazione che Golliher aveva dato delle lesioni presenti sulle ossa. Maltrattamenti cronici. Era davvero possibile, invece, che fossero tutti traumi causati da risse con i compagni o cadute con lo skateboard? Sapeva che avrebbe dovuto affrontare l'argomento con la sorella, ma aveva la sensazione che i tempi non fossero maturi. Voleva evitare, tra l'altro, che andasse a spifferare tutto al padre. La cosa migliore era tornare in un secondo momento, quando le indagini fossero state in fase più avanzata.

«Abbiamo quasi finito, Sheila. Ancora qualche domanda. Aveva amici, Arthur? Qualcuno che gli stava particolarmente a cuore, con cui si confidava?»

Lei scosse il capo.

«Non direi. Stava quasi sempre da solo.»

Bosch stava per chiudere il taccuino quando lei riprese.

«C'era un ragazzino con cui andava sullo skate. Si chiamava Johnny Stokes. Abitava vicino a Pico. Era un po' più grande di lui, ma frequentavano la stessa classe. Mio padre era certo che fumasse erba e non gli andava che Arthur lo vedesse.»

«Avete parlato con Johnny Stokes dopo la scomparsa di suo fratello?»

«Sì, l'abbiamo chiamato quella sera stessa. Disse che non l'aveva visto. E lo ripeté anche il giorno dopo, quando papà andò a scuola a chiedere se sapevano qualcosa.»

Bosch scrisse il nome del ragazzo e lo sottolineò.

«Come si chiama suo padre?»

«Samuel. Andrete a parlare anche con lui?»

«È molto probabile.»

Abbassò gli occhi sulle mani che teneva strette in grembo.

«È un problema?» chiese Bosch.

«Non direi. Il fatto è che non sta bene. Se si dovesse scoprire che quelle ossa appartengono ad Arthur... be', preferirei che mio padre non lo venisse a sapere.»

«Lo terremo presente quando andremo a trovarlo. Comunque, se dovessimo arrivare a un'identificazione certa, penso che non potremo fare a meno di informarlo.»

Edgar porse a Bosch un'altra foto, in cui si vedeva Arthur accanto a un uomo alto e biondo dall'aria vagamente familiare.

175

«È suo padre?» chiese Bosch, porgendo la foto a Sheila.

«Sì.»

«Non so perché, ma è un volto che ho già visto.»

«Faceva l'attore. Negli anni Sessanta ha lavorato parecchio in televisione, poi solo qualche parte al cinema.»

«Non abbastanza per vivere?»

«No, ha sempre dovuto fare altri lavori.»

Bosch annuì e restituì la foto a Edgar, ma Sheila allungò una mano e la intercettò.

«Preferisco che questa rimanga qui. Non ho molte foto di mio padre.»

«D'accordo» disse Bosch. «Potrebbe andare a cercare il certificato di nascita?»

La donna si alzò e lasciò la stanza. Edgar ne approfittò per mostrare a Bosch qualche altra istantanea tra quelle che aveva messo da parte.

«È lui, Harry. Non ho dubbi.»

Gli passò un'immagine di Arthur Delacroix, evidentemente scattata per la scuola. Il ragazzino era ben pettinato e indossava una giacca blu e la cravatta. Bosch gli guardò gli occhi. Gli ricordavano quelli del bambino kosovaro, la cui foto aveva trovato in casa di Nicholas Trent. Quello con lo sguardo vecchio di mille anni.

«L'ho trovato» annunciò Sheila Delacroix mentre entrava in soggiorno con una busta da cui aveva già tolto un documento ingiallito. Bosch lo prese e copiò i nomi, le date di nascita e i numeri della Sicurezza Sociale dei genitori.

«Grazie» disse poi. «Bene, Sheila, la ringrazio. Ora ce ne andiamo. La richiamerò appena avrò qualche notizia certa.»

Si alzò, imitato da Edgar.

«Possiamo prenderle?» chiese questi, indicando le foto che aveva messo da parte. «Mi occuperò personalmente di fargliele riavere.»

«Le prenda pure, se pensa che possano esserle utili.»

Si diressero verso la porta. Sulla soglia Bosch le rivolse un'ultima domanda.

«Ha sempre abitato qui?»

«Da quando sono nata. Sono rimasta qui nella speranza che tornasse. Pensavo che, se fosse arrivato a un punto morto, forse si sarebbe fatto vivo.»

Il suo sorriso era privo di allegria. Bosch annuì e seguì Edgar all'esterno.

25

BOSCH SI DIRESSE ALLA BIGLIETTERIA del museo e disse all'impiegata seduta dietro lo sportello che aveva un appuntamento con il dottor William Golliher nel laboratorio di antropologia. La donna prese il telefono e fece una chiamata. Qualche istante dopo batté sul vetro con l'anello che portava al dito finché non attirò l'attenzione di uno degli uomini del servizio di sicurezza. Quando finalmente questi si accorse di lei, lo pregò di accompagnare Bosch al laboratorio.

La guardia non disse una parola mentre procedevano all'interno del museo, oltre lo scheletro di un mammut e una parete coperta di teschi di lupo. Era la prima volta che Bosch ci veniva, anche se da bambino era stato parecchie volte ai La Brea Tar Pits, i giacimenti di catrame da cui, nel corso del tempo, erano scaturiti reperti di ogni genere. Il museo era stato costruito in seguito, per ospitarli ed esibirli.

Quando Bosch aveva chiamato Golliher per comunicargli di aver ricevuto la cartella clinica di Arthur Delacroix, l'antropologo gli aveva detto che stava già lavorando a un altro caso, e non si sarebbe potuto recare all'ufficio del medico legale fino al giorno dopo. Tuttavia aveva con sé copie delle lastre e delle fotografie delle ossa, e quindi, se Bosch l'avesse raggiunto al museo, avrebbe potuto paragonarle a quelle della cartella e dargli un primo responso non ufficiale.

Bosch accettò il compromesso, mentre Edgar rimase alla Divisione Hollywood per fare ricerche al computer, nel tentativo di rintracciare la madre dei Delacroix e Johnny Stokes, l'amico di Arthur.

Bosch era curioso di sapere qual era il nuovo caso di cui si stava occupando Golliher. I pozzi di bitume erano un antichissimo buco nero dove gli animali erano andati a morire per secoli. In una macabra reazione a catena, gli animali storditi dai miasmi diventavano preda di altri animali, che a loro volta si impantanavano e venivano lentamente risucchiati verso il fondo. Per una sorta di compensazione, ora le ossa riemergevano dalle profondità e venivano raccolte per essere studiate dall'uomo moderno. Tutto questo avveniva nelle vicinanze di una delle strade più frequentate di Los Angeles, a perenne memoria dell'inesorabile passaggio del tempo.

Bosch fu condotto nel laboratorio dove le ossa venivano identificate, classificate, datate e ripulite. Ogni superficie piana era coperta da scatole che contenevano ossa e una decina di persone in camice bianco era impegnata nell'esame dei reperti.

Golliher era l'unico a non portare il camice. Indossava una camicia hawaiana con dei pappagalli e stava lavorando davanti a un tavolo, a un'estremità della stanza. Quando Bosch si avvicinò, vide che davanti a lui c'erano due casse di legno, una delle quali conteneva un teschio.

«Detective Bosch, mi fa piacere vederla.»

«Grazie. E questo cos'è?»

«È un teschio umano. È stato raccolto due giorni fa dal bitume estratto una trentina di anni fa per fare spazio al museo. Mi hanno chiesto di esaminarlo prima di dare l'annuncio della scoperta. È molto antico. Risale a circa novemila anni fa.»

Bosch annuì. Il teschio e le ossa contenute nell'altra cassa avevano il colore del mogano.

«Dia un'occhiata» disse Golliher, tirandolo fuori dalla cassa.

Lo girò in modo da mostrargli la parte posteriore, poi indicò con il dito una frattura a stella sulla cima del cranio.

«Le dice niente?»

«Cos'è stato, un oggetto contundente?»

«Esattamente. Come nel caso di cui si occupa lei. Può servirci di lezione.»

«Perché?»

«Il mondo non è cambiato poi così tanto. Questa donna, almeno noi riteniamo che si tratti di una donna, è stata uccisa novemila anni fa e probabilmente il suo corpo è stato buttato nel bitume per coprire l'omicidio. La natura umana è sempre la stessa.»

Bosch fissò il teschio.

«E non è nemmeno la prima» continuò Golliher. «Nel 1914 è stato ritrovato lo scheletro di un'altra donna. Anche lei aveva un'identica frattura a stella nello stesso punto del cranio e anche le sue ossa risalgono a novemila anni fa. Più o meno allo stesso periodo di questa.» Accennò con la testa al teschio che aveva deposto nella cassa.

«Cosa vuol dire, dottore, che esistevano già i serial killer?»

«E chi lo sa, detective. Tutto quello che ci resta sono le ossa.»

Bosch ripensò a quello che gli aveva detto Julia Brasher a proposito del suo lavoro, del suo desiderio di eliminare il male dal mondo.

Purtroppo lei ignorava una verità che lui conosceva ormai da tempo. Non si poteva eliminare il male. Con tutto l'impegno che ci metteva, a volte gli sembrava di vuotare un pozzo senza fondo con un secchio forato.

«Ma lei ha altro per la testa, vero?» disse Golliher, interrompendo il corso dei suoi pensieri. «Ha portato le cartelle cliniche?»

Bosch posò la borsa sul tavolo e l'aprì. Porse i documenti a Golliher ed estrasse dalla tasca le foto che avevano preso a casa di Sheila Delacroix.

«Non so se potranno servirle, ma qui c'è il ragazzino.»

Golliher le scorse rapidamente, fermandosi a guardare quella in cui Arthur posava in giacca e cravatta. Poi si avvicinò a una sedia, al cui schienale era appeso uno zaino. Prese la cartellina con le copie e le fotografie e, tornato al tavolo, ne estrasse una foto del teschio trovato a Wonderland Avenue. Accostò le due immagini e le esaminò a lungo.

Infine disse: «Gli zigomi e l'arco sopraccigliare sembrano simili».

Poi posò le foto sul tavolo e fece scorrere il dito sul sopracciglio sinistro e quindi sulla parte esterna dell'occhio.

«L'arco sopraccigliare e l'orbita sono più larghi del solito, il che coincide con la struttura del viso del ragazzo. Diamo un'occhiata alle lastre.»

Raccolse la documentazione e condusse Bosch a un altro tavolo, con un diafanoscopio inserito nel piano. Aprì la cartella clinica, prese le lastre e cominciò a leggere l'anamnesi del paziente.

Nel rapporto si affermava che il ragazzo era stato portato al pronto soccorso alle cinque e quaranta dell'11 febbraio 1980 dal padre, il quale aveva dichiarato di aver trovato suo figlio in stato confusionale a seguito di una caduta in cui aveva picchiato la testa. Era stato effettuato un intervento chirurgico per alleviare la pressione interna al cranio, causata dal rigonfiamento del cervello. Il ragazzo era rimasto sotto osservazione per una decina di giorni, dopodiché era stato rimandato a casa. Due settimane dopo era stato nuovamente ospedalizzato per un intervento di rimozione delle graffe utilizzate per tenere assieme la frattura.

Nel rapporto non risultava che il ragazzo si fosse lamentato di maltrattamenti da parte del padre o di qualcun altro. Durante il ricovero iniziale era stato più volte visitato da

181

un'assistente sociale. Nella sua breve relazione si leggeva che il ragazzo sosteneva di essersi fatto male mentre andava sullo skateboard. Non c'era altro, né l'indicazione di colloqui successivi, né la richiesta di un intervento da parte del Tribunale dei minori o della Polizia.

Quando terminò di scorrere il documento, Golliher scosse il capo.

«Che cosa c'è?» chiese Bosch.

«Niente. È questo il problema. Hanno preso per buono quello che ha raccontato. Probabilmente il padre era seduto nella stanza durante il colloquio. Era praticamente impossibile che il ragazzino dicesse la verità, in questo caso. Quindi, dopo averlo sistemato, l'hanno impacchettato e rispedito proprio a chi era responsabile dei suoi guai.»

«Ehi, dottore, lei sta bruciando i tempi! Cominciamo a identificarlo, poi ci occuperemo della persona che l'ha ridotto in questo stato.»

«Come vuole, il caso è suo. È solo che mi sono trovato di fronte a storie del genere troppo spesso.»

Golliher depose il rapporto dell'ospedale e prese le lastre. Bosch rimase a osservarlo con un sorrisetto divertito. Il dottore sembrava quasi seccato del fatto che lui non fosse balzato alle sue identiche conclusioni.

Golliher appoggiò due lastre sul diafanoscopio. Poi aprì la sua cartellina e ne estrasse quella del teschio di Wonderland Avenue. Accese l'apparecchio e le tre lastre si illuminarono. Golliher indicò quella che aveva estratto dalla sua cartellina.

«Per ora dobbiamo servirci di questa come termine di paragone, ma domani, nell'ufficio del medico legale, utilizzerò il teschio.»

Golliher si piegò sul diafanoscopio e prese una piccola lente d'ingrandimento da uno scaffale vicino. Ne applicò un'estremità all'occhio e premette l'altra contro una delle lastre. Dopo qualche istante passò a una delle radiografie

fornite dall'ospedale e ripeté l'operazione in corrispondenza dello stesso punto del cranio.

Quando ebbe finito si raddrizzò e incrociò le braccia.

«Il Queen of Angels era un ospedale statale, sempre a
corto di quattrini. Qui abbiamo solo due lastre. Se ne avessero fatte di più, si sarebbero accorti delle altre lesioni.»

«Già. Ma non è andata così.»

«Comunque, anche basandomi su quello che abbiamo, io
non ho alcun dubbio.»

Indicò la radiografia ancora illuminata sull'apparecchio.

«Le presento Arthur Delacroix.»

«È sicuro?»

«Come ho detto, non ho dubbi. Esaminerò il teschio
domani, ma sin da ora sono in grado di confermarle l'identità del ragazzo.»

«Quindi, se trovassimo il colpevole e lo portassimo in tribunale, non dovremmo avere sorprese su questo fronte,
esatto?»

«Nessuna sorpresa. Queste sono prove inoppugnabili.
L'unico problema consiste nell'interpretazione dei traumi.
Dal mio punto di vista, il ragazzino ha vissuto una vita di
tormenti, ed è in questo senso che andrà la mia deposizione,
dovesse esserci un processo. Però esistono i registri del-
l'ospedale, dove è scritto che la causa dell'intervento è stato
un incidente con lo skateboard. È su questo che si scatene-
rà la battaglia.»

Bosch annuì. Golliher infilò le radiografie nella busta e
Bosch la rimise nella cartella.

«Bene, dottore, la ringrazio di avermi dedicato un po' del
suo tempo.»

«Detective Bosch...»

«Sì?»

«L'altro giorno mi è sembrato molto a disagio quando ho
accennato a quanto sia importante la fede in Dio nel nostro
mestiere. Ha cambiato argomento.»

«Non è un tema di cui parlo volentieri.»

«Be', con il tipo di lavoro che fa mi sembra indispensabile coltivare la propria spiritualità.»

«Non so. Il mio partner è convinto che sia tutta colpa degli alieni se le cose non funzionano come dovrebbero. È una soluzione come un'altra.»

«Sta divagando.»

Bosch cominciava a seccarsi.

«Qual è il problema, dottore? Perché si preoccupa tanto di me e della mia religiosità?»

«Perché è un tema che mi sta a cuore. Io studio le ossa, che sono la struttura della vita. E sono convinto che in noi c'è qualcosa di più del sangue o dei tessuti, un'essenza profonda. Qualcosa di invisibile ai raggi X, che ci dà forza e ci permette di andare avanti. Così, quando incontro qualcuno che non ha la mia fede, mi spavento per lui.»

Bosch lo osservò a lungo.

«Se pensa a me, si sbaglia. Io ce l'ho, la fede, e ho anche una missione. Credo fermamente che niente capiti per caso. Che quelle ossa siano sbucate dal terreno per una ragione precisa. Forse erano un messaggio per me, una richiesta di intervento. È questo che mi dà forza e mi permette di andare avanti. Ed è ugualmente invisibile ai raggi X.»

Fissò Golliher in attesa di una risposta, ma l'altro rimase in silenzio.

«Ora devo andare, dottore» continuò Bosch. «Grazie del suo aiuto. Adesso mi è tutto chiaro.»

E lo lasciò lì, circondato dalle ossa scure su cui era stata costruita la città.

26

EDGAR NON ERA AL SUO POSTO quando Bosch ritornò nella sala detective.

«Harry?»

Levando lo sguardo, Bosch vide Grace Billets in piedi sulla soglia del suo ufficio e attraverso il vetro scorse Edgar seduto davanti alla scrivania. Appoggiò la cartella e si diresse da quella parte.

«Che succede?» chiese entrando.

«Sono io che te lo chiedo» disse lei chiudendo la porta. «Abbiamo un'identificazione?»

Andò a sedersi dietro la scrivania, mentre Bosch prendeva posto accanto a Edgar.

«Sì. Si tratta di Arthur Delacroix, scomparso il 4 maggio 1980.»

«Il medico legale ne è sicuro?»

«Nessun dubbio stando al loro esperto.»

«Sappiamo quando morì?»

«Approssimativamente. Il medico legale ci ha detto che il colpo mortale fu inferto tre mesi dopo la precedente frattura e l'operazione. Oggi abbiamo ricevuto i documenti riguardanti l'intervento chirurgico. 11 febbraio 1980, al Queen of Angels. Aggiungiamoci tre mesi e arriviamo al momento della scomparsa, e cioè il 4 maggio, a quanto dice la sorella. Quattro anni prima che Nicholas Trent andasse ad abitare in quella zona. Secondo me è pulito.»

La Billets annuì con riluttanza.

«Il vicecapo Irving e quelli delle Relazioni Esterne mi sono stati alle costole tutta la giornata. Non saranno contenti di saperlo.»

«Un gran peccato. Ma le cose stanno così.»

«Se Trent non era lì nel 1980, dove abitava allora? Ne siamo informati?»

Con un sospiro Bosch scosse la testa in segno di diniego. «Non avrete intenzione di lasciar cadere il caso, vero?»

«Non lo lascerò cadere perché loro non lo lasceranno cadere. Irving in persona mi ha chiamata stamattina. È stato chiarissimo anche senza dirlo. Se salta fuori che un innocente si è suicidato perché un poliziotto ha informato la stampa di qualcosa che lo esponeva al pubblico ludibrio, il Dipartimento è nei guai. Abbiamo avuto abbastanza umiliazioni in questi ultimi dieci anni.»

Bosch sorrise ma non era affatto divertito. «Parli come lui, tenente. Brava.»

Era la cosa sbagliata da dire e si accorse di averla punta sul vivo. «Sì, forse parlo come lui perché una volta tanto gli do ragione. In questo Dipartimento siamo passati da uno scandalo all'altro. Come tanti altri poliziotti onesti, anch'io ne ho abbastanza.»

«Bene, lo stesso vale per me. Ma non si risolve niente forzando le circostanze. Non dimenticare che ci troviamo di fronte a un omicidio.»

«Lo so, Harry. Non ho intenzione di forzare un bel niente. Dico solo che dobbiamo avere la sicurezza di agire per il meglio.»

«Ce l'abbiamo. Io, almeno, ce l'ho.»

Tacquero a lungo, ciascuno evitando di guardare l'altro negli occhi.

«E Kiz?» chiese alla fine Edgar.

Bosch scoppiò a ridere.

«Irving non alzerà un dito contro Kiz. Lo sa che, se la tocca, farà una figuraccia. Senza contare che è la migliore tra quelli del terzo piano.»

«Sempre sicuro di te, Harry» disse la Billets. «Deve essere bello.»

«Be', almeno in questo caso, sono sicuro.»

Si alzò.

«Voglio tornare a lavorare. Ci sono cose grosse in ballo.»

«Lo so, me lo stava dicendo Jerry. Ma abbi pazienza ancora un attimo, c'è ancora qualcosa da chiarire.»

Bosch tornò a sedersi.

«Non posso parlare a Irving come hai parlato a me» disse Grace Billets. «Farò così: gli dirò che sappiamo chi è il morto e tutto il resto. Gli dirò che continui a occuparti del caso. Poi gli chiederò di incaricare la Divisione Affari Interni di svolgere con discrezione qualche indagine su Trent. In altre parole, se non è convinto delle circostanze che ci hanno portati all'identificazione, allora possiamo chiedere che la Divisione, o chi per essa, svolga qualche ricerca su dove si trovava Trent nel 1980.»

Bosch le lanciò uno sguardo senza lasciar trapelare se era d'accordo o meno su quella proposta.

«Possiamo andare adesso?»

«Sì.»

Una volta che furono seduti al tavolo della Omicidi, Edgar chiese a Bosch come mai non avesse accennato all'ipotesi che Trent fosse venuto ad abitare in quella zona perché sapeva che le ossa erano sepolte sulla collina.

«Perché la tua ipotesi è troppo campata per aria per varcare la soglia di questa stanza, almeno per il momento. Se Irving ne ha sentore, per prima cosa terrà una conferenza stampa e la tua teoria diventerà la linea ufficiale dell'indagine. Hai saputo niente della scatola?»

«Sì, qualcosa.»

«Cosa?»

«In primo luogo ho avuto la conferma che Samuel Delacroix abita in una roulotte in un campeggio, il Manchester Trailer Park. Lo troveremo lì quando decideremo di interrogarlo. Negli ultimi dieci anni è stato fermato due volte per guida in stato di ubriachezza, e oggi ha una patente con molte restrizioni. Ho anche controllato com'è messo quanto al lavoro e all'assistenza sociale, e sai cosa ho scoperto? Che lavora per il Comune.»

Bosch non trattenne lo stupore.

«E cosa fa?»

«È impiegato a tempo parziale in un campo da golf comunale vicino al luogo dove abita. Ho telefonato all'assessorato... con discrezione. Delacroix guida il trabiccolo che raccoglie le palline di quelli che si allenano. Sai, al campo pratica. Insomma, in un certo senso serve da bersaglio perché tutti tirano nella sua direzione. Parte dalla sua roulotte e fa il giro completo del campo un paio di volte al giorno.»

«C'è altro?»

«Sì. Christine Dorsett Delacroix. Ho controllato e ho scoperto che adesso è registrata come Christine Dorsett Waters, residente a Palm Springs. Sarà andata lì a rifarsi una verginità. Nome nuovo, vita nuova.»

Bosch annuì.

«Niente sul suo divorzio?»

«Chiese il divorzio da Samuel Delacroix nel 1973. Il ragazzo doveva avere cinque anni all'epoca. Come causa del divorzio addusse maltrattamenti psicologici e fisici. Nei documenti non è specificato di cosa si trattasse. Non ci fu un processo e quindi non si sa niente dei particolari.»

«Samuel Delacroix si oppose?»

«A quanto pare, trovarono un accordo. I due bambini furono affidati a lui che si guardò bene dal piantar grane. Andò tutto liscio come l'olio. Il fascicolo ha solo dodici pagine. Ne ho visti di quelli che sono spessi come la Bibbia, compreso il mio.»

«Arthur aveva cinque anni al momento del divorzio, ma l'antropologo dice che alcune lesioni sono precedenti.»

Edgar scosse la testa.

«Il matrimonio era finito tre anni prima, stando ai documenti, e i due vivevano separati. Insomma si lasciarono quando il bambino aveva due anni, come ha detto Sheila. Harry, di solito non parli della vittima chiamandola per nome.»

«E allora?»

«Tanto per puntualizzare.»

«Grazie. Nient'altro nell'incartamento?»

«Più o meno tutto qui. Ho delle copie se vuoi dare un'occhiata.»

«E l'amico dello skateboard?»

«Sono arrivato anche a lui. È ancora vivo, e ancora in zona. Ma c'è una difficoltà. Ho controllato i dati bancari ed è risultato che ci sono tre John Stokes a Los Angeles, più o meno della stessa età. Due vivono nella Valley e sono puliti. Il terzo ha un'altra storia. Vari arresti per furto d'auto e furto con scasso, fino al riformatorio. Qualche anno fa non gli riconobbero più le attenuanti e finì a Corcoran con una condanna a cinque anni. Scontata la metà della pena, ha avuto la libertà condizionata.»

«Hai parlato con l'assistente sociale? Stokes è ancora sotto vigilanza?»

«Ho parlato con l'assistente sociale, ma lui non è più sotto vigilanza. Ha completato il periodo di libertà condizionata due mesi fa. L'assistente non sa dove sia finito.»

«Peccato!»

«Già, comunque le ho chiesto di dare un'occhiata ai trascorsi del suo assistito. Stokes è cresciuto nel Mid-Wilshire, affidato ora a una famiglia ora a un'altra. Dentro e fuori dei guai. È lui che cerchiamo.»

«Secondo l'assistente sociale è ancora a Los Angeles?»

«Lei è convinta di sì. Non ci resta che trovarlo. Ho già chiesto che qualcuno vada a controllare al suo ultimo indirizzo, da cui è sparito alla scadenza della libertà vigilata.»

«È uccel di bosco, allora. Fantastico.»

Edgar annuì.

«Dobbiamo diffondere i suoi dati» disse Bosch.

«Già fatto. Ho anche emanato un avviso a tutte le stazioni di Polizia e l'ho mandato a Mankiewicz. Mi ha promesso di leggerlo all'inizio di ogni turno di servizio. Ho fatto fare anche una serie di foto da incollare all'aletta parasole di tutte le macchine della Polizia.»

«Bene.»

Bosch era sorpreso. Non era da Edgar prendersi tutte quelle iniziative.

«Lo troveremo, Harry. Forse non ci servirà, ma lo troveremo.»

«Se Arthur, cioè la vittima, gli ha mai detto che suo padre lo picchiava, lui potrebbe rivelarsi un testimone chiave.»

Bosch guardò l'orologio, erano quasi le due. Voleva che le cose si mettessero in moto, che l'indagine non si disperdesse in mille rivoli, che si agisse con prontezza. La cosa peggiore era l'attesa, l'attesa dei risultati di laboratorio, l'attesa di decidere che cosa fare. Era in questi momenti che sentiva crescere in sé la tensione.

«Hai progetti per questa sera?»

«No, direi di no.»

«Tuo figlio viene da te?»

«No, verrà giovedì. Perché me lo chiedi?»

«Pensavo di andare a Palm Springs.»

«Adesso?»

«Già. A fare quattro chiacchiere con l'ex moglie.»

Vide che Edgar guardava l'orologio. Anche se fossero

partiti subito, non sarebbero stati di ritorno prima di notte.

«Va bene, ci andrò da solo. Dammi l'indirizzo.»

«Ma no, vengo con te.»

«Sicuro? Non è indispensabile. È che non ho voglia di starmene con le mani in mano aspettando gli eventi.»

«Ti capisco.»

Edgar si alzò e prese la giacca dallo schienale della sedia.

«Vado ad avvertire la Billets» disse Bosch.

27

ERANO GIÀ IN PIENO DESERTO, a metà strada da Palm Springs, e non avevano ancora scambiato una parola.

«Ti sei mangiato la lingua, Harry?» esordì Edgar.

«È che non ho voglia di parlare» rispose Bosch.

Una cosa che avevano in comune era la capacità di condividere lunghi silenzi. E se Edgar sentiva la necessità di parlare, Bosch sapeva che aveva in mente qualcosa di cui voleva discutere con lui.

«Cosa c'è, Edgar?»

«Niente.»

«Stai pensando all'indagine?»

«No, ti ho detto che non c'è niente.»

«D'accordo, come vuoi tu.»

Stavano superando un mulino a vento. Le pale erano ferme nell'aria immobile.

«I tuoi genitori sono vissuti sempre insieme?»

«Sì, sempre» rispose Edgar, poi ridendo aggiunse: «È possibile che qualche volta abbiano avuto voglia di separarsi, ma non l'hanno fatto. Così va il mondo. I forti sopravvivono».

Bosch annuì. Erano divorziati entrambi, ma raramente parlavano del fallimento del loro matrimonio.

«Harry, hanno cominciato a girare delle voci su di te e la recluta.»

Bosch annuì. Ecco dove voleva andare a parare Jerry. Chissà perché chiamavano reclute i nuovi assunti in servizio. Secondo una scuola di pensiero, era per la somiglianza tra la Polizia e un campo di addestramento militare; secondo l'altra, amara e sarcastica, perché erano dei pivelli che facevano i tirapiedi.

«Voglio solo dirti di stare attento. Tu sei un suo superiore, no?»

«Sì, lo so. Studierò qualcosa.»

«Da quanto ho visto e sentito, direi che per una come lei vale la pena di correre qualche rischio. Ma sta' attento lo stesso.»

Bosch non fece commenti. Poco dopo, un cartello stradale li avvertì che mancavano sedici chilometri a Palm Springs. Era quasi il crepuscolo. Bosch sperava di arrivare a casa di Christine Waters prima che calasse il buio.

«Harry, sarai tu a condurre la faccenda una volta lì, vero?»

«Sì. Tu puoi fare la parte dell'indignato.»

«Mi sarà facile.»

Superata la periferia e acquistata una mappa da un benzinaio, si addentrarono in città fino al Frank Sinatra Boulevard e da lì procedettero verso le colline. Bosch fermò la macchina davanti a un cancello con guardiola che portava l'indicazione "Complesso residenziale Mountaingate". Era lì che abitava Christine Waters.

Dalla guardiola emerse un custode che, vedendo la macchina della Polizia, sorrise.

«Ehi, ragazzi, siete fuori strada» disse.

Bosch fece un cenno di assenso e tentò di reagire abbozzando un sorriso cordiale, ma come tutto risultato diede l'impressione di avere inghiottito un limone.

«Già.»

«Cosa cercate?»

«Dobbiamo parlare con Christine Waters, Deep Waters Drive 312.»

193

«La signora Waters vi aspetta?»

«No, a meno che non sia una sensitiva o non ci pensi lei ad avvertirla.»

«È il mio mestiere. Aspettate qui.»

Ritornò in portineria e Bosch lo vide prendere il telefono.

«A quanto pare, Christine Delacroix ha fatto un bella scalata sociale» commentò Edgar.

Attraverso il parabrezza stava guardando alcune delle case che si scorgevano dalla macchina. Erano residenze di notevoli dimensioni con prati impeccabili e abbastanza vasti per potervi giocare a pallavolo.

Il custode uscì, appoggiò le mani sulla portiera e si chinò a squadrare Bosch attraverso il finestrino.

«Vuole sapere di che si tratta.»

«Le dica che ne parleremo con lei a casa sua, in privato. Abbiamo un ordine del tribunale.»

Stringendosi nelle spalle con l'aria di dire «arrangiatevi», l'uomo rientrò nella guardiola. Bosch lo vide parlare di nuovo al telefono per qualche minuto, poi riappendere il ricevitore e subito dopo aprire lentamente il cancello. Senza spostarsi fece loro segno di avanzare, ma non senza riservarsi l'ultima parola.

«Le maniere da bullo andranno bene a Los Angeles, ma qui nel deserto...»

Senza ascoltare la fine della tirata, Bosch superò il cancello e rialzò il finestrino.

Deep Waters Drive era all'estremità del quartiere. Le case avevano l'aria di costare qualche milione di dollari in più di quelle vicino all'ingresso.

«Chissà chi è quel pazzo che ha pensato di chiamare una strada nel deserto Deep Waters, acque profonde» borbottò Edgar.

«Forse il signor Waters.»

«Non ci avevo pensato. In questo caso la nostra ospite si è sistemata per davvero.»

La casa cui corrispondeva l'indirizzo di Christine Waters era un edificio in stile spagnolo, situato all'estremità di una strada a fondo cieco, al limite estremo del comprensorio. Era indubbiamente la residenza più lussuosa, costruita in un punto da cui si vedevano tutte le altre ville e il campo da golf.

Per accedere alla proprietà bisognava superare un cancello, che in quel momento era spalancato. Chissà se era sempre così o era stato aperto apposta per loro, si chiese Bosch.

«La faccenda si fa interessante» disse Edgar mentre si avviavano verso uno spiazzo circolare pavimentato a lastroni di pietra.

«La gente può cambiare indirizzo, ma resta quella che è» disse Bosch.

«Giusto. È l'abbiccì del nostro mestiere.»

Scesi dalla macchina, percorsero un portico che portava a un doppio portone. Si aprì prima che vi arrivassero, e una cameriera in uniforme bianca e nera li informò, con forte accento spagnolo, che la signora Waters li aspettava nel soggiorno.

Questo aveva le dimensioni e l'atmosfera di una piccola cattedrale; il soffitto con travi a vista era a otto metri di altezza. Sulla parete a est, c'erano tre alte finestre con i vetri istoriati che, come in un trittico, raffiguravano un'alba, un giardino, il sorgere della luna. Sulla parete opposta, si aprivano sei porte scorrevoli che si affacciavano sul campo da golf.

Nella stanza i mobili erano raggruppati in due blocchi separati, quasi dovessero accogliere due categorie distinte di ospiti.

Seduta su un divano color crema c'era una donna con i capelli biondi e il viso tirato. Gli occhi azzurro chiaro si fissarono sui due uomini i quali, entrando, si guardarono intorno valutando le dimensioni dell'ambiente.

«La signora Waters?» chiese Bosch. «Sono il detective

Bosch e questo è il detective Edgar del Dipartimento di Polizia di Los Angeles.»

Tese la mano. Lei la prese ma non la strinse. Si limitò a trattenerla per un istante, e fece lo stesso con Edgar. Bosch sapeva, per averlo letto sul certificato di nascita, che la donna aveva cinquantasei anni, ma ne dimostrava una decina di meno. La pelle del viso era un esempio perfetto dei miracoli della chirurgia plastica.

«Accomodatevi, prego» disse. «Non avete idea di quanto mi metta a disagio vedere quella macchina parcheggiata davanti a casa mia. Immagino che la discrezione non faccia parte dei metodi della Polizia di Los Angeles.»

Bosch sorrise.

«Anche noi siamo imbarazzati, signora Waters, ma sono le auto che i capi ci dicono di usare. E a noi tocca obbedire.»

«Di che si tratta? Il custode mi ha riferito che avete un ordine del tribunale. Posso vederlo?»

Bosch si sedette su un divano di fronte a lei, oltre un tavolino basso, nero a intarsi dorati.

«Forse mi ha frainteso. Gli ho detto che avrei potuto procurarmi un ordine del tribunale, se lei avesse rifiutato di vederci.»

«Sì, deve avere frainteso» replicò con un tono di voce da cui traspariva la sua incredulità. «Perché volete vedermi?»

«Dobbiamo rivolgerle qualche domanda su suo marito.»

«Mio marito è morto da cinque anni. Andava raramente a Los Angeles. Come può...»

«Il suo primo marito, signora Waters. Samuel Delacroix. E dobbiamo parlare anche dei figli che ha avuto da lui.»

Bosch colse nei suoi occhi un'improvvisa espressione di diffidenza.

«Non li vedo da molti anni, quasi trenta per la verità.»

«Da quando uscì per andare a comprare le medicine e si dimenticò di tornare?» chiese Edgar.

La donna lo guardò come se l'avesse schiaffeggiata. Bosch

pensò che Edgar ci stesse andando giù un po' troppo pesante.

«Come fa a saperlo?»

«Signora Waters, sono io che faccio le domande adesso. Poi, se vuole, toccherà a lei» intervenne Bosch.

«Non capisco. Come avete fatto a trovarmi? Che cosa volete da me?»

A ogni domanda la sua voce si faceva più tesa. La vita che trent'anni prima si era lasciata alle spalle stava irrompendo senza preavviso nella sua esistenza regolata e programmata con cura.

«Siamo della Squadra Omicidi, signora. Lavoriamo su un caso che potrebbe coinvolgere suo marito. Noi...»

«*Non* è mio marito. Sono divorziata da lui da almeno venticinque anni. È pazzesco che veniate a chiedermi di un uomo che per me è un totale sconosciuto. Non so neppure se sia ancora vivo. Andatevene, voglio che ve ne andiate.»

Si alzò e puntò un dito verso la porta da cui erano entrati. Bosch guardò prima Edgar, poi lei. La rabbia aveva alterato l'abbronzatura levigata del viso e sulla pelle erano comparse delle chiazze, prova certa dell'intervento del chirurgo plastico.

«Si sieda, signora Waters, e si calmi» disse Bosch con voce ferma.

«Calmarmi? Sapete chi sono? Mio marito ha costruito quello che vedete qui attorno: le ville, il campo da golf, tutto. Non potete entrare qui come se niente fosse. Potrei chiamare il capo della Polizia...»

«Suo figlio è morto, signora» sbottò Edgar. «Il figlio che si è lasciata alle spalle trent'anni fa. Quindi si sieda e risponda alle nostre domande.»

Lei si abbandonò sul divano, come se le gambe non la reggessero più. Aprì la bocca e la richiuse. Gli occhi non guardavano più i due poliziotti, ma erano fissi su un ricordo lontano.

197

«Arthur...»

«Sì, Arthur» confermò Edgar. «Il nome almeno se lo ricorda.»

Si scrutarono in silenzio per qualche istante. Gli anni trascorsi non erano stati sufficienti a dimenticare. La notizia l'aveva ferita, ferita in malo modo. Bosch aveva già visto scene del genere. Il passato aveva un modo tutto suo di ripresentarsi, emergendo all'improvviso dai recessi della memoria.

Prese il taccuino dalla tasca e lo aprì a una pagina bianca. Vi scrisse sopra «Vacci piano» e lo porse a Edgar.

«Jerry, perché non prendi qualche appunto? Credo che la signora Waters voglia collaborare con noi.»

Le parole parvero scuoterla dallo smarrimento. Guardò Bosch.

«Che cosa è successo? È stato Sam?»

«Non lo sappiamo. Per questo siamo venuti. Arthur è morto da molto tempo. Abbiamo trovato i resti una settimana fa.»

Coprendosi la bocca con la mano chiusa a pugno, Christine Waters cominciò a battersi le labbra.

«Quando è successo?»

«È rimasto sepolto per vent'anni. La telefonata di sua figlia ci ha aiutati a identificarlo.»

«Sheila.»

Lo disse quasi volesse capire se riusciva a pronunciare di nuovo quel nome, dopo averlo taciuto per tanto tempo.

«Arthur scomparve nel 1980. Lo sapeva?»

Scosse la testa.

«Me ne ero già andata da quasi dieci anni.»

«Non aveva più alcun contatto con la sua famiglia?»

«Pensavo...»

Non finì la frase. Bosch rimase in attesa.

«Signora Waters?»

«Non avrei potuto prenderli con me. Ero giovane... non avevo le spalle abbastanza larghe per una simile... responsabilità. Scappai, lo ammetto. Ero convinta che per loro sarebbe stato meglio non avere più mie notizie, non sapere più niente di me.»

Bosch annuì con un'espressione che, nelle sue intenzioni, voleva essere comprensiva, come se lui capisse il suo comportamento di allora. Peccato che non fosse vero. Anche sua madre si era trovata nella stessa situazione: aveva avuto, giovanissima, un bambino, ma lo aveva protetto, lo aveva tenuto vicino con una forza e una fierezza che avevano lasciato in lui un segno indelebile.

«Ha scritto ai suoi figli prima di andarsene?»

«Sì, come l'ha saputo?»

«Ce l'ha detto Sheila. Che cosa scrisse nella lettera ad Arthur?»

«Io... io gli scrissi che gli volevo bene e che avrei sempre pensato a lui, ma che non potevo restargli vicino. Non ricordo tutto quello che gli dissi. È importante?»

Bosch sí strinse nelle spalle.

«Non lo so. Suo figlio aveva una lettera con sé. Forse era la sua, ma ora è illeggibile. Probabilmente non lo sapremo mai. Nella richiesta di divorzio inoltrata qualche anno dopo la sua partenza, lei invocò come causa della sua decisione i maltrattamenti fisici. Ce ne parli. In che cosa consistevano?»

Scosse di nuovo la testa, questa volta con l'aria di voler accantonare l'argomento, come se quella domanda fosse irritante o stupida.

«Secondo lei? Sam mi malmenava. Quando si ubriacava, bastava un niente a mandarlo in bestia. Il bambino che piangeva, Sheila che parlava a voce troppo alta... Era come camminare sulle uova. E io ero il suo bersaglio preferito.»

«La picchiava?»

«Sì. Era diventato un mostro. Per questo me ne sono andata.»

«Lasciando i suoi figli col mostro?» chiese Edgar.

Questa volta non reagì, ma fissò su di lui gli occhi chiari così carichi di odio da costringerlo a volgere altrove lo sguardo. Poi parlò con voce calma.

«Chi è lei per giudicare il suo prossimo? Ero sola, senza mezzi, non potevo portarli con me. Se l'avessi fatto, nessuno di noi sarebbe sopravvissuto.»

«Sono sicuro che i suoi figli lo hanno capito.»

La donna si alzò di nuovo.

«Non ho intenzione di continuare a parlare con voi. Sono sicura che troverete la strada per uscire.» E si avviò verso la porta ad arco all'altro capo del salone.

«Signora Waters» la richiamò Bosch «se non intende parlare con noi, sarò costretto a farmi rilasciare quell'ordine dal tribunale.»

«Se lo procuri» rispose lei senza voltarsi. «Se ne occuperà uno dei miei avvocati.»

«E sarà un documento pubblico nei registri del tribunale.»

Era una mossa azzardata, ma Bosch pensava che potesse essere efficace. Immaginava che nessuno a Palm Springs conoscesse il passato di quella donna, e che lei non ci tenesse a metterlo in piazza. Se la notizia si fosse diffusa, molti nella sua cerchia sociale avrebbero faticato a guardarla ancora con occhi benevoli.

Si fermò sotto la porta ad arco, si ricompose e tornò verso il divano. Fissando Bosch, disse: «D'accordo, ma intendo parlare solo con lei. Il suo collega deve allontanarsi».

Bosch scosse la testa.

«L'indagine è stata affidata a tutti e due. Mi dispiace, ma anche lui rimane.»

«Risponderò solo alle sue domande.»

«D'accordo. La prego di sedersi.»

Lei si accomodò all'estremità del divano, quanto più lontano possibile da Edgar.

«Voglio che ci aiuti a trovare l'assassino di suo figlio. Cercheremo di sbrigarci in fretta.»

La donna annuì.

«Ci parli del suo ex marito.»

«Vuole sapere di quella sporca storia?» chiese in tono retorico. «Le darò una versione abbreviata. Lo conobbi alla scuola di recitazione. Avevo diciotto anni, lui ne aveva sette più di me. Aveva già lavorato in qualche film e per completare il quadro dirò che era un uomo molto, molto bello. È facile capire che ne fui subito affascinata. Ero incinta prima di compiere i diciannove anni.»

Bosch guardò Edgar per vedere se prendeva appunti, e questi, cogliendo l'occhiata, si mise a scrivere.

«Ci sposammo e nacque Sheila. Abbandonai l'idea di una carriera, ma forse non ci tenevo granché. Recitare era un'idea come un'altra. Ero graziosa, ma a Hollywood tutte le ragazze erano graziose. Ero contenta di stare a casa.»

«Come se la cavò suo marito nel cinema?»

«Benissimo all'inizio. Era uno degli attori della serie *Primo Fanteria*. L'ha mai vista?»

Bosch annuì. Era un serial televisivo sulla seconda guerra mondiale che era continuato fino alla metà degli anni Sessanta, cioè fino a quando l'impatto della guerra del Vietnam aveva portato a un crollo dell'audience. Raccontava di un plotone dell'esercito che si muoveva dietro le linee tedesche. A Bosch, che l'aveva visto da bambino, il programma era piaciuto, tanto che aveva sempre cercato di non perdersi neanche una puntata, anche in collegio o presso le famiglie che lo avevano in affidamento.

«Sam faceva la parte di un tedesco. Capelli biondi e aspetto ariano. Ci lavorò negli ultimi due anni della serie, fino a quando rimasi incinta di Arthur.»

Tacque quasi a voler dare risalto a quelle parole.

«Il programma fu eliminato per via di quella stupida guerra del Vietnam e da allora Sam ebbe difficoltà a trovare lavoro. Sembrava che il ruolo gli si fosse appiccicato addosso. Fu in quell'epoca che cominciò a bere. E a picchiarmi. Passava giorni interi a cercare una parte senza venire a capo di niente, e trascorreva le notti a bere e a prendersela con me.»

«Perché con lei?»

«Perché ero rimasta incinta. Prima di Sheila e poi di Arthur. Non erano state gravidanze programmate e lui si sentiva soffocare dalle responsabilità. E così si sfogava con chi gli capitava a tiro.»

«Più che altro aggrediva lei.»

«Detto così, ha un suono asettico. Comunque sì, mi aggrediva, e spesso.»

«Lo vide mai picchiare i bambini?»

Era quella la domanda che erano venuti a farle; il resto era di contorno.

«Non direi. Mentre ero incinta di Arthur, mi prese a botte una volta sola. Purtroppo sulla pancia. Mi si ruppero le acque, e il travaglio ebbe inizio sei settimane prima del previsto. Arthur non pesava neanche due chili alla nascita.»

Bosch la ascoltava in silenzio. Da come la donna parlava, sembrava che avrebbe avuto molto da dire se le si fosse lasciata briglia sciolta. Guardò il campo da golf attraverso le vetrate delle porte scorrevoli. C'era una profonda buca di sabbia vicino a un *green*, dove un uomo con una camicia rossa e pantaloni a quadri cercava di colpire una pallina invisibile. Dalla buca si levavano spruzzi di sabbia che ricadevano sull'erba, ma della pallina neanche l'ombra.

Più lontano, altri tre giocatori stavano scendendo dal cart parcheggiato sul lato opposto. Il bordo della buca di sabbia li nascondeva alla vista dell'uomo con la camicia rossa. Mentre Bosch lo osservava, l'uomo guardò su e giù per il *fairway* controllando se c'era qualcuno in vista, poi si chinò a prendere la pallina. La buttò sul *green* facendole compiere una parabola perfetta. Poi uscì dalla buca, il legno stretto tra le mani, come se avesse appena effettuato un tiro.

Christine Waters riprese a parlare e Bosch tornò a posare gli occhi su di lei.

«Arthur rimase piccolino e malaticcio per tutto il primo anno. Non ne parlavamo mai, ma sapevamo entrambi che il colpo lo aveva danneggiato. Qualcosa non andava in quel bambino.»

«A parte questo episodio, lo vide mai alzare le mani su Arthur e Sheila?»

«Forse avrà dato qualche schiaffo a Sheila. Non me lo ricordo. Non mi sembra che picchiasse i bambini. Più che altro se la prendeva con me.»

Bosch annuì. La conclusione implicita era: con chi se l'era presa Sam, dopo che lei se ne era andata? Gli tornarono alla mente le ossa disposte sul tavolo dell'autopsia e l'elenco delle fratture redatto dal dottor Golliher.

«Mio mar... Sam è in carcere?»

Bosch la guardò.

«No, siamo ancora nella fase preliminare delle indagini. Da quanto ci rimane di suo figlio possiamo ricostruire una storia di maltrattamenti fisici ricorrenti. Ma c'è ancora molto da chiarire.»

«E Sheila? Cosa ha detto?»

«Non glielo abbiamo chiesto in modo specifico. Lo faremo. Signora Waters, suo marito la picchiava a mani nude?»

«Prendeva quello che gli capitava. Mi ricordo che una volta usò una scarpa. Mi tenne per terra e mi colpì col tacco. Un'altra volta mi buttò addosso la sua valigetta e mi fece male al fianco.»

Scosse la testa.

«Cosa c'è?»

«Niente... quella valigetta. Se la portava dietro a tutte le audizioni per dare a vedere che era un uomo importante e aveva molti affari tra le mani. E dentro c'erano soltanto un paio di fotografie e una borraccia.»

Perfino dopo tanti anni la sua voce tradiva l'amarezza.

«Ha mai dovuto andare in un pronto soccorso o si è fatta ricoverare in ospedale? Ci sono prove dei maltrattamenti?»

Fece segno di no.

«Non mi ha mai picchiata tanto da rendere necessario un ricovero. Tranne quando nacque Arthur. Ma io mentii, dissi che ero caduta e che mi si erano rotte le acque. Non volevo che si sapesse in giro.»

Bosch annuì.

«La sua fuga fu preparata o agì d'impulso?»

Christine Waters rimase in silenzio per un lungo istante mentre i ricordi le scorrevano nella mente.

«Scrissi quelle lettere ai miei figli molto prima di lasciarli. Le tenevo in borsetta aspettando che arrivasse il momento giusto. La sera che me ne andai, le infilai sotto il loro cuscino. Mi portai dietro solo la borsetta e i vestiti che indossavo. E la macchina che ci aveva regalato mio padre quando ci eravamo sposati. Tutto qui. Non avevo bisogno di altro. Dissi a Sam che dovevo comprare le medicine per Arthur. Aveva bevuto e non mi rispose.»

«E lei non tornò più.»

«No. Un anno dopo, prima di venire a vivere qui, passai in macchina davanti alla casa. Le luci erano accese. Non mi fermai.»

Bosch annuì. Non c'era altro da chiedere. I ricordi di Christine Waters erano nitidi, ma non sarebbero serviti a incriminare l'ex marito per un omicidio compiuto dieci anni dopo che se ne era andata. Forse Bosch lo sapeva già che lei non poteva essere una testimone chiave. Forse aveva solo voluto vedere in faccia la donna che aveva abbandonato i suoi figli, lasciandoli a un uomo che considerava un mostro.

«Com'è lei?»

Bosch fu colto alla sprovvista da quella domanda.

«Com'è mia figlia?»

«Bionda come lei. Un po' più alta e pesante. Non ha figli, non si è sposata.»

«Quando sarà seppellito Arthur?»

204

«Non lo so. Chiameremo l'ufficio del medico legale. Potrà chiederlo a Sheila se...»

Si interruppe. Non voleva mettersi di mezzo tra due persone che non si vedevano da trent'anni.

«Abbiamo terminato, signora Waters. Grazie della collaborazione.»

«Già, molte grazie.» Il sarcasmo nella voce di Edgar lasciava il segno.

«Siete venuti fin qui per rivolgermi queste poche domande?»

«È lei che ha poche risposte» disse Edgar.

Si avviarono alla porta, e lei li seguì a breve distanza. Fuori, sotto il portico, Bosch si voltò a guardarla. Per un attimo i loro sguardi si incontrarono. Tentò di trovare qualcosa da dire, ma non gli venne in mente niente. Christine Waters chiuse la porta.

28

PARCHEGGIARONO DAVANTI ALLA SEDE della Polizia poco prima delle undici. Dopo sedici ore di lavoro avevano raccolto ben poco in termini di prove concrete, utilizzabili ai fini di un'incriminazione. Eppure Bosch si sentiva soddisfatto. Erano arrivati a identificare a chi appartenevano i resti umani, e quello era il punto centrale. Tutto partiva da lì.

Si salutarono ed Edgar si avviò alla sua macchina senza passare per l'ufficio. Bosch voleva invece controllare con l'agente della vigilanza se avevano saputo qualcosa di Johnny Stokes e se erano arrivati altri messaggi, senza contare che, attardandosi fino alle undici, avrebbe forse incontrato Julia Brasher che smontava dal turno. Desiderava parlarle.

Tutto era tranquillo. Gli agenti che prendevano servizio a mezzanotte erano nell'ufficio di guardia per firmare il registro delle presenze. Lì si trovavano anche i sergenti che controllavano chi cominciava il turno e chi smontava. Bosch attraversò l'atrio fino alla sala detective. Le luci erano spente, contrariamente a una precisa disposizione del capo della Polizia. L'ordine era di tenere sempre la luce accesa, sia nel quartier generale di Parker Center che nelle altre sedi, per far capire che la lotta alla criminalità non conosceva tregua. Il risultato era che, da un capo all'altro della città, gli uffici deserti risplendevano di luci.

Bosch premette l'interruttore e il tavolo della Omicidi si illuminò. Arrivato al suo posto, vide un mucchietto di foglietti rosa con annotate le telefonate, tutte di giornalisti o relative ad altri casi che aveva in sospeso. I messaggi dei giornalisti li buttò nel cestino della carta straccia, gli altri li infilò nel primo cassetto della scrivania: li avrebbe esaminati l'indomani.

C'erano anche due buste indirizzate a lui. La prima conteneva la relazione di Golliher e Bosch la mise da parte riservandosi di leggerla in seguito. L'altra veniva dalla DIS. Gli venne in mente che si era dimenticato di telefonare ad Antoine Jesper per lo skateboard.

Stava per aprire la busta quando si accorse che era stata buttata sulla sua agenda e nascondeva un foglio di carta ripiegato. Lo aprì e lesse un breve messaggio. Capì che era di Julia, sebbene non fosse firmato: «Dove ti sei cacciato, bel fusto?».

Si era dimenticato che le aveva detto di passare prima di cominciare il turno. Sorrise leggendo quelle parole, ma si rammaricò per la propria smemoratezza. Ancora una volta gli tornarono in mente le parole di Edgar, che lo invitavano alla prudenza.

Ripiegato il foglio, infilò anche quello nel cassetto. Si chiese come avrebbe reagito Julia a quello che intendeva dirle. Era stanco morto dopo le lunghe ore di lavoro, ma non voleva rimandare al giorno dopo.

La busta della DIS conteneva il rapporto di Jesper, una pagina sull'analisi delle prove. Bosch la lesse in fretta. Jesper confermava che lo skateboard era stato prodotto dalla Boneyard Boards Inc., una fabbrica di Huntington Beach. Il modello, che si chiamava Boney Board, era stato in produzione tra il febbraio 1978 e il giugno 1986, epoca in cui erano state apportate alcune modifiche al muso della tavoletta.

Prima che potesse rallegrarsi di avere acquisito gli elementi utili a delimitare l'epoca del delitto, gli occhi gli caddero sull'ultimo paragrafo, dove tutto veniva nuovamente messo in discussione.

I carrelli sono tipici di un modello realizzato per la prima volta dalla Boneyard nel maggio 1984. Anche le ruote in grafite sono state introdotte successivamente, e cioè non prima della metà degli anni Ottanta. Siccome però i carrelli e le ruote sono intercambiabili, e spesso gli utenti li sostituiscono o li danno indietro in cambio di altri, è impossibile determinare in modo preciso la data di produzione dello skateboard esaminato. In mancanza di ulteriori elementi si ritiene che sia stato prodotto tra il febbraio 1978 e il giugno 1986.

Bosch infilò la relazione nella busta e la lasciò cadere sulla scrivania. La perizia tecnica non offriva conclusioni, ma esaminando i fattori che Jesper aveva elencato si poteva anche pensare che lo skateboard non fosse di Arthur Delacroix. Gli sembrava che quel rapporto tendesse a scagionare Nicholas Trent, non ad accusarlo. Si ripromise di scrivere il mattino dopo le proprie osservazioni e di consegnarle quindi a Grace Billets perché le inoltrasse per via gerarchica al vicecapo Irving.

Come per sottolineare la chiusura di quella linea di indagine, si sentì echeggiare nell'atrio il rumore della porta sul retro che veniva spalancata rumorosamente, accompagnato dal suono di voci maschili che si persero nella notte. Un turno era finito e un altro stava per cominciare, e i nuovi arrivati stavano prendendo possesso del luogo, scherzando e vociando, in un gioco di competizione con quelli che lo avevano appena lasciato.

Bosch spense le luci e si diresse verso l'ufficio dell'agente di guardia. Vi trovò due sergenti. Lenkov smontava e gli subentrava la Renshaw. Entrambi parvero sorpresi di vederlo a quell'ora tarda, ma non gli chiesero che cosa ci facesse ancora lì.

«Si è saputo niente di Johnny Stokes?» chiese Bosch.

«Ancora niente» disse Lenkov. «Ma ci stiamo dando da fare. L'abbiamo segnalato a ogni cambio di turno e la sua foto è stata data a tutti gli agenti di pattuglia.»

«Tenetemi informato.»

«Certo.»

La Renshaw annuì.

Bosch stava per chiederle se Julia Brasher fosse rientrata, ma ci ripensò. Li ringraziò e raggiunse l'atrio. Era stata una strana conversazione, sembrava che non vedessero l'ora che se ne andasse. Tutto per via delle voci che giravano su lui e Julia. Forse non volevano vederli insieme, adesso che lei stava per smontare dal servizio, per evitare di essere testimoni di una trasgressione alle regole del Dipartimento. Era un'infrazione di poco conto e di rado veniva censurata, ma tanto meglio se ne restavano fuori.

Uscì dalla porta posteriore e si avviò al parcheggio. Non sapeva se Julia si trovasse nello spogliatoio, se fosse ancora di pattuglia, o se fosse già andata a casa. A volte i turni erano fluidi. Non si smontava finché non subentrava il sostituto.

A un tratto scorse la sua macchina e capì che non gli era sfuggita. Tornò indietro per andare a sedersi sulla panca accanto alla stazione, e la trovò lì. Aveva i capelli umidi per la doccia. Indossava un paio di jeans stinti e un maglione a collo alto.

«Ho saputo che eri rientrato» gli disse. «Ho controllato, ma le luci erano spente. Pensavo che non ti avrei incontrato.»

«Non fiatare col capo delle luci.»

Sorrise e Bosch le si sedette accanto. Gli sarebbe piaciuto toccarla, ma si trattenne.

«E neanche di noi due» aggiunse.

Lei annuì.

«Lo sanno, vero?»

«Sì. Volevo parlartene. Beviamo qualcosa?»

«D'accordo.»

«Facciamo due passi fino al Cat and Fiddle. Sono stanco di guidare.»

Invece di attraversare l'atrio per uscire dall'ingresso principale, presero la via più lunga che passava per il parcheggio e girava intorno all'edificio. Percorsero a piedi due isolati fino al Sunset Boulevard e poco dopo arrivarono al locale. Per strada Bosch le disse che gli dispiaceva di non essere riuscito a salutarla prima che lei cominciasse il turno, ma era andato a Palm Springs. Julia lo lasciò parlare senza interromperlo, limitandosi ad annuire. Non accennarono alla loro situazione finché, entrati nel pub, non si sedettero in uno dei separé vicini al caminetto.

Ordinarono due Guinness, quindi Julia incrociò le braccia sul tavolo e lo fissò con uno sguardo duro.

«D'accordo, Harry, adesso abbiamo ordinato. Quindi puoi cominciare. Ma ti avverto, se il senso è quello che dobbiamo essere solo amici, ti informo che di amici ne ho già a sufficienza.»

Bosch si lasciò andare a un gran sorriso. Gli piaceva quel suo modo diretto, il suo coraggio nell'affrontare le cose. Scosse la testa.

«No, Julia, non ho nessuna intenzione di esserti solo amico.»

Allungò la mano e le strinse l'avambraccio. Istintivamente si guardò intorno per accertarsi che nessuno dei loro colleghi fosse entrato a farsi un bicchiere alla fine del turno. Non notò facce conosciute e tornò a guardare Julia.

«Voglio che le cose continuino come sono cominciate.»

«Bene, lo stesso vale per me.»

«Ma dobbiamo stare più attenti. Non sei nel Dipartimento da abbastanza tempo. Io sì, e so come si spargono le voci. Quindi è colpa mia. Non avremmo dovuto lasciare la tua macchina nel parcheggio quella prima notte.»

«Non ti sembra di esagerare?»

«No, è che...»

Attese mentre la cameriera appoggiava le due birre sui sottobicchieri decorati con lo stemma della Guinness.

«Devi credermi, Julia» riprese quando furono di nuovo soli. «Se vogliamo continuare a vederci, dobbiamo farlo di nascosto. Niente più incontri in ufficio, niente più messaggi. Anche qui non siamo al sicuro, perché è un locale frequentato dai poliziotti. Dobbiamo diventare due clandestini, incontrarci fuori dall'ufficio.»

«Da come la metti sembriamo una coppia di spie.»

Bosch prese il suo bicchiere, toccò quello di Julia e bevve una lunga sorsata di birra. Com'era buona dopo quella interminabile giornata! Cercò di soffocare uno sbadiglio, imitato subito da Julia.

«Spie? Non siamo molto lontani. Dimentichi che ho passato più di venticinque anni nel Dipartimento. Tu sei una recluta, una bambina. Ho più nemici io qui dentro di quanti arresti hai al tuo attivo. E puoi star certa che prenderebbero al volo l'occasione di farmi fuori. Non credere che io mi preoccupi solo di me, la verità è che non esiterebbero un istante a danneggiarti pur di arrivare a me. Ne sono assolutamente convinto.»

Julia si strinse nelle spalle guardandosi intorno.

«D'accordo, Harry. Agente segreto 0045.»

Bosch sorrise scuotendo la testa.

«Sì, pensi che sia tutto uno scherzo, che io parli tanto per parlare. Aspetta di avere la prima tirata d'orecchi dalla Divisione Affari Interni. Allora finalmente capirai.»

«Lo so che non è uno scherzo. Ma mi diverte lo stesso.»

Buttarono giù qualche sorso, e Bosch si appoggiò allo schienale tentando di rilassarsi. Il calore del fuoco era piacevole, dopo la camminata all'aperto. Guardò Julia che gli sorrideva come se conoscesse un suo segreto.

«Che c'è?»

«Niente... è solo che ti agiti un sacco.»

211

«Cerco di proteggerti, ecco tutto. Io sono un veterano, e quindi per me non conta molto.»

«Che vuoi dire? Forse che sei intoccabile?»

Bosch scosse la testa.

«Nessuno lo è. Ma dopo venticinque anni di servizio, sei arrivato al tetto massimo dello stipendio. Quindi non ha importanza che uno abbia maturato venticinque o trenta-cinque anni, la pensione è la stessa. Veterano vuol dire che puoi mandare a 'fanculo chi ti pare. Se non ti va come si comportano con te, puoi sempre dimetterti e fare ciao ciao con la manina.»

La cameriera tornò al tavolo e vi appoggiò un cestino di popcorn. Julia lasciò passare un po' di tempo, poi si sporse in avanti, il mento quasi sull'orlo del bicchiere.

«Perché rimani, allora?»

Stringendosi nelle spalle Bosch guardò il boccale davanti a sé.

«Il lavoro, credo... Niente di grande, niente di eroico. Solo la possibilità di rimediare a qualche torto in un mondo di merda.»

Con il pollice tracciava dei segni sul bicchiere appannato. Continuò a parlare senza alzare gli occhi.

«Questo caso, per esempio... Se riusciremo a capirci qual-cosa e mettere insieme i vari pezzi... chissà, sarà come ren-dere giustizia a quel ragazzino. È solo un'inezia rispetto a quello che succede nel mondo, ma mi sembra ugualmente importante.»

Ricordò il cranio che Golliher gli aveva mostrato quella mattina. La vittima di un omicidio, rimasta sepolta nel bitu-me per novemila anni. Una città di ossa in attesa di emergere. A quale scopo? Forse non interessava più a nessuno.

«Chissà, magari mi sbaglio. I terroristi hanno colpito New York e tremila persone sono morte senza aver finito il primo caffè della giornata. Che importanza può avere un muc-chietto di ossa sepolte tanti anni fa?»

Julia gli sorrise con dolcezza e scosse la testa.

«Non fare il filosofo con me, Harry. Quello che conta è che siano importanti per te. E se è così, allora è giusto che tu faccia quello che puoi. Non importa quello che succede nel mondo; ci sarà sempre bisogno di eroi. Spero che un giorno mi capiti l'occasione buona per diventarlo.»

«Te lo auguro.»

Annuì e distolse lo sguardo da lei. Giocherellò ancora con il bicchiere.

«Ti ricordi di quella pubblicità che davano in televisione: una vecchia signora è per terra e dice: "Sono caduta e non riesco ad alzarmi"? Era diventato una specie di tormentone.»

«Sì, me la ricordo. Vendono delle magliette con quella scritta a Venice Beach.»

«A volte mi sento anch'io così. Un veterano, con più di venticinque anni di servizio. Non è che mi sia andata sempre pre bene. Qualcosa va storto e si cade, e in quel momento sembra di non potersi più rialzare.»

Annuì, quasi a darsi ragione.

«Poi capita un colpo di fortuna. Ti trovi con un caso tra le mani e ti dici che è la volta buona. Lo senti, senti che con quello ti rimetterai in piedi.»

«Si chiama redenzione, Harry. Forse questo caso è la tua occasione.»

«Sì, credo di sì. Almeno lo spero.»

«Allora un brindisi alla redenzione.»

Levò il bicchiere.

«Tienilo forte» disse Bosch e lo urtò. Un po' di birra colò nel suo boccale quasi vuoto.

«Scusami! Mi manca la pratica.»

«Non importa. Avevo giusto bisogno di un altro sorso.»

Si portò il boccale alle labbra, lo prosciugò, e si passò il dorso della mano sulla bocca.

«Vieni a casa con me stasera?» le chiese.

Julia scosse il capo.

«No, non verrò con te.»

Bosch corrugò la fronte: l'aveva offesa chiedendoglielo con tanta schiettezza?

«Ti seguirò con la mia macchina. Non posso certo lasciarla al parcheggio. Non hai detto che dobbiamo muoverci in gran segreto, zitti zitti, solo qualche occhiata di straforo?»

Bosch sorrise. La birra e la voce di Julia avevano su di lui un effetto magico.

«Mi hai preso in castagna.»

«L'unica cosa che conta per me è averti preso.»

29

BOSCH ARRIVÒ TARDI alla riunione nell'ufficio di Grace Billets. Edgar si trovava già lì, un fatto decisamente insolito, e c'era anche Medina delle Relazioni Esterne. Puntando la matita che teneva in mano, Grace Billets gli indicò dove sedersi, poi prese il telefono e compose un numero.

«Tenente Billets» disse quando dall'altra parte qualcuno rispose alla chiamata. «Avverta il vicecapo Irving che ci siamo tutti e siamo pronti a cominciare.»

Lanciando un'occhiata a Edgar, Bosch inarcò le sopracciglia. Il vice capo non aveva mollato il caso.

«Richiamerà e lo sentiremo col viva voce» annunciò la Billets.

«Si limiterà ad ascoltare o vorrà intervenire?» chiese Bosch.

«E chi lo sa?»

«Già che siamo qui» intervenne Medina «ho cominciato a ricevere qualche telefonata su un ricercato, un tizio che avete tirato fuori voi, un certo Johnny Stokes. Come devo comportarmi? Ci sono sospetti su di lui?»

Che seccatura! Bosch sapeva benissimo che prima o poi l'elenco dei ricercati distribuito ai turni di servizio finiva per arrivare in mano ai giornalisti. Non aveva previsto che sarebbe accaduto così presto.

«Non è tra i sospetti» disse a Medina. «Ma se i giornalisti fanno casino come è successo con Trent, non lo troveremo più. È solo un tizio col quale vogliamo parlare. Era un amico della vittima, un compagno di scuola.»

«Allora la vittima è stata identificata?»

Prima che Bosch potesse rispondere, suonò il telefono. Era Irving, e la Billets attivò il viva voce.

«Ci sono qui i detective Bosch ed Edgar, e l'agente Medina delle Relazioni Esterne.»

«Bene» rimbombò la voce di Irving. «A che punto siamo?»

Grace Billets premette un pulsante per abbassare il volume.

«Harry, fa' tu il punto della situazione.»

Bosch prese con calma un taccuino dalla tasca interna della giacca. Gli piaceva l'idea che Irving, seduto dietro l'immacolata scrivania di vetro nel suo ufficio al Parker Center, aspettasse che qualcuno si decidesse a parlare. Aprì il taccuino a una pagina zeppa di annotazioni che aveva buttato giù quella mattina mentre faceva colazione con Julia.

«È ancora in linea?» chiese Irving.

«Sì, sono qui. Stavo guardando i miei appunti. La cosa più importante è che abbiamo scoperto l'identità della vittima. Il suo nome è Arthur Delacroix, ed è scomparso da casa nella zona di Miracle Mile il 4 maggio 1980. Aveva dodici anni.»

Si interruppe in attesa di domande. Notò che Medina stava scrivendo il nome.

«Non credo che sia il caso di comunicarlo alla stampa per il momento» disse Bosch.

«Perché no?» intervenne Irving. «Non ha detto che l'identificazione è certa?»

«Sì. Ma comunicando il nome, potremmo implicitamente suggerire in quale direzione ci stiamo muovendo.»

«E cioè?»

«Be', siamo quasi sicuri che Nicholas Trent non c'entrasse per niente, perciò stiamo cercando altrove. I risultati del-

216

l'autopsia indicano che il ragazzo aveva subìto maltrattamenti sin dalla prima infanzia. La madre se n'era già andata, quindi adesso ci stiamo concentrando sul padre. Non lo abbiamo ancora avvicinato, ma stiamo cercando di chiudere la rete. Se salta fuori che abbiamo un'identificazione certa e il padre lo viene a sapere, lo metteremmo sull'avviso prima del necessario.»

«Se è stato lui a seppellire il ragazzo, direi che è già sull'avviso.»

«Fino a un certo punto. Credo che sappia che senza un'identificazione certa non potremo mai arrivare a lui. Quindi, finché non si diffonde la notizia, si sentirà al sicuro, il che ci darà il tempo di approfondire le informazioni che abbiamo su di lui.»

«Ho capito» disse Irving.

Rimasero in silenzio per qualche istante. Bosch si aspettava che Irving aggiungesse qualcosa, invece continuò a tacere. Con un'occhiata a Grace Billets allargò le braccia in un gesto che indicava rassegnazione. Lei si strinse nelle spalle.

«Allora...» riprese Bosch «è d'accordo di non darne comunicazione?»

Altro silenzio, quindi: «Sì, ritengo che sia più prudente».

Medina strappò il foglio che aveva scritto, lo appallottolò e lo buttò nel cestino della carta straccia.

«Qualcosa dobbiamo ben dire ai giornalisti. C'è qualche elemento che può essere divulgato?» chiese.

«Sì, possiamo scagionare Trent» rispose prontamente Bosch.

«No» intervenne Irving con altrettanta prontezza. «Lo faremo alla fine. Se e quando troveremo un indiziato, scagioneremo gli altri.»

Bosch lanciò un'occhiata in giro.

«In questo modo rischiamo di compromettere la situazione» disse.

«Perché?»

«Il crimine è stato commesso molto tempo fa. E più il crimine è vecchio, più il bersaglio si allontana. Non possiamo rischiare. Se non dichiariamo chiaro e tondo che Trent non c'entrava per niente, daremo all'eventuale imputato un argomento a sua difesa. Potrà puntare il dito su Trent e dire che era un pedofilo, che aveva molestato dei bambini, che era lui il colpevole.»

«Lo farà in ogni caso, indipendentemente da quando Trent verrà scagionato.»

Bosch annuì.

«Vero. Ma io guardo la cosa dal punto di vista di una testimonianza resa in aula. Voglio poter dire che, dopo avere indagato su Trent, abbiamo capito che non c'entrava. Preferirei evitare che un avvocato salti fuori a chiedermi come mai, avendo scagionato Trent, abbiamo aspettato più di una settimana per darne la notizia. Potrebbe far pensare che stessimo nascondendo qualcosa. È un gioco d'astuzia il nostro, ma può dimostrarsi efficace. I giurati approfittano di ogni appiglio per ribadire la loro sfiducia nei confronti della Polizia in generale e di quella di Los Angeles in particolare.»

«Grazie, detective, è stato chiaro. Ma non mi ha convinto. Non ci saranno dichiarazioni su Trent. Non ancora, almeno finché non avremo un indiziato e delle prove precise.»

Bosch scosse la testa e si afflosciò sulla sedia.

«C'è altro?» chiese Irving. «Tra qualche minuto dovrò fare la mia relazione al capo.»

Bosch scosse di nuovo la testa guardando Grace Billets. Non aveva altro da aggiungere. Fu la Billets a parlare al posto suo: «Credo che sia tutto qui, per ora».

«Quando pensate di interrogare il padre del ragazzo?»

Bosch indicò con il mento Edgar.

«Qui Edgar, capo. Stiamo ancora cercando un testimone che ci sembra importante e vorremmo parlare con lui prima di avvicinare il padre. È un amico della vittima. Forse potrà

218

dirci qualcosa sui maltrattamenti che subiva il ragazzo. Faremo di tutto per trovarlo entro la giornata. Abbiamo motivo di pensare che sia a Hollywood e abbiamo organizzato un discreto spiegamento di forze per scovarlo.»

«Va bene. Ci aggiorniamo a domattina.»

«D'accordo. Va bene alle nove e mezzo?» intervenne Grace Billets.

Non ci fu risposta. Irving non era più in linea.

30

BOSCH ED EDGAR trascorsero il resto della mattinata ad aggiornare i rapporti e il fascicolo dell'omicidio, e a telefonare agli ospedali per annullare la richiesta di ricerche di archivio che avevano inoltrato lunedì mattina. A mezzogiorno, Bosch dichiarò di averne abbastanza di quelle scartoffie e disse che doveva uscire.

«Dove vuoi andare?» gli chiese Edgar.

«Sono stufo di aspettare. Andiamo a dare un'occhiata al nostro uomo.»

Visto che in quel momento nel garage non c'era neanche una macchina senza il contrassegno della Polizia, presero l'auto personale di Edgar. Imboccarono la statale 101 fino alla Valley e successivamente la 405 verso nord per uscire a Van Nuys. Il campeggio delle roulotte era sul Sepulveda Boulevard, vicino al Victory. Lo superarono, tornarono indietro e vi si addentrarono.

Non c'era una portineria, soltanto uno dei soliti moderatori di velocità a strisce gialle. La strada girava intorno al campeggio. La roulotte di Delacroix era in fondo, quasi appoggiata a un muro insonorizzato, alto circa sette metri, che separava il parcheggio dalla freeway. La funzione del muro era quella di neutralizzare il rombo ininterrotto del traffico, ma di fatto serviva solo ad attutirlo.

La roulotte era piuttosto piccola, segnata da strisce di ruggine che erano colate dai punti di congiunzione sul rivestimento in alluminio. Sotto un tendone da sole, c'erano un tavolo da picnic e un grill a carbonella. Una corda da bucato era stesa tra uno dei pali di sostegno del tendone e l'angolo della roulotte successiva. Nella parte posteriore di questa sorta di cortile, contro il muro insonorizzato, poggiava una baracca di alluminio.

Le finestre e la porta della roulotte erano chiuse e l'unico posto macchina era vuoto. Edgar non si fermò, ma proseguì a passo d'uomo.

«Sembra disabitata» osservò.

«Andiamo a vedere nel campo dove fanno pratica» propose Bosch. «Forse lo troveremo lì e magari potrai tirare qualche colpo.»

«Adoro tenermi in esercizio.»

Quando vi arrivarono, il campo era quasi deserto, ma da quello che videro doveva esserci stata parecchia gente quella mattina. Ovunque, sul terreno, erano sparse palline da golf. All'estremità del complesso, alcune reti, fissate ai pali della luce, impedivano che i lanci troppo lunghi finissero sulla freeway. Un piccolo trattore, che nella parte posteriore aveva attaccato un congegno per raccogliere le palline, si muoveva lentamente in fondo al campo e l'uomo che lo guidava era chiuso dentro una specie di gabbia di protezione.

Bosch rimase a osservare, in attesa che Edgar ritornasse con la sacca che aveva estratto dal portabagagli della macchina, e un cesto di palline.

«Dev'essere lui» disse Edgar.

«Già.»

Bosch raggiunse una panchina e si sedette a guardare il suo collega che, piazzatosi su un quadrato di erba sintetica, si apprestava a qualche lancio. Si era tolto la cravatta e la giacca, e sembrava più a suo agio. Non molto lontano, su analoghi fazzoletti di erba, due uomini vestiti da ufficio si esercitavano a tirare, ovviamente approfittando della pausa pranzo.

Sistemata la sacca su una piattaforma di legno, Edgar scelse la mazza. Indossò il guanto, simulò qualche tiro per scaldarsi i muscoli, quindi cominciò a lanciare le palline. Le prime finirono rasoterra, il che gli provocò una serie di imprecazioni, poi Edgar cominciò a ingranare, con palese soddisfazione.

Bosch si divertiva. Non aveva mai giocato a golf in vita sua, e non capiva il fascino che quello sport esercitava su tanta gente. Molti suoi colleghi vi si dedicavano con passione ed esisteva una fitta rete di tornei in tutta la regione. Si divertiva a guardare Edgar che ce la metteva tutta, anche se si trattava solo di un allenamento, per giunta fittizio.

«Ora colpiscilo» gli disse non appena si accorse che Edgar, ormai preso dal gioco, era pronto.

«Harry, lo so che non sai giocare, ma ho una notizia da darti. Nel golf miri al paletto con la bandierina, quello che indica la buca. Non ci sono bersagli mobili.»

«Com'è allora che molti, specie se persone importanti, colpiscono sempre qualcuno?»

«Perché a loro è permesso.»

«Dai! Avevi detto che tutti cercano di tirare al raccattapalle!»

«Già, ma non chi fa sul serio.»

E tuttavia si posizionò in modo da mirare al trabiccolo nel momento in cui, arrivato all'estremità del percorso, stava girando su se stesso per tornare indietro. A giudicare dai paletti che indicavano la distanza, il piccolo trattore era a circa centocinquanta metri.

Edagr tirò ma la pallina schizzò raso terra.

«Al diavolo! Vedi? Mi stai rovinando il gioco.»

Bosch scoppiò a ridere.

«Perché ridi?»

«Perché è davvero solo un gioco. Su, colpiscilo.»

«Neanche per sogno! Sei così infantile!»

«Ti ho detto di colpirlo.»

Edgar non rispose. Si mise in posizione mirando al tra-biccolo che ora si trovava a metà del percorso. Alzò la mazza e colpì la palla mandandola oltre il bersaglio di dieci buoni metri.

«Bel colpo!» approvò Bosch. «Ma non dovevi mirare al trabiccolo?»

Edgar gli lanciò un'occhiataccia, senza rispondere. Conti-nuò, pallina dopo pallina, per cinque minuti buoni, ma non riuscì mai ad avvicinarsi al bersaglio. Bosch taceva, mentre cresceva l'esasperazione di Edgar che alla fine, voltandosi, gli disse: «Vuoi provare tu?».

Bosch finse di essere confuso.

«Allora miravi a lui. Scusami, non l'avevo capito.»

«Su, muoviamoci.»

«Ti restano ancora metà delle palline.»

«Non importa. Questa storia mi ha stufato.» Infilando con gesto rabbioso la mazza nella sacca, Edgar lanciò un'occhia-ta di fuoco a Bosch, che dovette trattenersi per non scop-piare in una risata.

«Su, Jerry, vorrei vedere da vicino il nostro uomo. Non puoi esercitarti ancora un po'? Secondo me, tra poco ha finito.»

Edgar si guardò intorno. Il trabiccolo era vicino al segna-le dei cinquanta metri, il che voleva dire che avrebbe com-pletato il giro entro breve tempo. Non c'erano abbastanza palline in fondo al campo – solo quelle di Edgar e dei due tizi della pausa pranzo – perché gli convenisse tornare indie-tro e rifare tutto il percorso.

Edgar ci ripensò. Estrasse di nuovo la mazza, tornò alla piazzola verde di erba sintetica e sferrò un colpo perfetto che arrivò quasi al muro insonorizzato.

«Meglio di Tiger Woods!» esclamò.

La pallina successiva finì nell'erba vera, a tre metri dal tee.

«Merda!»

Intanto, allontanatosi dal campo, il trabiccolo si avviò

verso un deposito dietro la biglietteria dove Edgar aveva acquistato la sua dotazione di palline. La porta della gabbia metallica si aprì, lasciando uscire un uomo sui sessant'anni, che cominciò a tirare fuori dalla parte posteriore dei cesti di rete metallica pieni di palline per portarli nel deposito. Dopo aver detto a Edgar di continuare a tirare per non attirare l'attenzione, Bosch si avviò con noncuranza verso la biglietteria dove prese un'altra scorta di palline. Si trovava a pochi metri dall'uomo che aveva guidato il trabiccolo.

Era Samuel Delacroix. Bosch lo riconobbe dalla foto della patente che Edgar gli aveva mostrato. L'uomo, che tanto tempo prima aveva interpretato il ruolo del soldato ariano con i capelli biondi e gli occhi azzurri, facendo innamorare di sé una ragazza di diciotto anni, era ormai un individuo anonimo, spento. Era ancora biondo, evidentemente tinto, ma la sommità del capo rivelava un'incipiente calvizie. Le basette non rasate scintillavano grigie al sole. Il naso, gonfio per gli anni e l'alcol, era sovrastato da un paio di occhiali sgangherati. La pancia era quella del bevitore di birra.

«Due dollari e cinquanta.»

Levando lo sguardo sulla cassiera, Bosch pagò e ritirò il contenitore con le palline. Lanciò un'ultima occhiata a Delacroix che in quell'attimo si volse dalla sua parte. Per un istante si fissarono, poi Bosch si avviò alla volta di Edgar. Gli porse in fretta il contenitore, per prendere il telefono cellulare che aveva cominciato a squillare. Era Mankiewicz.

«Bosch, che cosa stai facendo?»

«Mi esercito a giocare a golf.»

«Me l'aspettavo. Tagliate la corda e ci lasciate qui a tirare la carretta.»

«Avete trovato Stokes?»

«Forse sì.»

«Dove?»

«Lavora alla Washateria. Vive dei pochi spiccioli che gli allungano.»

224

La Washateria era un centro di lavaggio macchine sul La Brea Boulevard. Vi lavorava gente a giornata che, come tutto compenso, prendeva qualche mancia e, se ci riusciva senza farsi beccare, rubava quello che trovava nelle auto.

«Chi l'ha riconosciuto?»

«Due della Buoncostume. Sono sicuri all'ottanta per cento. Vogliono sapere se devono farsi avanti oppure aspettarti.»

«Di' a quei due di non perderlo di vista, ci mettiamo subito in strada. Sai una cosa? Secondo me Stokes è il tipo che se la fila. Hai qualcuno sotto mano che potrebbe aiutarci a stargli addosso se cerca di battersela?»

«Ehm...»

Seguì un breve silenzio. Bosch intuì che Mankiewicz stava scorrendo l'elenco degli agenti in servizio.

«Ti è andata bene. Ci sono due che cominciano in anticipo il turno dalle tre alle undici. Saranno pronti a raggiungervi tra quindici minuti. Ti va bene?»

«Perfetto. Avvertili di trovarsi nel parcheggio all'angolo tra La Brea e il Sunset. E avverti anche i due della Buoncostume di venire lì.»

Bosch fece segno a Edgar che dovevano mettersi in moto.

«Oh, c'è dell'altro» disse Mankiewicz.

«Che cosa?»

«Uno degli agenti è la Brasher. Fa niente?»

Bosch rimase in silenzio per un attimo. Fu sul punto di dire a Mankiewicz di chiamare qualcun altro, ma non stava a lui obiettare. Se avesse tentato di influire sulla distribuzione degli incarichi, si sarebbe esposto alle critiche e forse anche a un'indagine della DAI.

«No, non c'è problema.»

«Senti, non lo farei, se non fosse che è una novellina. Ha commesso qualche errore e le serve un po' di esperienza.»

«Ho detto che va benissimo.»

31

Sɪ ʀɪᴜɴɪʀᴏɴᴏ ᴀᴛᴛᴏʀɴᴏ ᴀʟʟᴀ ᴍᴀᴄᴄʜɪɴᴀ di Edgar e decisero come muoversi per prendere Johnny Stokes. I due della Buoncostume, Eyman e Leiby, appoggiarono un taccuino sul tetto dell'auto e tracciarono uno schizzo con la pianta del centro lavaggio, segnando con un cerchio la tettoia dove avevano visto Stokes occupato a lucidare una macchina. L'impianto di lavaggio era chiuso su tre lati da un muro di cemento e da altre strutture. La zona anteriore, lunga una cinquantina di metri, era delimitata verso la strada da un muretto alto un metro e mezzo, alle estremità del quale si aprivano due corsie, una per l'entrata e l'altra per l'uscita delle macchine. Se Stokes si fosse dato alla fuga, avrebbe potuto cercare di scavalcare il muro di cinta, ma più probabilmente si sarebbe buttato verso le corsie.

Il piano era semplice. Eyman e Leiby si sarebbero appostati all'entrata, Julia Brasher e il suo collega, Edgewood, avrebbero tenuto d'occhio l'uscita. Bosch ed Edgar avrebbero portato dentro la macchina come clienti qualsiasi e avrebbero avvicinato Stokes. Sintonizzarono la radio su un canale tattico e concordarono un codice; rosso voleva dire che Stokes se l'era data a gambe; verde che si era consegnato senza far storie.

«Ricordati una cosa: quelli che lavorano lì, sia che lavino

i vetri, lucidino, strofinino, sono quasi tutti in fuga da qualcosa, anche solo dalla *migra*, la Polizia che si occupa dell'immigrazione clandestina. Perciò, anche se Stokes si lascia prendere, qualcun altro potrebbe mettersi a menar le mani. Quindi teniamoci pronti. Quando la Polizia entra in un lavaggio macchine è come gridare "al fuoco" in un teatro. Si scatena un fuggi fuggi generale.»

Annuirono, e Bosch fissò Julia Brasher, la novellina. Attenendosi al comportamento concordato la notte prima, si astennero da qualsiasi segno che potesse far pensare a una familiarità particolare. Ma lui voleva assicurarsi che fosse ben consapevole delle molte sorprese che una situazione del genere poteva riservare.

«Capito bene, novellina?» le chiese.

«Sissignore» confermò lei sorridendo.

«Bene. Allora diamoci una mossa.»

Gli parve di scorgere un sorriso sulle labbra di Julia mentre si allontanava con Edgewood. Si avviò verso la Lexus di Edgar, ma si fermò accorgendosi che l'auto era lustra e pulita, come se fosse nuova di zecca.

«Merda!»

«Che posso farci? Io tengo bene la mia macchina.»

Guardandosi intorno, Bosch notò che dietro il fast food, in una nicchia di cemento, era parcheggiata una Dumpster aperta, lavata da poco. Per terra si era raccolta una pozza di acqua lurida.

«Va' avanti e indietro in quella pozza un paio di volte. Magari riesci a raccattare qualche schizzo.»

«Harry, quella merda sulla mia macchina non ce la voglio.»

«Su, avanti. Deve sembrare che abbia bisogno di una lavata, altrimenti rischiamo di tradirci. L'hai detto tu stesso che Stokes è il tipo da darsela a gambe. Non offriamogli il motivo per farlo.»

«Il problema è che non siamo qui per lavare la macchina,

227

quindi una volta che quella merda le si è incollata sopra, ci rimarrà.»

«Sta' a sentire, Jerry. Se lo becchiamo, chiederò a Eyman e Leiby di portarlo in sede, e tu nel frattempo ti farai pulire la tua Lexus da cima a fondo. Pago io.»

«Oh, cazzo.»

«Su, va' avanti e indietro in quella pozzanghera. Stiamo perdendo tempo.»

Dopo avere insudiciato l'auto, si avvicinarono al lavaggio. Quando arrivarono, Bosch notò che la macchina di Eyman e Leiby era parcheggiata in curva a breve distanza dalla corsia di ingresso. Più giù, oltre l'impianto, tra le altre vetture in sosta, c'era l'unità di pattuglia. Bosch prese la ricetrasmittente.

«Tutto a posto?»

Gli agenti della Buoncostume gli risposero con due clic, Julia Brasher diede conferma a voce.

«Andiamo!»

Edgar imboccò la corsia di servizio dove i clienti, nel consegnare la macchina, indicavano quale tipo di lavaggio e lucidatura volevano. Bosch cominciò a scrutare tra gli addetti, tutti vestiti allo stesso modo, con tute arancione e berretti da baseball. Questo rallentava l'identificazione, ma ben presto Bosch scorse la tettoia della lucidatura e individuò Johnny Stokes.

«Eccolo lì» disse a Edgar. «È quello che si sta dando da fare con la BMW nera.»

Bosch sapeva che, non appena fossero scesi dalla macchina, i presenti, in gran parte ex detenuti, avrebbero immediatamente riconosciuto in loro due sbirri. Come Bosch individuava gli ex carcerati a colpo sicuro, questi fiutavano quasi sempre la presenza di un poliziotto. Avrebbe dovuto avvicinarsi a Stokes molto rapidamente.

Volse lo sguardo a Edgar.

«Pronto?»

«Muovíamoci.»

Aprirono le portiere della macchina nello stesso istante. Saltando giù Bosch si avviò verso Stokes che era girato di spalle, a una ventina di metri di distanza, e stava spruzzando qualcosa sulle ruote dell'auto.

Bosch sentì Edgar che diceva a qualcuno di non pulire l'interno perché aveva fretta.

Avevano percorso metà della distanza quando alcuni lavoranti si accorsero di loro. Da dietro le sue spalle, Bosch sentì delle voci allarmate che si levavano.

Messo sull'avviso, Stokes si raddrizzò per voltarsi. Bosch si mise a correre. Era a pochi metri da lui quando l'ex detenuto si accorse di essere lui l'obiettivo. La via di fuga più immediata era alla sua sinistra e da lì, attraverso l'impianto di lavaggio, verso l'ingresso, ma la BMW gli bloccava il passaggio. Si spostò a destra ma si fermò, accorgendosi che non c'era modo di uscire.

«No, no!» urlò Bosch. «Vogliamo solo parlarle!»

Stokes parve accasciarsi. Bosch si mosse direttamente verso di lui, mentre Edgar si spostava verso destra per bloccare un eventuale tentativo di fuga.

Bosch rallentò il passo e, avvicinandosi, spalancò le braccia. In una mano teneva la ricetrasmittente.

«Polizia. Vogliamo farle qualche domanda, nient'altro.»

«Di cosa si tratta, amico?»

«Di...»

D'un tratto Stokes levò il braccio, e spruzzò in faccia a Bosch il liquido detergente che aveva usato per pulire i pneumatici, poi scattò sulla destra con un balzo, dirigendosi apparentemente verso il fondo cieco dove l'alto muro posteriore dell'impianto di lavaggio si congiungeva con il muro laterale di un edificio residenziale di tre piani. Istintivamente Bosch si portò le mani agli occhi. Sentì Edgar che intimava a Stokes di fermarsi, poi lo scalpiccio dei suoi passi mentre si dava all'inseguimento. Senza riuscire ad aprire gli occhi,

Bosch urlò nella ricetrasmittente: «Rosso! Rosso! Rosso! Si sta dirigendo verso l'angolo in fondo».

Lasciò cadere a terra l'apparecchio, cercando di attutire la caduta con la scarpa. Si strofinò gli occhi con la manica della giacca, e finalmente riuscì a tenerli aperti per qualche momento. Dietro la BMW scorse un tubo di gomma arrotolato intorno a un rubinetto. Si avviò da quella parte, lo aprì, si spruzzò dell'acqua sul viso e sugli occhi, senza preoccuparsi di bagnarsi gli abiti. Gli sembrava di essere stato investito da un getto di acqua bollente.

Dopo qualche attimo l'acqua fresca gli attenuò il bruciore e lui, mollando il tubo senza curarsi di chiudere il rubinetto, tornò dove aveva lasciato cadere la ricetrasmittente. Le immagini erano ancora confuse, ma ci vedeva abbastanza per muoversi. Mentre si chinava per raccoglierla, sentì le risate di qualche altro lavorante in tuta arancione.

Bosch le ignorò. Azionò l'apparecchio per sintonizzarsi sul canale della Polizia di pattuglia e comunicò: «A tutte le unità. Agenti all'inseguimento di un uomo sospettato di aggressione, all'angolo tra La Brea e Santa Monica. L'uomo è un bianco sui trentacinque anni, capelli scuri, tuta arancione. Si muove nei pressi dell'impianto di lavaggio Washateria, a Hollywood».

Non ricordava l'indirizzo preciso del posto ma non se ne preoccupò. Tutti gli agenti di pattuglia avrebbero saputo come arrivarci. Si sintonizzò quindi sul canale principale del Dipartimento e chiese di mandare un'ambulanza per un agente ferito. Non sapeva che cosa Stokes gli avesse spruzzato negli occhi. Stava un po' meglio, ma non voleva correre il rischio di trascurare un'eventuale lesione grave. Da ultimo si sintonizzò sul canale dell'unità tattica e chiese dove si trovassero gli altri. Soltanto Edgar rispose.

«C'è una breccia nel muro di fondo. Da lì è arrivato a un vicolo. In questo momento si trova in uno dei condomini sul lato nord dell'autolavaggio.»

«Dove sono gli altri?»

La comunicazione andava e veniva. Edgar evidentemente si muoveva in una zona dove non arrivavano le onde radio.

«Sono tornati... si sono sparpagliati. Credo... garage. Tu... bene, Harry?»

«Me la caverò. Stanno arrivando dei rinforzi.»

Non sapeva se Edgar avesse sentito. Si infilò in tasca la ricetrasmittente e si diresse di corsa verso l'angolo posteriore dell'impianto, e qui vide la breccia da dove se l'era svignata Stokes. Dietro un carrello sul quale erano stipati grossi barili di detersivo liquido, si apriva un varco. Forse a produrlo era stata una macchina che, percorrendo il vicolo, era finita contro il muro. Che fosse stato creato intenzionalmente o no, costituiva una via di fuga per tutti i ricercati che lavoravano nella Washateria.

Accucciandosi, Bosch si infilò nel passaggio. La giacca gli si impigliò in un gancio arrugginito che sporgeva dal muro rotto. Si trovò in un vicolo fiancheggiato da edifici. A una quarantina di metri, messa di traverso, era ferma l'auto di pattuglia, vuota, con le portiere spalancate. La radio, appoggiata sul cruscotto, era sintonizzata sul principale canale di comunicazione, e Bosch sentiva il suono di voci. Più giù, all'estremità del vicolo, si trovava la macchina degli agenti della Buoncostume.

Si mosse in fretta verso la prima, con tutti i sensi all'erta. Quando la raggiunse, tirò fuori la radio per tentare di mettersi in contatto con qualcuno. Nessuna risposta. Si accorse che la macchina era ferma davanti a una rampa che portava a un garage sotterraneo, costruito al di sotto del condominio più grande. Ricordandosi che il furto d'auto faceva parte dei precedenti penali di Stokes, capì che l'uomo doveva essere sceso per tentare di rubarne una.

Si mise a correre lungo la rampa. Il garage era un locale enorme e buio, dello stesso stile del sovrastante edificio. C'erano tre corsie di parcheggio e un'altra rampa che scendeva a un secondo livello. Non vide nessuno. L'unico suono era il gorgoglio delle tubature sul soffitto. Si mosse rapido e silenzioso lungo la corsia di mezzo, e per la prima volta tirò fuori la pistola. Stokes, che era riuscito a trasformare uno spray in un'arma, ne avrebbe trovati a bizzeffe di aggeggi in un garage per procurarsi una via di fuga.

Avanzando, Bosch controllava le poche macchine parcheggiate cercando di capire se qualcuna era stata forzata. Non vide niente. Stava per prendere la ricetrasmittente, quando dal secondo livello gli giunse un rumore di passi in corsa. Si avviò rapido verso la rampa e prese a scendere, facendo attenzione a non far scricchiolare le suole di gomma delle sue scarpe.

Lì in basso il garage era ancora più buio. La luce del giorno che riusciva a filtrare era pochissima. Quando arrivò in fondo, i suoi occhi si erano quasi abituati all'oscurità. Non scorse nessuno, ma la rampa gli nascondeva metà dello spazio. Le girò attorno e sentì una voce tesa e acuta provenire dall'estremità opposta. Era quella di Julia Brasher.

«Fermo! Non muoverti!»

Bosch seguì il suono, tenendosi accanto alla rampa, con la pistola puntata. Stando alle regole, avrebbe dovuto avvertire Julia della sua presenza, ma sapeva che così l'avrebbe distratta, dando a Stokes l'occasione di aggredirla o di filarsela.

Passando sotto la rampa per abbreviare la distanza, Bosch li scorse a una quindicina di metri. Stokes era addossato al muro, con le braccia spalancate e le gambe divaricate e Julia lo teneva inchiodato, premendogli una mano sulla schiena. La sua torcia era abbandonata a terra, vicino al piede destro, e il fascio di luce illuminava la base del muro.

Perfetto. Bosch provò un senso di sollievo e immediatamente capì che il sollievo dipendeva dal fatto che lei era incolume. Si avvicinò, raddrizzandosi, e abbassò l'arma.

Aveva fatto pochi passi quando vide Julia allontanare la

mano da Stokes e arretrare di un passo, guardandosi a destra e a sinistra. Bosch si disse che era un grave errore. Certamente non era questo che le avevano insegnato all'Accademia. Lasciandolo libero, dava a Stokes la possibilità di tentare di nuovo la fuga.

A quel punto parve che tutto si muovesse al rallentatore. Bosch le urlò qualcosa, ma il garage all'improvviso si riempì del fragore di un colpo di pistola. Julia si accasciò, Stokes rimase in piedi. L'eco dell'esplosione si diffuse sotto la volta di cemento, impedendo a Bosch di capire da dove provenisse il colpo.

Sollevando l'arma, Bosch si accucciò in posizione di combattimento. Girò la testa per cercare chi aveva sparato, ma vide Stokes che si scostava dalla parete, e nello stesso istante scorse il braccio di Julia che si alzava e gli puntava contro la pistola.

Bosch spianò la sua Glock.

«Fermo!» urlò. «Non fare un gesto!»

Lo raggiunse in un attimo.

«Non sparare, amico!» urlò Stokes. «Non sparare!»

Bosch non gli staccava gli occhi di dosso. Gli bruciavano, ma sapeva che anche il minimo battito di palpebre poteva costituire un errore fatale.

«A terra! Subito!»

Stokes si buttò a pancia in giù e allargò le braccia a novanta gradi rispetto al corpo. Bosch gli si avvicinò, e gli chiuse le manette attorno ai polsi.

Infilò la pistola nella fondina e si volse verso Julia che aveva gli occhi spalancati e li muoveva in su e in giù. Il sangue le aveva imbrattato il collo e inzuppato il davanti della camicetta. Si chinò su di lei e gliela sbottonò. Il sangue sgorgava così copioso che gli ci volle qualche momento per localizzare la ferita. Il proiettile era penetrato nella spalla sinistra, a un centimetro dal giubbotto antiproiettile.

Julia era sempre più pallida. Muoveva le labbra, ma non

ne usciva alcun suono. Guardandosi intorno, Bosch notò che dalla tasca posteriore della tuta di Stokes spuntava uno straccio. Lo tolse di scatto e lo premette sulla ferita. Julia gemette per il dolore.

«Ti farà male, ma devo fermare l'emorragia.»

Si strappò la cravatta, gliela passò sotto la spalla, ne tirò i due lembi in alto, e l'annodò con forza per tenere in posizione lo straccio.

«Coraggio, Julia, tieni duro!»

Afferrata la ricetrasmittente, girò il pulsante delle frequenze per sintonizzarsi sul canale principale.

«C'è un agente ferito nel garage del condominio di La Brea Park, all'angolo tra La Brea e Santa Monica, secondo livello. Mandate un'ambulanza! La persona sospetta è in stato di fermo. Confermate!»

Attese per un tempo che gli parve lunghissimo prima che dal centro lo avvertissero che la comunicazione era caduta e doveva ripetere la chiamata. Premendo il pulsante, Bosch urlò nell'apparecchio: «Dov'è l'ambulanza? C'è un agente ferito!».

Chiamò l'unità tattica.

«Edgar, Edgewood, siamo nel garage, secondo piano in fondo. La Brasher è ferita. Stokes è in manette. Ripeto: Julia Brasher è ferita!»

Lasciando cadere l'apparecchio, chiamò a gran voce il nome di Edgar. Si tolse la giacca e l'appallottolò.

«Non sono stato io» strillò Stokes. «Non so cosa...»

«Piantala! Chiudi quella bocca del cazzo!»

Sistemò la giacca sotto la testa di Julia, che strinse i denti per il dolore. Le labbra erano esangui.

«Sta arrivando l'ambulanza, Julia. Li ho chiamati prima ancora che succedesse. Mi domando se non ho delle doti da sensitivo. Devi solo resistere ancora un po'. Ti prego, Julia, tieni duro.»

Lei aprì la bocca e parve fare uno sforzo immenso, ma

prima che potesse dire qualcosa, Stokes urlò di nuovo con una voce vibrante di paura, sull'orlo dell'isteria.

«Non sono stato io! Non lasciare che mi ammazzino. Non sono stato io, ti dico!»

Bosch gli si avvicinò e gli si appoggiò sulla schiena con tutto il suo peso. Piegandosi su di lui gli urlò direttamente nell'orecchio: «Piantala, cazzo! O ti faccio fuori io!».

Tornò a voltarsi verso Julia. Aveva gli occhi aperti e le guance rigate di lacrime.

«Ancora pochi minuti, Julia. Ti prego.»

Le tolse la pistola che teneva ancora tra le dita e la posò a terra, lontano da Stokes. Poi le strinse la mano tra le sue.

«Che cosa è successo? Che cosa diavolo è successo?»

Lei aprì la bocca, poi la chiuse. Bosch sentì il suono di passi che arrivavano di corsa. Gli giunse la voce di Edgar che lo chiamava.

«Sono qui!»

Un attimo dopo, Edgar ed Edgewood erano accanto a loro.

«Julia!» gridò Edgewood. «Merda!»

Senza un attimo di esitazione Edgewood avanzò di un passo e con cattiveria assestò un calcio al fianco di Stokes.

«Figlio di puttana!»

Si preparò a colpirlo di nuovo, ma Bosch lo interruppe urlando.

«No! Indietro! Sta' indietro!»

Afferrando Edgewood, Edgar lo allontanò con forza da Stokes, che aveva emesso un grido da animale ferito nel momento in cui aveva ricevuto il calcio e ora gemeva in preda alla paura.

«Porta Edgewood di sopra e indica all'ambulanza dove siamo» disse Bosch a Edgar. «Le ricetrasmittenti non servono a un cazzo qui sotto.»

Sembravano entrambi paralizzati.

«Su, sbrigatevi!»

Quasi in risposta arrivò da lontano il fischio delle sirene.

«Volete aiutarla sì o no? Avanti, conduceteli qui.»

Edgar fece voltare Edgewood e insieme corsero verso la rampa.

Bosch si chinò su Julia, che era ormai di un pallore mortale, vicina al collasso. Bosch non riusciva a capire. La ferita era alla spalla. Che fosse stata colpita due volte? Si chiese se avesse sentito due scoppi. Possibile che il fragore del primo avesse coperto il secondo? La toccò ma non scoprì nulla. Per paura di provocare un danno peggiore evitò di girarla sulla schiena per controllare.

«Su, Julia, coraggio! Ce la farai. Mi senti? L'ambulanza sta per arrivare. Forza!»

Lei aprì la bocca, sporse il mento e cominciò a parlare.

«Lui... ha afferrato... ha cercato...»

Strinse i denti e mosse la testa da una parte all'altra, poi tentò nuovamente di dire qualcosa.

«Non è stato... io non...»

Bosch mise la faccia vicino alla sua e abbassò la voce parlando con un sussurro frettoloso.

«Sssst! Non parlare. Devi solo restare viva. Concentrati, Julia. Tieni duro. Ti prego, non morire.»

Sentiva il garage che si riempiva di rumori. Dopo un attimo sul muro si disegnarono delle luci rosse e un'ambulanza venne a fermarsi vicino a loro, seguita da un'auto di pattuglia e da uno sciame di agenti che scendevano di corsa lungo la rampa.

«Oh, Dio!» borbottò Stokes. «Fa' che non succeda.»

Il primo infermiere che li raggiunse mise una mano sulla spalla di Bosch e lo allontanò. Bosch non reagì. Si rendeva conto che ormai era di troppo. Mentre indietreggiava, Julia lo afferrò per l'avambraccio e lo tirò verso di sé.

«Harry, non lasciare che...» disse con voce flebile.

Il medico le mise una maschera sul viso e le parole andarono perdute.

«Per favore, stia indietro!» gli ordinò con fermezza l'infermiere.

Ancora in ginocchio, Bosch indietreggiò poi, tendendo la mano, afferrò la caviglia di Julia e la strinse.

«Andrà tutto bene, Julia.»

«Julia?» intervenne il secondo medico inginocchiandosi vicino a lei con uno scatolone pieno di aggeggi.

«È il suo nome.»

«Bene, Julia, io sono Eddie e lui è Charlie. Per non perdere tempo ti medicheremo qui. Come ha detto il tuo amico, andrà tutto bene. Ma tu devi aiutarci. Stringi i denti, vedrai che ce la farai.»

Julia tentò di dire qualcosa ma le parole si arrestarono nella mascherina.

Mentre i due infermieri le prestavano le prime cure, quello che si chiamava Eddie non smise un attimo di parlarle. Bosch si alzò e si avvicinò a Stokes, poi lo sollevò da terra e lo spinse lontano.

«Ho le costole rotte. Mi serve un dottore» si lamentò l'uomo.

«Credimi, Stokes, con le costole non c'è niente da fare. Quindi chiudi quella bocca del cazzo.»

Sopraggiunsero due agenti in uniforme che Bosch riconobbe: erano gli stessi che qualche sera prima avevano detto a Julia che l'avrebbero aspettata da Boardner.

«Lo portiamo alla centrale.»

Bosch li oltrepassò senza esitazione, continuando a spingere Stokes davanti a sé.

«No, è mio.»

«Lei deve restare qui a disposizione dell'ACA. È un testimone, detective Bosch.»

Avevano ragione. Tra poco sarebbe arrivato sulla scena l'ACA, l'ufficio che si occupava dei casi in cui un agente veniva colpito durante un'azione e Bosch era un testimone chiave, visto che aveva assistito alla scena. Ma non aveva nessuna intenzione di affidare Stokes a qualcuno di cui non potesse fidarsi con assoluta certezza.

Continuò a spingerlo, verso la rampa che portava all'uscita.

«Senti, Stokes, hai voglia di continuare a vivere?»

Nessuna risposta. L'uomo camminava ripiegato su se stesso per contrastare il dolore alle costole. Bosch lo toccò piano nel punto in cui Edgewood gli aveva rifilato il calcio. Stokes emise un profondo lamento.

«Mi hai sentito? Vuoi uscirne vivo?»

«Ma certo.»

«Allora ascoltami. Ti farò mettere in una stanza e tu non parlerai con nessuno tranne che con me. Mi hai capito bene?»

«Sì, ma tu avvertili di non farmi del male. Io sono innocente, non so nemmeno quello che è successo. Lei mi ha urlato di mettermi contro il muro e io ho obbedito. È andata così, lo giuro...»

«Piantala!» ordinò Bosch.

Lungo la rampa stavano scendendo altri poliziotti, e lui voleva portare fuori Stokes al più presto.

Quando arrivarono all'esterno, Bosch vide Edgar che, in piedi sul marciapiede, parlava al cellulare e con l'altra mano faceva segno a un'ambulanza di scendere nel garage. Bosch sospinse Stokes verso di lui. Mentre i due si avvicinavano, Edgar interruppe la comunicazione.

«Ho parlato con Grace Billets. Sta arrivando.»

«Bene. Dove hai la macchina?»

«È ancora al lavaggio.»

«Va' a prenderla. Portiamo Stokes alla centrale.»

«Harry, non puoi allontanarti...»

«Hai visto anche tu come ha reagito Edgewood. Dobbiamo portare questo sacco di merda in un posto sicuro. Va' a ricuperare la macchina. Mi prendo io la responsabilità, se ci saranno delle grane.»

«Come vuoi.»

Edgar si mise a correre verso il lavaggio. Bosch vide che vicino all'angolo del condominio c'era un palo della luce. Spinse Stokes in quella direzione e lo ammanettò con le braccia allacciate attorno al palo.

«Tu aspetta qui.»

Si allontanò di mezzo metro e si passò le mani tra i capelli.

«Che cosa è successo laggiù?»

Non si rese conto di avere parlato ad alta voce finché Stokes non tornò a balbettare che lui non c'entrava.

«Sta' zitto» gli ordinò Bosch. «Non stavo parlando con te.»

32

Passando per la sala detective, Bosch ed Edgar condussero Stokes lungo il breve corridoio che portava alle stanze degli interrogatori. Entrarono nella numero 3 e lo ammanettarono all'anello di acciaio fissato in mezzo al tavolo.

«Torneremo fra un po'» lo avvertì Bosch.

«Non lasciatemi qui» prese a dire Stokes. «Verranno a cercarmi.»

«Non verrà nessuno. Resta seduto e sta' tranquillo.»

Andandosene, chiusero la porta a chiave. Bosch si avvicinò al tavolo della Omicidi. La sala detective era deserta. Era un'abitudine consolidata che, quando un poliziotto della Divisione veniva ferito, tutti si recassero sul luogo della sparatoria. Era un gesto di solidarietà che serviva a conservare la fiducia nell'uniforme e rendere tutti consapevoli che, a chiunque fosse successo, gli altri non lo avrebbero lasciato solo.

Bosch aveva il disperato bisogno di una sigaretta, gli serviva del tempo per riflettere e per trovare delle risposte. Mille pensieri gli si affollavano in testa. Era preoccupato per Julia, ma sapeva di non poter fare niente e comunque il modo migliore di controllare l'ansia era quello di concentrarsi su quanto, in quel momento, era alla sua portata.

Sapeva di avere poco tempo prima che la macchina dell'ACA si mettesse in moto, risalendo a lui e a Stokes. Prese il telefono e chiamò l'ufficio di guardia. Rispose Mankiewicz, forse l'unico che era rimasto in sede.

«Quali sono le ultime notizie? Come sta Julia?» chiese.

«Non lo so. Ho sentito dire che è grave. Tu dove sei?»

«Nella sala detective. Ho portato qui il ricercato.»

«Harry, sei pazzo? Hanno già aperto un'indagine sulla faccenda. Dovresti essere laggiù. Dovreste esserci tutti e due, tu e il tuo partner.»

«Temevo che la situazione precipitasse. Per questo l'ho portato qui. Fammi un favore, avvertimi non appena hai notizie di Julia.»

«Senz'altro.»

Bosch stava per riattaccare quando si ricordò di una cosa.

«Senti, Edgewood ha maltrattato di brutto il nostro sospetto, che era per terra ammanettato. Deve avergli rotto quattro o cinque costole.»

Bosch s'interruppe, ma Mankiewicz non fece commenti.

«Decidi tu. Posso fargli rapporto, o lasciare che te la sbrighi tu a modo tuo.»

«D'accordo, me ne occuperò io.»

«Bene. E non dimenticare di tenermi informato.»

Bosch riattaccò e lanciò un'occhiata a Edgar che annuì in segno di approvazione per come aveva gestito la faccenda.

«E Stokes?» chiese Edgar. «Harry, cosa cazzo è successo in quel garage?»

«Sinceramente non lo so. Ascoltami, ora vado da lui e gli chiedo di Arthur Delacroix. Vedo quel che riesco a sapere prima che ci piombino addosso quelli dell'ACA e se lo portino via. Cerca di trattenerli, quando arrivano.»

«Già, facile come vincere il campionato mondiale di golf.»

«Non ho dubbi.»

Bosch ripercorse il corridoio fino alla stanza numero 3 e stava per entrare quando si ricordò di non avere ancora ripreso il registratore che aveva dato a Carol Bradley, la detective degli Affari Interni. Voleva registrare l'interrogatorio

241

di Stokes. Entrò nel locale adiacente dove attivò la cinepresa e mise in moto il registratore di riserva. Quindi tornò da Stokes.

Gli si sedette di fronte. L'uomo pareva spento, privo di vita. Neanche un'ora prima stava lucidando una BMW per guadagnarsi qualche dollaro. E adesso, se gli andava bene, la prospettiva era quella di tornare in carcere. Sapeva che il sangue di un agente avrebbe attirato i pescecani. Erano molti i casi di sospetti che venivano uccisi durante un tentativo di fuga o che si impiccavano in stanze come quella. O almeno questa era la versione che veniva comunicata alla stampa.

«Ti do un consiglio» disse Bosch. «Se vuoi che tutto fili liscio cerca di stare calmo e non fare cazzate. Non metterli nella condizione di tirar fuori le armi. Mi hai capito?»

Stokes annuì.

Bosch vide che nel taschino della tuta aveva un pacchetto di Marlboro. Si allungò attraverso il tavolo e l'altro reagì con uno scatto di paura.

«Ti ho detto di rilassarti.»

Prese il pacchetto e si accese una sigaretta con un fiammifero, strappandolo dalla bustina infilata nel rivestimento di cellophane. Prese un cestino della carta straccia che stava in un angolo e vi lasciò cadere il fiammifero.

«Se avessi voluto malmenarti, l'avrei fatto nel garage. Grazie della sigaretta.»

Bosch la stava assaporando con gusto. Erano almeno due mesi che non ne toccava una.

«Posso fumare anch'io?» chiese Stokes.

«No, non te lo meriti. Non ti meriti niente, cazzo. Ma voglio fare un patto con te.»

Stokes levò lo sguardo su di lui.

«Ricordi il calcio che ti sei preso nelle costole? Ascoltami bene, tu ti comporti da uomo e dimentichi il calcio e io dimentico che mi hai spruzzato quella merda in faccia.»

«Ho le costole rotte, amico.»

«E a me gli occhi bruciano ancora, amico. Mi hai buttato addosso un agente chimico. Rischi di essere accusato di aggressione a pubblico ufficiale e di essere rispedito a Corcoran in men che non si dica. Ci sei già stato a Cork, non è vero?»

Bosch lasciò che le sue parole si imprimessero bene nella testa di Stokes.

«Allora? Affare fatto?»

Stokes annuì, poi disse: «Che differenza fa? Tanto diranno che sono stato io a sparare».

«Ma io lo so che non sei stato tu.»

Bosch colse un barlume di speranza nello sguardo dell'altro.

«E racconterò esattamente quello che ho visto.»

«D'accordo.» La voce di Stokes era diventata un sussurro.

«Cominciamo dall'inizio. Perché sei scappato?»

«Perché è quello che faccio sempre, amico. Scappo. Sono un ex detenuto e tu sei la Legge, e quindi io me la batto.»

Bosch si rese conto che nella confusione generale nessuno aveva pensato a perquisire Stokes. Gli ordinò di mettersi in piedi, e l'altro eseguì, piegandosi sul tavolo per via delle manette ai polsi. Bosch gli andò alle spalle e cominciò a frugargli nelle tasche.

«Hai qualche siringa?»

«No, amico, niente siringhe.»

Mentre lo perquisiva, stringeva la sigaretta tra le labbra e il fumo, salendo, gli acuiva il bruciore agli occhi. Nelle tasche trovò un portafogli, un mazzo di chiavi e un rotolo di banconote da un dollaro per un totale di ventisette dollari. Le mance di quella giornata. Nient'altro. Se Stokes si era portato della droga per uso personale o per spacciarla, se ne era sbarazzato durante la fuga.

«Perlustreranno il posto coi cani» disse Bosch. «Se hai buttato via la roba, la troveranno e io non potrò più aiutarti.»

«Non ho buttato via un bel niente. Se troveranno qualcosa, significa che ce l'hanno messa loro.»

«Come scusa non è male.»

Si appoggiò allo schienale. «Ricordi qual è la prima cosa che ti ho detto? Che volevo farti solo qualche domanda. Bene, era la verità. Tutta questa merda...» Fece un ampio gesto con le mani. «Avremmo anche potuto evitarla se tu mi avessi dato ascolto.»

«I poliziotti non si accontentano mai di qualche domanda, vogliono sempre qualcosa di più.»

Bosch annuì. Non si era mai stupito del fatto che gli ex detenuti sapessero per filo e per segno come andava la vita.

«Parlami di Arthur Delacroix.»

Stokes parve perplesso.

«Chi?»

«Arthur Delacroix, l'amico con cui andavi in skateboard quando stavi a Miracle Mile. Ti ricordi?»

«Santo cielo, è passato...»

«Un mucchio di tempo, lo so. Per questo te lo chiedo.»

«Cosa vuoi sapere? Se n'è andato da un pezzo, amico.»

«Voglio che mi parli di lui, di quando sparì.»

Stokes si guardò le mani chiuse nelle manette e lentamente scosse la testa.

«Ne sono passati di anni! Non mi ricordo più niente.»

«Fa' uno sforzo. Perché se n'è andato?»

«Non lo so. Non ne poteva più di quella sua vita di merda, così tagliò la corda.»

«Ti ha detto che aveva intenzione di andarsene?»

«No, se ne andò e basta. Da allora non l'ho più visto.»

«Hai detto che non ne poteva più di quella sua vita di merda. Che cosa significa? Che tipo di vita faceva?»

«Niente, era una vita di merda e basta.»

«Non andava d'accordo con i suoi?»

Stokes scoppiò a ridere. «Non andava d'accordo con i suoi?» ripeté, facendogli il verso. «E chi va d'accordo con i suoi, amico?»

«Voglio sapere se in famiglia lo picchiavano.»

244

Un'altra risata.

«E chi non veniva picchiato? Il mio vecchio mi avrebbe sparato piuttosto che scambiare qualche parola con me. Quando avevo dodici anni mi tirò addosso una lattina di birra, solo perché avevo mangiato un taco che voleva mangiarsi lui. Dopo quell'episodio mi portarono via.»

«Un gran peccato, ma in questo momento stiamo parlando di Arthur Delacroix. Ti ha mai detto se suo padre lo picchiava?»

«Non era necessario. Era sempre pieno di lividi. Non l'ho mai visto senza un occhio nero.»

«Forse perché cadeva dallo skateboard.»

Stokes scosse la testa.

«Stronzate, amico. Artie era il migliore. Non faceva altro. Troppo bravo per farsi male.»

Bosch teneva i piedi appoggiati a terra. All'improvviso il pavimento cominciò a vibrare e lui capì che c'era qualcuno nella sala detective. Allungò una mano e fece scattare il pulsante che azionava la chiusura della porta.

«Ti ricordi quando fu ricoverato in ospedale? Si era ferito alla testa. Ti ha mai detto se era stato perché era caduto con lo skateboard?»

Stokes aggrottò le sopracciglia e abbassò lo sguardo. Le parole di Bosch avevano acceso un improvviso ricordo.

«Ricordo che aveva la testa rasata e dei punti... la cicatrice sembrava una chiusura lampo. Ma non ricordo che cosa fosse successo...»

Qualcuno tentò di aprire la porta dall'esterno. Poi si udì bussare con forza. Seguì il suono soffocato di una voce.

«Detective Bosch, sono il tenente Gilmore dell'ACA. Apra questa porta.»

Stokes arretrò, in preda al panico.

«Non... non li faccia...»

«Sta' zitto!» Sporgendosi attraverso il tavolo, afferrò Stokes per i lembi della tuta e lo tirò a sé. «Ascoltami: è importante.»

Ci furono altri colpi alla porta.

«Mi stai dicendo che Arthur non ti raccontò mai che era suo padre a malmenarlo?»

«Senti, amico, proteggimi e io ti dirò tutte le stronzate che vuoi. D'accordo? Suo padre era un figlio di puttana. Vuoi che ti dica che picchiava Artie con il manico della scopa? O preferisci una mazza da baseball? Scegli tu...»

«Voglio che tu mi dica la verità, solo la verità. Ti raccontò mai di essere stato picchiato?»

La porta si spalancò. Avevano usato la chiave di riserva. Entrarono due uomini in borghese. Gilmore, che Bosch conosceva, e un altro detective che non aveva mai visto.

«La festa è finita» annunciò Gilmore. «Bosch, che cazzo ci fa qui?»

«Sì o no?» continuò Bosch, rivolto a Stokes.

L'agente che non conosceva gli prese dalla tasca la chiave delle manette e le aprì.

«Non ho fatto niente» cominciò a protestare Stokes. «Non ho...»

«Te lo ha mai detto?» urlò Bosch.

«Portalo fuori» abbaiò Gilmore. «Mettilo in un'altra stanza.»

Il poliziotto sollevò di peso Stokes dalla sedia e un po' spingendolo, un po' trascinandolo, lo condusse fuori. Le manette rimasero sul tavolo. Bosch rimase a fissarle con lo sguardo vacuo, pensando alle risposte che gli aveva dato Stokes. Si sentiva il petto stretto in una morsa. Tutta la faccenda si era rivelata un ennesimo vicolo cieco. Stokes non aveva aggiunto niente di utile all'indagine. Julia era stata ferita. E tutto per niente.

Finalmente si decise a guardare Gilmore, che chiuse la porta e si voltò verso di lui.

«Allora, si può sapere che cazzo ci fa qui?»

246

33

GILMORE GIOCHERELLAVA CON LA MATITA che teneva tra le dita, tamburellando di tanto in tanto sul tavolo con il gommino posto all'estremità. Bosch non si fidava degli investigatori che prendevano appunti a matita. Ma il compito dell'ACA era esattamente quello: confezionare di ogni fatto una versione consona all'immagine che la Polizia voleva presentare al pubblico. Per questo si servivano di gomma e matita, mai dell'inchiostro o di un registratore.

«Allora, ricapitoliamo ancora una volta quello che è accaduto» disse Gilmore. «Mi dica di nuovo che cosa ha fatto l'agente Brasher.»

Bosch guardò davanti a sé. Nella stanza degli interrogatori era stato fatto accomodare sulla sedia destinata ai sospetti, di fronte allo specchio unidirezionale dietro il quale di sicuro c'era almeno una mezza dozzina di poliziotti, e tra questi probabilmente il vice capo Irving. Chissà se si erano accorti che il video era in funzione? Se sì, lo avrebbero immediatamente spento.

«Non so come abbia fatto, ma si è ferita da sola.»

«E lei l'ha visto.»

«Non esattamente. Io ero alle sue spalle.»

«Come può affermare allora che si sia colpita da sola?»

«Perché non c'era nessun altro presente, tranne lei, io, e

Stokes. Io non le ho sparato, Stokes non le ha sparato. E quindi deve essersi ferita da sola.»

«Durante la colluttazione con Stokes?»

Bosch scosse la testa.

«No, non c'è stata colluttazione al momento dello sparo. Non so che cosa fosse successo prima che arrivassi nel garage, ma al momento dello sparo Stokes aveva le mani alzate e appoggiate al muro, e le voltava la schiena. Julia Brasher lo teneva bloccato con una mano. L'ho vista retrocedere di un passo e abbassare il braccio. Non ho notato la pistola ma ho sentito l'esplosione e ho visto il lampo. Poi lei è caduta.»

Gilmore tamburellò con forza la matita sul tavolo.

«Non ha paura che interferisca con la registrazione?» chiese Bosch riferendosi al rumore, ma subito aggiunse: «Già, ma voi ragazzi non mettete mai niente su nastro».

«Lasciamo perdere. Che cosa è successo poi?»

«Mi sono mosso verso di loro. Stokes si è voltato per vedere cosa era accaduto. Da terra l'agente Brasher ha alzato la mano destra mirando a Stokes.»

«Ma non ha sparato, vero?»

«No. Io ho urlato "Fermo!", lei non ha sparato e lui si è immobilizzato. Mi sono avvicinato e ho fatto distendere Stokes a terra. Gli ho messo le manette. Poi ho chiesto aiuto per radio e ho tentato come potevo di dare sollievo all'agente Brasher.»

Gilmore masticava una gomma così rumorosamente che Bosch ne era infastidito. Andò avanti per un po', poi riprese a parlare.

«Quello che non capisco è come abbia fatto a ferirsi.»

«Dovrà chiederlo a lei. Io le sto dicendo solo quello che ho visto.»

«Sì, ma adesso lo sto chiedendo a lei. Era presente, no? Cosa ne pensa?»

Bosch tacque a lungo. Tutto era successo così in fretta. Aveva smesso di pensare al garage per concentrarsi su Stokes, ma ora la scena continuava a passargli davanti agli occhi. Si strinse nelle spalle.

«Non lo so.»

«Ascolti, cerchiamo di ricapitolare quello che mi ha appena raccontato. Supponiamo che la Brasher stesse per rimettere la pistola nella fondina, il che sarebbe stato contrario a ogni regola, ma supponiamolo ugualmente. La stava infilando nella fondina per poter ammanettare l'uomo. La fondina è sul fianco destro e l'entrata del proiettile è sulla spalla sinistra. Le cose non coincidono.»

Bosch si ricordò che poche notti prima Julia gli aveva chiesto come si era procurato la ferita alla spalla sinistra, gli aveva chiesto della sparatoria e del dolore che aveva provato. Gli parve che la stanza gli si stringesse addosso e si sentì soffocare. Cominciò a sudare.

«Non so cosa dire» rispose.

«Sono molte le cose che non sa, vero, Bosch?»

«So solo quello che ho visto, e mi sembra di averglielo già detto.»

Se almeno non gli avessero portato via il pacchetto di sigarette di Stokes!

«Che tipo di rapporto c'era tra lei e l'agente Julia Brasher?»

Bosch abbassò lo sguardo sul tavolo.

«Cosa intende dire?»

«Da quanto mi hanno riferito, lei se la scopava. Ecco cosa voglio dire.»

«Ha a che fare con questa faccenda?»

«Non lo so. Me lo dica lei.»

Bosch non rispose. Doveva fare un grande sforzo per non tradire la collera che gli stava montando dentro.

«Tanto per cominciare, il vostro rapporto era contrario alle regole del nostro Dipartimento» disse Gilmore. «Ne è al corrente, no?»

«Julia Brasher fa servizio di pattuglia, io sono nel settore investigativo.»

«È una distinzione fittizia. Lei è un detective di alto grado, nella scala gerarchica è a livello di un supervisore. La Brasher è una novellina, un agente alle prime armi. Se fossimo nell'esercito, tanto per cominciare si beccherebbe una censura, poi forse finirebbe agli arresti.»

«Ma siamo nella Polizia. Che cosa devo aspettarmi? Una promozione?»

Era la prima mossa offensiva di Bosch, un avvertimento a Gilmore perché cambiasse strada. Era un riferimento velato alle storie, note e meno note, tra funzionari di alto rango e la truppa. Si sapeva che il sindacato di Polizia, che rappresentava gli agenti fino al grado di sergente, aspettava a piè fermo di contrastare qualsiasi azione disciplinare presa sulla base del cosiddetto codice di molestie sessuali.

«Non le giova fare il furbo con me» disse Gilmore. «Sto conducendo un'indagine.»

A queste parole fece seguire un serrato tamburellare, mentre fissava i pochi appunti che aveva scritto sul suo taccuino. Bosch sapeva bene che Gilmore stava conducendo un'indagine al contrario: partiva dalla conclusione e poi prendeva in considerazione solo i fatti che convalidavano l'ipotesi.

«Come vanno gli occhi?» chiese infine, senza alzare lo sguardo.

«Uno mi fa ancora un male cane. Ho la sensazione di avere due uova fritte dentro le orbite.»

«Ha detto che Stokes le ha spruzzato in faccia del detersivo.»

«Esatto.»

«E l'ha momentaneamente accecata.»

«Esatto.»

Gilmore si alzò e prese a camminare nel ristretto spazio dietro la sedia.

«Quanto tempo, a suo giudizio, è passato tra quando Stokes le ha spruzzato il detersivo, accecandola, e il momento in cui si è trovato in quel garage privo di illuminazione dove, stando alle sue dichiarazioni, ha visto la Brasher che si feriva?»

Bosch rifletté per qualche attimo.

«Mi sono lavato gli occhi con dell'acqua che usciva da un tubo di gomma, poi mi sono lanciato all'inseguimento. Direi che non sono passati più di cinque minuti.»

«Da cieco a occhio di falco in cinque minuti.»

«Non la metterei in questi termini, ma direi che i tempi sono questi.»

«Meno male che qualcosa ho azzeccato. La ringrazio.»

«Ma si figuri, tenente.»

«Quindi mi sta dicendo che, prima dello sparo, lei non ha visto alcuna colluttazione volta a impossessarsi della pistola dell'agente Brasher. È così?»

Gilmore teneva le mani strette dietro la schiena, e impugnava la matita come una sigaretta. Bosch si sporse sul tavolo. Capiva perfettamente i suoi trucchetti semantici.

«Non giochi con le parole, tenente. Non ho visto la colluttazione perché non c'è stata. Se ci fosse stata, l'avrei vista. È chiaro?»

Gilmore non replicò. Continuò a camminare avanti e indietro.

«Senta» proseguì Bosch. «Perché non fate qualche test a Stokes? Che so, il guanto di paraffina, l'esame della tuta che indossava? Non troverete niente e la faccenda si chiuderà qui.»

Gilmore tornò alla sedia e si appoggiò allo schienale. Scosse la testa guardando Bosch.

«Lo sa? Sarei felicissimo di farlo. Normalmente, in una situazione del genere, per prima cosa si cercano le tracce di polvere da sparo. Ma purtroppo lei ha combinato un guaio. Si è assunto la responsabilità di allontanare Stokes dalla scena della sparatoria per portarlo qui. Quindi la raccolta delle prove è stata compromessa, se ne rende conto? Stokes poteva lavarsi, cambiarsi d'abito e chissà che altro. Solo perché lei ha avuto la bella pensata di condurlo qui.»

Bosch si aspettava un'obiezione del genere ed era pronto a ribattere.

«Era una misura di sicurezza. Il detective Edgar potrà confermarglielo. E anche Stokes, che ho sempre tenuto sotto sorveglianza finché lei non ha fatto irruzione qui dentro.»

«Comunque sia, lei ha ritenuto che la sua indagine fosse più importante che accertare i fatti relativi al ferimento di un agente del nostro Dipartimento, no?»

Bosch non seppe rispondere, ma aveva capito le intenzioni di Gilmore. Era fondamentale concludere l'inchiesta con l'annuncio che Julia Brasher era stata colpita durante una colluttazione avvenuta per il possesso della sua pistola. Messa così, la faccenda si tingeva di una sfumatura di eroismo, che l'Ufficio Relazioni Esterne avrebbe potuto utilizzare a vantaggio del Dipartimento. Non c'era niente come il ferimento di un bravo poliziotto – una recluta di sesso femminile, per giunta – per ricordare al pubblico l'abnegazione delle forze dell'ordine, e il fatto che rischiavano la vita quotidianamente.

L'altra versione, quella che Julia Brasher si era inavvertitamente ferita con la propria arma, per non pensare ad altre ipotesi, avrebbe creato solo dell'imbarazzo. Un altro fallimento sul piano delle pubbliche relazioni, che andava ad aggiungersi alla lunga serie già esistente.

Gli ostacoli alla conclusione che stava a cuore a Gilmore – e con lui a Irving e a quelli delle alte sfere – erano Stokes e naturalmente Bosch. Stokes non rappresentava un problema. Era un pregiudicato che rischiava una lunga condanna per aver sparato a un poliziotto, e quindi le sue dichiarazioni potevano essere liquidate come dettate dalla convenienza e quindi irrilevanti. Bosch invece era un testimone oculare e portava il distintivo. Gilmore doveva indurlo

a cambiare versione, oppure, se non ci fosse riuscito, a scre-
ditare quella su cui insisteva. Il primo punto debole sul
quale fare leva erano le condizioni fisiche di Bosch. Considerato quello che si era beccato in faccia, era stato in grado
di vedere la scena? La seconda mossa era di attentare alla
sua integrità professionale. Per avvalersi della testimonianza di Stokes nella sua indagine per omicidio, era possibile
che Bosch arrivasse a mentire, sostenendo di non averlo
visto sparare?

Per uno come Bosch la manovra di Gilmore sfiorava la
bizzarria. Ma nel corso degli anni ne aveva viste capitare di
cose sgradevoli ai poliziotti che avevano intralciato la gigan-
tesca macchina preposta a dare al pubblico una certa immagine del Dipartimento.

«Aspetti un attimo...» intervenne, trattenendosi a stento
dal rivolgere al suo superiore un epiteto poco lusinghiero.
«Se cerca di dire che io ho mentito affermando che Stokes
non ha sparato a Julia... cioè all'agente Brasher... per tener-
melo a disposizione come testimone, be', con tutto il rispetto, lei è fuori di testa!»

«Detective Bosch, sto esaminando tutte le possibilità. È
mio dovere farlo.»

«Se le esamini da solo.» E si alzò, dirigendosi alla porta.

«Dove va?»

«Ne ho abbastanza, per me il discorso è chiuso.»

Con un'occhiata allo specchio aprì la porta, poi si volse a
guardare ancora una volta Gilmore.

«Ho qualche novità per lei, tenente. La sua è una teoria
di merda. Stokes è irrilevante per la soluzione del mio caso.
E anche Julia è rimasta ferita per niente.»

«Ma lei non lo sapeva finché non l'ha portato qui per
interrogarlo, vero?»

Bosch lo fissò e scosse la testa. «Buona giornata, tenente.»

Mentre usciva per poco non andò a sbattere contro Irving,
che se ne stava impettito nel corridoio, fuori della porta.

«Torni dentro un momento, detective» disse questi con voce pacata. «Per favore.»

Bosch rientrò e Irving lo seguì.

«Tenente, ci lasci un po' di spazio qui dentro» disse il vicecapo. «E faccia uscire tutti dall'altra stanza» aggiunse indicando lo specchio.

«Sì, signore» rispose Gilmore avviandosi alla porta e chiudendosela alle spalle.

«Si sieda» invitò Irving.

Bosch riprese posto davanti allo specchio. Irving rimase in piedi. Dopo un po', cominciò a camminare in su e in giù davanti allo specchio, offrendo agli occhi di Bosch un'immagine doppia.

«Diremo che la sparatoria è stata accidentale» disse Irving fissando Bosch. «L'agente Julia Brasher ha fermato la persona sospetta e nel rimettere la pistola nella fondina ha inavvertitamente fatto partire un colpo.»

«È quanto ha dichiarato Julia Brasher?»

Irving parve confuso per un attimo, poi scosse la testa.

«Per quanto ne so la Brasher ha parlato solo con lei, e da quanto lei ha detto, non ha fornito alcun particolare sulla sparatoria.»

Bosch annuì.

«Così la faccenda è chiusa?»

«Non vedo quali altri sviluppi dovrebbe avere.»

Bosch ricordò la fotografia dello squalo sul caminetto a casa di Julia. Pensò a quello che aveva appreso di lei in quel breve periodo. Ancora una volta gli passarono davanti agli occhi le immagini di quello che aveva visto nel garage. I conti non tornavano.

«Se non sappiamo essere onesti con noi stessi, come possiamo dire la verità alla gente?»

Irving si schiarì la gola.

«Non starò a discutere con lei, detective. Abbiamo preso una decisione.»

«È stato lei a prenderla.»

«Sì, io.»

«E Stokes?»

«Deciderà il procuratore distrettuale. Può essere denunciato per resistenza e, indirettamente, per omicidio. La sua fuga è stata la causa della successiva sparatoria. Sarà un problema tecnico. Se si riterrà che era in stato di fermo al momento dello sparo fatale, rischia di...»

«Aspetti un attimo» intervenne Bosch balzando in piedi. «Mi vuol dire cosa c'entra l'omicidio? E perché ha parlato di sparo fatale?»

Irving si voltò a guardarlo in faccia.

«Il tenente Gilmore non le ha detto niente?»

Bosch si lasciò cadere sulla sedia. Poi appoggiò il gomito sul tavolo e si coprì il viso con una mano.

«Il proiettile ha colpito un osso della spalla. A quanto pare è stato deviato all'interno, le ha attraversato il torace e ha colpito il cuore. Era già morta all'arrivo in ospedale.»

Bosch chinò il viso e si prese la testa tra le mani. Aveva le vertigini e temette di cadere dalla sedia. Cercò di respirare a fondo, finché il malessere passò. Dopo qualche istante Irving riprese a parlare, ma nella mente di Bosch si era fatto il buio.

«Detective, ci sono alcuni agenti del Dipartimento che vengono definiti "attira sfiga". Sono sicuro che ha sentito questa espressione. Personalmente la trovo molto volgare. Ma è come se fossero perseguitati dai guai. Non si sa come, capitano sempre a loro.»

Bosch attese quello che sarebbe seguito.

«Purtroppo, detective Bosch, lei è uno di questi.»

Bosch annuì senza quasi rendersene conto. Ricordava il momento in cui i medici del pronto soccorso avevano messo la mascherina sulla bocca di Julia, e le sue parole: «*Non lasciare che...*».

Che cosa intendeva? Non lasciarli fare che cosa? Cominciava a mettere insieme le cose e a capire quello che lei aveva voluto dirgli.

«Ho avuto molta pazienza con lei in questi anni» stava dicendo Irving, parlando abbastanza forte da superare la barriera dei suoi pensieri. «Ma adesso sono stufo. E anche il Dipartimento non ne può più. Cominci a prendere in considerazione il pensionamento. E non aspetti troppo tempo.»

Bosch non rispose, continuando a tenere la testa abbassata. Dopo un attimo sentì la porta che si chiudeva.

34

IN CONFORMITÀ AI DESIDERI dei familiari di Julia Brasher che intendevano rispettare la sua fede religiosa, il funerale si tenne il mattino successivo all'Hollywood Memorial Park. Poiché era stata uccisa accidentalmente in servizio, fu sepolta con tutti gli onori, compreso un corteo di motociclisti, ventun spari di cannone a salve e una generosa esibizione di medaglie e onorificenze sulle divise da parata. Durante la cerimonia, tutti e cinque gli elicotteri che componevano lo squadrone aereo del Dipartimento si librarono sopra il cimitero.

Al funerale, che si svolse a meno di ventiquattro ore dalla morte, non parteciparono in molti. Un poliziotto caduto in servizio di solito richiama le rappresentanze dei Dipartimenti di tutto lo stato, a volte persino degli altri stati del sud-ovest degli Stati Uniti. Non così per Julia. La rapidità del rito e le circostanze del decesso fecero della cerimonia funebre una faccenda di modeste dimensioni. Se fosse stata uccisa in uno scontro a fuoco, al cimitero ci sarebbe stata una folla di uniformi blu, ma un poliziotto che si ammazzava per sbaglio lasciando partire un colpo mentre riponeva la pistola non evocava quel misto di mito e pericolo associato al lavoro dei tutori dell'ordine.

Bosch rimase in fondo al gruppo. Dopo aver passato la notte a bere, cercando di soffocare la sofferenza e il senso di colpa, la testa gli pulsava. Ora erano due le morti di cui non riusciva a darsi ragione. Aveva gli occhi gonfi e iniettati di sangue ma, se mai qualcuno gliel'avesse fatto notare, poteva sempre attribuirne la responsabilità al detersivo che Stokes gli aveva spruzzato addosso il giorno prima.

Scorse Teresa Corazón, una volta tanto senza il suo cameraman, in prima fila insieme a quei pochi alti ufficiali che partecipavano alla cerimonia. Sebbene portasse un paio di occhiali da sole, Bosch capì che aveva notato la sua presenza. Teneva la bocca serrata in una linea dura e severa. Un perfetto sorriso da funerale.

Bosch fu il primo a distogliere lo sguardo.

Era una bellissima giornata. Il vento frizzante che si era levato dal Pacifico durante la notte aveva temporaneamente ripulito l'aria dallo smog. Perfino da casa sua il paesaggio era sembrato limpido quella mattina. I cirri, che solcavano alti il cielo, si confondevano con le scie dei jet. Il profumo dolce dei fiori sistemati vicino alla tomba si diffondeva tutt'attorno. Dal punto in cui si trovava, Bosch scorgeva le lettere della scritta HOLLYWOOD sul monte Lee, che sembravano sovraintendere alla cerimonia.

Il capo della Polizia non tenne alcun discorso, come soleva fare quando un agente cadeva in servizio. Parlò invece il comandante dell'Accademia e approfittò dell'occasione per dire che il pericolo era sempre in agguato e che la morte dell'agente Brasher doveva essere di monito a tutti perché non abbassassero mai la guardia. Nel suo discorso, che durò dieci minuti, si riferì a Julia soltanto come all'agente Brasher, il che diede alle sue parole un tocco impersonale quasi imbarazzante.

Per tutta la durata della cerimonia Bosch continuò a pensare alle foto dello squalo con le fauci spalancate e del vulcano che eruttava fiotti di lava incandescente. Chissà se Julia, nella sua ansia di sfidare il pericolo, era riuscita a dimostrare quello che voleva alla persona che aveva in mente.

Tra le uniformi blu che stavano intorno alla bara spiccava una chiazza grigia. Erano gli avvocati, il padre di Julia e i numerosi collaboratori del suo studio. In seconda fila, dietro suo padre, Bosch riconobbe l'uomo della fotografia sul caminetto nella casa di Venice. Per un attimo Bosch fu tentato di avvicinarsi e mollargli uno schiaffo o assestargli una ginocchiata nei genitali. Lì, davanti a tutti. Per poi puntargli un dito contro e dirgli che era stato lui a metterla sulla strada che l'aveva portata al cimitero.

Ma lasciò perdere. Sapeva che era sempre facile prendersela con qualcuno, ma non era giusto. In fondo tutti erano padroni di scegliere la propria strada. Ogni individuo poteva essere influenzato dagli altri, ma la scelta finale era sempre sua. Ciascuno si costruiva la propria gabbia per tenere lontani gli squali. Chi la apriva e si avventurava fuori, lo faceva a suo rischio e pericolo.

Sette reclute della classe di Julia Brasher si misero sull'attenti. Con i fucili puntati in alto spararono ciascuno tre colpi a salve, e i bossoli di ottone ricaddero sull'erba come lacrime, dopo avere disegnato un arco nell'aria. Non si era ancora spenta l'eco, che già gli elicotteri sorvolavano il cimitero. La cerimonia era conclusa.

Lentamente Bosch si avvicinò alla tomba, mentre gli altri si allontanavano. Si sentì toccare il gomito e voltandosi vide Edgewood, il partner di Julia.

«Volevo... volevo scusarmi per ieri» disse. «Non succederà più.»

Bosch attese che l'altro lo guardasse negli occhi, quindi annuì. Non aveva niente da dirgli.

«Grazie per non averne parlato a quelli dell'ACA.»

Edgewood pareva a disagio, fece un cenno col capo e si allontanò. Quando se ne fu andato, Bosch si trovò davanti una donna che era rimasta nascosta dietro il poliziotto. Una sudamericana con i capelli grigi. Gli ci volle un attimo prima di riconoscerla.

«Dottoressa Hinojos.»

«Detective Bosch, come sta?»

I suoi capelli erano diversi. Sette anni prima, quando Bosch era stato in terapia da lei, erano stati castano scuro senza un filo bianco. Continuava a essere una bella donna, ma il cambiamento era notevole.

«Me la cavo. Come vanno le cose per voi strizzacervelli?»

«Bene» rispose sorridendo.

«Ho sentito che adesso è diventata responsabile del settore.»

Lei annuì. Bosch si stava innervosendo. L'aveva conosciuta durante un suo congedo forzato causato da un eccesso di stress. Nelle sedute bisettimanali le aveva raccontato cose che non aveva mai detto a nessuno. E da quando aveva ripreso servizio non l'aveva più incontrata.

«Conosceva Julia Brasher?» le chiese.

Non era insolito che uno psichiatra del Dipartimento partecipasse al funerale di un agente caduto in servizio. A volte la sua presenza era utile, per confortare e dare consigli a chi ne avesse bisogno.

«No, non personalmente. Tempo addietro ho esaminato la sua domanda e ho ascoltato le registrazioni dei colloqui, dando parere favorevole alla sua assunzione in servizio.»

Rimase in attesa per un attimo, studiando la reazione di Bosch.

«Mi hanno detto che eravate amici e che lei ha assistito al fatto.»

Bosch annuì. I partecipanti al funerale stavano sfollando e passavano loro accanto nell'andarsene. La dottoressa Hinojos gli si avvicinò di un passo per non farsi sentire.

«Non è né il luogo né il momento, Harry, ma ho bisogno di scambiare qualche parola con lei su Julia Brasher.»

«Perché?»

«Voglio sapere quello che è successo, e perché.»

«È stato un incidente. Ne parli con Irving.»

«Già fatto, ma non basta. A lei sono sufficienti le spiegazioni ufficiali? Ne dubito.»

«Senta, dottoressa, Julia Brasher è morta. Non ho intenzione di...»

«Sono stata io ad approvare la sua assunzione. È stata la mia firma sulla domanda a consegnarle il distintivo della Polizia. Se abbiamo sbagliato – se ho sbagliato – voglio saperlo. Forse c'erano degli indizi che avremmo dovuto cogliere.»

Bosch annuì e abbassò lo sguardo sull'erba ai loro piedi.

«Non si preoccupi. Gli indizi c'erano e io avrei dovuto vederli. Ma non ho saputo interpretarli.»

La dottoressa si avvicinò di un altro passo. Bosch non poteva più evitare di guardarla.

«Allora ho ragione. C'è qualcos'altro in questa faccenda.»

Lui annuì.

«Niente di esplicito, di evidente. È che lei viveva sempre sull'orlo dell'abisso. Si esponeva al pericolo, cercava il rischio. Voleva dimostrare qualcosa. Non sono sicuro che le piacesse lavorare nella Polizia.»

«A chi voleva dimostrare qualcosa?»

«Non lo so. Forse a se stessa, forse a qualcun altro.»

«Harry, so che lei è una persona di grande intuito. Non c'è niente che può dirmi per aiutarmi?»

Bosch si strinse nelle spalle.

«Niente di preciso. Era quello che diceva o che faceva... Ho una cicatrice sulla spalla, il ricordo di una ferita da arma da fuoco. L'altra notte ne parlavamo e io le dissi che ero stato fortunato di essere stato ferito in quel punto perché lì ci sono solo ossa. Lei è rimasta colpita nello stesso punto. Solo che nel suo caso il proiettile è rimbalzato. Evidentemente non l'aveva previsto.»

La dottoressa Hinojos annuì e rimase in attesa.

«Ci sono cose che quasi mi rifiuto di pensare... non so se mi capisce.»

«Me ne parli, Harry.»

«Continuo a ritornare a quella scena. Ha puntato la pistola contro quell'uomo. Credo che se non fossi stato presente e non avessi urlato, lei gli avrebbe sparato. E forse, una volta che lui fosse stato a terra, gli avrebbe stretto le dita intorno alla pistola e avrebbe lasciato partire un colpo verso il soffitto o forse verso una macchina. O forse direttamente a lui. Era indifferente, visto che comunque gli avrebbero trovato sulle mani le tracce della polvere da sparo e lei avrebbe potuto sostenere che le aveva strappato la pìstola.»

«Mi sta dicendo che si è sparata per poterlo uccidere, dando di sé un'immagine eroica?»

«Non lo so. Diceva che il mondo ha bisogno di eroi, soprattutto al giorno d'oggi. Sperava di avere l'occasione di compiere un gesto eroico, prima o poi. Ma secondo me c'era dell'altro... era come se lei la volesse, quella cicatrice, come se volesse passare attraverso quell'esperienza.»

«Ed era disposta a uccidere per questo?»

«Non ne ho idea. Non so se la mia ipotesi sia giusta. È vero che era solo una recluta, ma aveva già eretto una barriera tra chi apparteneva alla Polizia e il resto del mondo, al punto da guardare con un certo disprezzo chiunque non portasse il distintivo. In un certo senso era consapevole di questa sua trasformazione e forse cercava una via d'uscita...»

Bosch scosse la testa e si guardò intorno. Il cimitero era ormai quasi deserto.

«Ora che ne parlo con lei, mi sembra quasi pazzesco. Immagino che sia impossibile conoscere a fondo un'altra persona, vero? Forse uno si illude di sapere come è fatta, le si avvicina fino al punto di fare l'amore, ma anche quando si raggiunge quest'intimità, non si sa mai quello che l'altro si porta dentro.»

«Sì, ciascuno ha i propri segreti.»

Bosch annuì e stava per allontanarsi.

«Aspetti, Harry.»

Alzò la borsetta, l'aprì e cominciò a rovistarvi dentro.

«Vorrei che parlassimo ancora di questa storia» disse tirando fuori un biglietto da visita e porgendoglielo. «Mi chiami. Sarà un colloquio confidenziale. Per il bene del Dipartimento.»

Per poco Bosch non scoppiò a ridere.

«Al Dipartimento non interessa niente di tutto questo. Al Dipartimento interessa solo l'immagine, non la verità. E se la verità rischia di offuscare l'immagine, tanto peggio per la verità.»

«A me interessa, invece, e anche a lei.»

Con un'occhiata al biglietto, Bosch annuì e lo ripose in tasca.

«La chiamerò.»

«Sul biglietto troverà anche il numero del mio cellulare. Lo porto sempre con me.»

Bosch annuì. Lei avanzò di un passo, gli afferrò il braccio e lo strinse.

«E lei, Harry, come sta? Va tutto bene?»

«A parte il fatto che ho perso Julia e che Irving mi ha consigliato di cominciare a pensare alla pensione, direi che va tutto bene.»

La dottoressa Hinojos corrugò la fronte.

«Tenga duro, Harry.»

Bosch annuì, ricordando che erano state le ultime parole che aveva detto a Julia.

La Hinojos si allontanò e Bosch riprese a camminare verso la tomba. Pensando di essere rimasto solo, raccolse una manciata di terra dal tumulo, si avvicinò alla fossa e guardò in basso. Sulla bara erano stati buttati dei fiori. Appena due notti prima aveva tenuto Julia tra le braccia, ma non era riuscito a prevedere quello che sarebbe successo. Non aveva saputo interpretare il suo comportamento e capire, da tanti piccoli indizi, in che direzione si stava muovendo.

Alzando lentamente la mano, si lasciò scorrere la terra tra le dita.

«La città delle ossa» sussurrò.

Osservò la terra cadere nella fossa e pensò ai suoi sogni che si dileguavano.

«Immagino che la conoscesse.»

Bosch si voltò di scatto e si trovò davanti il padre di Julia. Sorrideva con tristezza. Non erano rimasti che loro due nel cimitero. Bosch annuì.

«Sì, è vero. Anche se non da molto. Deve essere una terribile perdita per lei.»

L'uomo si presentò. «Frederick Brasher.»

Tese la mano, e Bosch stava per stringergliela, ma si trattenne.

«Mi dispiace, ma la mia è sporca di terra.»

«Non importa. Anche la mia.»

Si strinsero la mano.

«Harry Bosch.»

La mano di Brasher si immobilizzò nell'istante stesso in cui lui udì il nome.

«Il detective. Lei era sul posto ieri.»

«Sì. Ho fatto quello che ho potuto per aiutarla. Io...» Si interruppe, non sapeva bene cosa dire.

«Ne sono sicuro. Deve essere stato terribile trovarsi lì.»

Bosch annuì. I sensi di colpa lo percorsero come un'ondata. L'aveva lasciata, sicuro che si sarebbe ripresa. Il pensiero gli faceva male, quasi quanto la consapevolezza che fosse morta.

«Non capisco come sia successo» disse Brasher. «Un errore così... L'ufficio del procuratore distrettuale mi ha comunicato oggi che quel tizio... Stokes... non sarà perseguito. Sono avvocato eppure non riesco a capire come sia possibile che lo lascino andare.»

Bosch osservò quell'uomo anziano e vide l'infelicità nei suoi occhi.

«Sono desolato, avvocato Brasher. Vorrei poterle dare delle risposte, ma purtroppo nemmeno a me è chiara la dinamica dell'accaduto.»

Con un cenno di assenso l'altro guardò nella fossa.

«Ora vado» disse dopo un lungo momento. «La ringrazio di essere venuto, detective Bosch.»

Si strinsero la mano e Brasher si avviò.

«Avvocato» lo richiamò Bosch.

Brasher si volse.

«Sa quando qualcuno della famiglia andrà a casa di Julia?»

«Mi hanno dato oggi le chiavi. Volevo andarci adesso. Per dare un'occhiata e tentare di capire. Negli ultimi anni noi...»

Non concluse la frase. Bosch gli si avvicinò.

«C'è una foto incorniciata. Se per lei va bene, vorrei tenerla.»

Brasher annuì.

«Perché non viene subito? Incontriamoci lì. Mi mostrerà la fotografia.»

Bosch guardò l'orologio. Grace Billets aveva fissato all'una e mezzo una riunione per fare il punto sulle indagini. Aveva appena il tempo di andare a Venice e tornare in ufficio. Avrebbe dovuto saltare il pranzo, ma comunque l'idea del cibo non lo allettava minimamente.

«D'accordo.»

Si lasciarono e ciascuno si diresse verso la propria macchina. Mentre camminava, Bosch si fermò nel punto in cui erano state sparate le pallottole a salve. Smuovendo l'erba col piede, vide il luccichio di un oggetto metallico; si chinò per raccogliere uno dei bossoli caduti. Lo tenne in mano per qualche attimo, fissandolo, poi se lo infilò nella tasca della giacca. Aveva raccolto un bossolo al funerale di ogni poliziotto. Ormai ne aveva un vaso pieno.

Si voltò e uscì dal cimitero.

35

JERRY EDGAR AVEVA UN MODO DI BUSSARE molto particolare. Come un atleta dotato che riesce a convogliare tutta la sua forza in un gesto, fosse l'oscillazione di una mazza da baseball o una schiacciata a basket, Edgar caricava i suoi pugni di tutto il peso del corpo massiccio. Era un po' come se concentrasse nella sua mano chiusa la potenza e il furore di chi sa di essere nel giusto. Piantandosi saldamente di traverso davanti alla porta, sollevava il braccio sinistro, piegava il gomito e bussava con il lato molle della mano stretta a pugno. Pur essendo un colpo di rovescio, riusciva ad azionare i suoi muscoli in una sequenza così serrata da far pensare al crepitio di una mitragliatrice. Insomma, quando Edgar bussava, pareva l'annuncio del giudizio universale.

La roulotte rivestita di alluminio di Samuel Delacroix si scosse da un capo all'altro, quando lui picchiò alla porta alle quindici e trenta di quel giovedì pomeriggio. Dopo qualche secondo di attesa, ripeté la manovra, completandola con l'annuncio «Polizia!», poi percorse a ritroso la scaletta esterna, formata da una pila di blocchi di cemento appoggiati irregolarmente uno sull'altro.

Aspettarono. Nessuno dei due impugnava un'arma, ma Bosch stringeva la rivoltella nella fondina sotto la giacca. Lo faceva sempre quando doveva consegnare un mandato di perquisizione a qualcuno che non riteneva pericoloso. Tese l'orecchio per cogliere eventuali movimenti all'interno, ma il sibilo della vicina autostrada era troppo forte per permettergli di sentire. Controllò le finestre, nessuno aveva scostato le tendine.

«Sai, comincio a credere che, dopo una serie di colpi simili, uno sia quasi sollevato all'idea che si tratti della Polizia» sussurrò. «Almeno può escludere l'ipotesi di un terremoto.»

Edgar non rispose. Probabilmente sapeva che la battuta era dettata dal nervosismo. Non era il colpo alla porta a metterlo in ansia, Bosch era sicuro che Delacroix non avrebbe fatto storie. Era ansioso perché sapeva che da quel colloquio dipendeva il futuro delle indagini. Avrebbero perquisito la roulotte, poi, comunicando tra loro con un codice gestuale collaudato in anni di lavoro insieme, avrebbero deciso se arrestare o meno Delacroix con l'imputazione di avere ucciso suo figlio. Nel frattempo, avrebbero dovuto trovare delle prove concrete o cercare di ottenere una confessione, per trasformare un caso basato in gran parte su presupposti teorici in un'accusa suffragata da fatti, in grado di resistere in un'aula di tribunale.

Si avvicinava il momento della verità, e in tali circostanze Bosch era sempre nervoso.

Poco prima, durante l'incontro con il tenente Billets, avevano concordato che era arrivato il momento di parlare con Samuel Delacroix. Era il padre della vittima e, a questo punto, il principale indiziato. Tutti gli elementi raccolti, infatti, puntavano nella sua direzione. Avevano passato l'ora successiva a redigere un mandato di perquisizione, chiedendo poi l'autorizzazione a un giudice che aveva fama di essere malleabile. Eppure ci era voluto un po' per convincerlo. Il problema era il solito: l'omicidio era stato commesso molto tempo prima, le prove contro l'indiziato erano deboli, e il luogo che Bosch ed Edgar volevano perquisire non era lo stesso in cui si era consumato l'omicidio, anzi a quell'epoca l'indiziato non viveva neppure lì.

Il punto forte su cui potevano contare i due poliziotti era l'elenco delle lesioni che il ragazzino aveva subito nella sua breve vita. Alla fine erano stati proprio i segni dei maltrattamenti che avevano indotto il giudice a firmare il mandato.

Per prima cosa si erano recati al campo da golf ma lì avevano saputo che Delacroix aveva concluso la sua giornata lavorativa.

«Bussa un'altra volta» disse Bosch a Edgar.

«Ho la sensazione che stia arrivando.»

«Non importa. Meglio se si innervosisce un po'.»

Edgar risalì la scaletta esterna e bussò di nuovo. I blocchi di cemento traballarono, ma evidentemente lui non si era caricato come la volta precedente, e i colpi risuonarono con minor forza. Appena terminato di bussare, discese nuovamente i gradini.

«Ehi, come eri moscio. Non sembravi certo uno della Polizia, tutt'al più un vicino che viene a protestare per qualcosa.»

«Scusami, io...»

In quel momento la porta si aprì ed Edgar tacque di botto. Bosch aguzzò i sensi. Le roulotte erano pericolose. A differenza di altre strutture, la porta si apriva verso l'esterno per risparmiare spazio all'interno. Bosch si era appostato sul lato che sarebbe stato coperto dal battente, sicché chiunque fosse comparso sulla soglia avrebbe visto all'inizio solo Edgar. Il problema era che nemmeno Bosch poteva individuare chi apriva. In caso di guai, Edgar avrebbe lanciato un grido di ammonimento e si sarebbe messo al riparo, e lui avrebbe scaricato la pistola contro la porta. I proiettili avrebbero forato l'alluminio come se fosse stato carta, colpendo la persona che si trovava dall'altra parte.

«Chi è?» chiese una voce maschile.

Edgar esibì il distintivo. Bosch fissò il collega per cogliere un eventuale segno di pericolo.

«Signor Delacroix, siamo della Polizia.»

Poiché tutto sembrava tranquillo, Bosch avanzò, afferrò la maniglia e spalancò la porta, con la mano sul calcio della pistola.

Sulla soglia c'era lo stesso uomo che aveva visto il giorno prima sul campo destinato alla pratica. Indossava un paio di calzoncini scozzesi e una maglietta di un marrone sbiadito con due antiche macchie di sudore sotto le ascelle.

«Abbiamo un mandato che ci autorizza a perquisire la roulotte. Possiamo entrare?» chiese Bosch.

«Ehi, siete i due che ho visto ieri al golf» disse Delacroix.

«Abbiamo un mandato di perquisizione» ripeté con forza Bosch. «Dobbiamo entrare.»

Bosch prese dalla tasca il foglio e glielo mostrò, tenendolo fuori portata dell'altro. Per ottenere l'autorizzazione del giudice avevano dovuto esporgli gli elementi di cui disponevano, ma non avevano intenzione di fare altrettanto con l'indiziato. Non ancora, perlomeno. Delacroix aveva il diritto di leggere e esaminare il mandato prima di lasciarli entrare, ma Bosch sperava di riuscire a saltare questa fase. Delacroix avrebbe saputo presto di cosa lo si accusava, e Bosch preferiva centellinare le informazioni per aver modo di studiare le sue reazioni.

Stava per riporre in tasca il mandato, quando in tono di quieta protesta Delacroix chiese: «Di che si tratta? Posso almeno vedere quel documento?».

«Lei è Samuel Delacroix?» replicò in fretta Bosch.

«Sì.»

«E questa è la sua roulotte?»

«La roulotte è mia. Il terreno è in affitto.»

«Signor Delacroix» intervenne Edgar «eviterei di stare qui fuori a discutere sotto gli occhi dei vicini. Ha intenzione o no di lasciarci perquisire la roulotte?»

Delacroix spostò lo sguardo da uno all'altro, poi annuì.

«D'accordo.»

269

Bosch fu il primo a entrare, schiacciandosi contro lo stipite per oltrepassare l'uomo. Lo accolse l'odore del whisky unito a quello di aria stantia e di pipì di gatto.

«Si attacca presto alla bottiglia, eh?»

«Ho bevuto qualcosa. Alla fine del lavoro uno si merita un goccetto» disse Delacroix, facendo intendere che erano affari suoi, e tuttavia quasi scusandosi.

A questo punto entrò anche Edgar, strizzandosi ancora di più per superare Delacroix. Si guardarono attorno nella fioca luce che c'era all'interno. A destra della porta d'ingresso si apriva il soggiorno. Era rivestito di pannelli e arredato con un divano ricoperto di vinile e un tavolino basso dall'impiallacciatura sbrecciata, sotto la quale si intravedeva il compensato. Su un cavalletto poggiava un televisore in equilibrio precario sopra il videoregistratore. C'erano parecchie videocassette impilate l'una sull'altra. Di fronte al tavolino basso, una vecchia poltrona con lo schienale reclinabile, strappato in più punti, probabilmente dal gatto, mostrava l'imbottitura. Sotto il tavolino c'era un mucchio di riviste illustrate dai titoli sparati a piena pagina.

Sulla sinistra c'era un cucinotto, stile cambusa, munito su un lato di lavello, armadietti, fornelli, forno, frigorifero, e sull'altro di un tavolo per quattro persone. Sul tavolo era appoggiata una bottiglia di bourbon marca Ancient Age, e al di sotto stazionava un piattino con dei resti di cibo e una vaschetta piena d'acqua. Del gatto nessuna traccia, salvo l'odore della sua urina.

Oltre la cucina, un piccolo corridoio portava alle camere da letto e a un bagno.

«Lasciamo la porta aperta e spalanchiamo qualche finestra» suggerì Bosch. «Signor Delacroix, perché non si siede sul divano?»

Avvicinandosi, Delacroix disse: «Sentite, non occorre che vi diate da fare a perquisire casa mia. Lo so perché siete qui».

Bosch lanciò un'occhiata a Edgar.

270

«Ce lo dica, allora» disse Edgar.

Delacroix si lasciò cadere sul divano. Le molle erano saltate e lui si infossò nel mezzo, mentre le estremità dei cuscini schizzavano verso l'alto come le prue di due Titanic gemelli.

«È per via della benzina, no?» disse Delacroix. «Ma ne ho usata pochissima. Non vado mai da nessuna parte, solo avanti e indietro sul campo. Mi hanno dato una patente ad uso limitato perché ho dei precedenti per ubriachezza.»

«Che cosa c'entra la benzina?» chiese Edgar.

«Signor Delacroix, non è questa la ragione per cui siamo venuti» intervenne Bosch.

Dalla pila sul televisore prese una delle videocassette. Un'altra era già infilata nell'apparecchio. L'etichetta diceva *Primo Fanteria, episodio 46*. La rimise al suo posto e lanciò un'occhiata alle altre etichette. Erano gli episodi dello sceneggiato che Delacroix aveva girato per la televisione più di trent'anni prima.

«Di che cosa si tratta allora? Che cosa volete?»

Bosch lo guardò.

«Siamo qui per suo figlio.»

Delacroix lo fissò a lungo, lasciando ricadere la mascella. La bocca, aprendosi, rivelò i denti ingialliti.

«Arthur» disse infine.

«Sì, lo abbiamo trovato.»

Gli occhi di Delacroix sfuggirono allo sguardo di Bosch e parvero perdersi dietro un ricordo lontano. L'uomo sapeva. Bosch se ne accorse. Sbirciò Edgar per accertarsi che anche lui avesse avuto la stessa impressione, e questi fece un breve cenno di assenso con la testa.

Bosch tornò a posare lo sguardo sull'uomo seduto sul divano. «Per essere un padre che non vede suo figlio da più di vent'anni non mi sembra entusiasta» disse.

Delacroix lo guardò. «Forse perché so che è morto.»

Bosch lo fissò a lungo, quasi trattenendo il respiro.

«Che cosa glielo fa pensare?»

«Lo so. Lo so da sempre.»

«Che cosa sa?»

«Che non sarebbe tornato.»

Non era quella la piega che, secondo Bosch, avrebbero preso le cose. Aveva l'impressione che Delacroix li aspettasse da anni. Forse dovevano cambiare strategia, procedere subito all'arresto e avvertirlo dei suoi diritti.

«Sono in stato di arresto?» chiese Delacroix, quasi gli avesse letto nel pensiero.

Bosch guardò di nuovo Edgar, chiedendosi se si rendeva conto che il piano stava sfuggendo loro di mano.

«Direi che è prematuro. Siamo qui per una chiacchierata informale.»

«Tanto vale che mi arrestiate» disse Delacroix sotto voce.

«Ne è convinto? Significa forse che non intende parlare con noi?»

Delacroix scosse lentamente la testa e il suo sguardo tornò a perdersi in lontananza.

«No, parlerò. Vi dirò tutto.»

«Tutto su che cosa?»

«Su quello che è successo a mio figlio. Su *come* è successo.»

«Lei lo sa?»

«Certo che lo so. Sono stato io.»

Bosch trattenne a stento un'imprecazione. L'indiziato aveva appena reso una confessione in piena regola senza che loro lo avessero avvertito dei suoi diritti, compreso quello che non era tenuto a rispondere se le sue dichiarazioni potevano incriminarlo.

«Signor Delacroix, fermiamoci qui. Dobbiamo informarla dei suoi diritti.»

«Voglio solo...»

«Non aggiunga altro. Prima le leggeremo i suoi diritti e poi ascolteremo quello che ha da dire.»

Delacroix fece un gesto con la mano, quasi a significare che non gli importava.

«Jerry, dove è il tuo registratore? Il mio se l'è tenuto la detective della DAI.»

«In macchina. Ho paura che le batterie siano scariche.»

«Va' a controllare.»

Edgar si allontanò e Bosch rimase ad aspettare in silenzio. Delacroix aveva i gomiti appoggiati sulle ginocchia e teneva il viso tra le mani. Bosch lo studiò. Non capitava spesso di ottenere una confessione così immediata.

Edgar rientrò portando il registratore, ma scosse la testa.

«Batterie esaurite. Pensavo che ti fossi portato il tuo.»

«Merda. Prendi appunti.»

Bosch tirò fuori il suo portadistintivo e ne estrasse un biglietto da visita che sul retro aveva stampato l'elenco dei diritti e una riga in bianco per la firma. Lesse la dichiarazione che riconosceva a Delacroix il diritto di non rispondere e si assicurò che ne avesse capito il senso. Delacroix annuì.

«Vorrebbe essere un sì?»

«È esatto.»

«Allora firmi nella riga sottostante il testo che le abbiamo appena letto.»

Porse a Delacroix il biglietto e una penna. Poi, ottenuta la firma, Bosch ripose il biglietto nel taccuino. Si scostò e andò a sedersi sull'orlo della poltrona dallo schienale reclinabile.

«Signor Delacroix, vuole ripeterci quello che ci ha detto pochi minuti fa?»

Delacroix si strinse nelle spalle, come se la cosa fosse irrilevante.

«Ho ucciso mio figlio. Sapevo che prima o poi sareste venuti a prendermi. Ce ne avete messo di tempo.»

Bosch lanciò un'occhiata a Edgar che era intento a scrivere. Poi tornò a guardare l'uomo e rimase in attesa sperando che il silenzio lo inducesse a dire di più. Ma lui tacque e si coprì di nuovo il viso con le mani. A un tratto cominciò a piangere.

«Dio mi aiuti... l'ho ammazzato io.»

Bosch lanciò un'altra occhiata a Edgar, che alzò il pollice in segno di vittoria. Avevano raccolto abbastanza elementi per passare alla fase successiva: la stanza degli interrogatori nella sede della Polizia, dove tutto veniva controllato e registrato.

«Signor Delacroix, lei ha un gatto? Dov'è?»

Delacroix allargò le dita e lo guardò con occhi lucidi di lacrime.

«È in giro. Forse è sul letto che dorme. Perché?»

«Chiameremo la Protezione Animali e qualcuno verrà a prendersi cura di lui. Lei deve venire con noi. La dichiaro in arresto. Riprenderemo a interrogarla quando arriveremo alla stazione di Polizia.»

Delacroix lasciò cadere le mani. Pareva sgomento.

«No, so bene come se ne occuperà la Protezione Animali. Lo faranno fuori col gas appena verranno a sapere che non tornerò.»

«Non possiamo abbandonarlo qui.»

«La signora Kresky baderà a lui. Abita qui vicino. Può venire a dargli da mangiare.»

Bosch scosse la testa. L'intera faccenda stava andando a rotoli per via di un gatto.

«Non è possibile. Dobbiamo sigillare la roulotte finché non l'avremo perquisita.»

«A cosa vi serve perquisirla?» chiese Delacroix, con voce alterata dalla rabbia. «Vi ho detto quello che volevate sapere. Ho ammazzato mio figlio. È stato un incidente. Lo picchiai troppo forte e lui...»

Si coprì di nuovo il viso e borbottò tra le lacrime: «Oh, Dio... che cosa ho fatto...».

Bosch guardò Edgar che stava scrivendo. Si alzò, voleva portare Delacroix in sede per interrogarlo secondo le regole.

L'ansia era sparita, ma era subentrata la fretta. Il senso di colpa e i rimorsi sono stati d'animo passeggeri. Voleva incastrare Delacroix con una confessione registrata su video e su nastro, prima che l'imputato decidesse di rivolgersi a un avvocato e prima che si rendesse conto che le sue parole lo avrebbero portato in cella per il resto della vita.

«D'accordo, risolveremo la questione del gatto in seguito» disse. «Per ora gli lasceremo abbastanza da mangiare. Si alzi, signor Delacroix, dobbiamo andare.»

Delacroix si mise in piedi.

«Posso cambiarmi? Vorrei mettermi qualcosa di decente, questa è roba vecchia che uso solo per lavorare.»

«Non si preoccupi» disse Bosch. «Ci penseremo in seguito.»

Non si prese la briga di informarlo che i suoi abiti non li avrebbe più visti. Gli sarebbe stata assegnata l'uniforme del carcere con un numero sulla schiena. La sua sarebbe stata gialla, il colore degli assassini.

«Mi mettete le manette?» chiese Delacroix.

«È la regola. Dobbiamo farlo» spiegò Bosch.

Si avvicinò e fece girare l'uomo per ammanettargli i polsi dietro la schiena.

«Facevo l'attore, sapete. Una volta ho interpretato il ruolo di un prigioniero in un episodio del *Fuggitivo*. La prima serie, quella con David Janssen. Era una particina, poco più di una comparsata. Ero seduto su una panca vicino a Janssen e dovevo sembrare drogato. Tutto lì.»

Bosch non commentò, limitandosi a spingere Delacroix verso la porta.

«Chissà perché mi è tornato in mente proprio adesso» disse Delacroix.

«Normale» intervenne Edgar. «È nei momenti come questo che si ricordano le cose più strane.»

«Attenzione ai gradini» avvertì Bosch.

Lo condussero fuori.

«Ha una chiave?» gli chiese Bosch.

«È sul ripiano della cucina» rispose Delacroix.

Bosch tornò dentro a prendere le chiavi. Aprì gli armadietti del cucinino finché trovò una scatola di cibo per gatti. L'aprì e versò il contenuto nel piattino sotto la tavola. Era poca roba. Bosch sapeva che avrebbe dovuto occuparsi del gatto in seguito.

Quando uscì dalla roulotte, Edgar aveva già sistemato Delacroix sul sedile posteriore dell'auto. Notò che un vicino li stava osservando dall'uscio aperto di una roulotte. Si voltò e bloccò la portiera della macchina dal lato di Delacroix.

36

BOSCH SBIRCIÒ NELL'UFFICIO di Grace Billets. La vide alla scrivania, seduta di lato, che lavorava al computer posto sul tavolino. La scrivania era sgombra, segno che stava per andare a casa.

«Sì?» chiese senza alzare gli occhi.

«Pare che la fortuna sia dalla nostra» disse Bosch.

Lei si girò a guardarlo.

«Fammi indovinare: Delacroix vi invita a entrare, si siede e confessa.»

Bosch confermò con un cenno del capo. «Più o meno.»

Lei sgranò gli occhi per la sorpresa. «Mi stai prendendo per il culo?»

«Ha ammesso di avere ucciso suo figlio. Abbiamo dovuto bloccarlo per portarlo qui e registrare la sua confessione. Pareva che ci aspettasse.»

La Billets gli pose qualche altra domanda, e Bosch finì per raccontarle per filo e per segno la visita alla roulotte, compreso l'inconveniente di non avere con sé un registratore funzionante. Lei parve seccata: con Bosch e Edgar perché non si erano preparati come avrebbero dovuto, e con Carol Bradley che non aveva restituito l'apparecchio.

«Harry, mi auguro solo che questo disguido non mandi tutto all'aria» disse riferendosi alla possibilità che qualche

277

avvocato invalidasse la confessione, con la scusa che la prima versione di Delacroix non era stata registrata. «Se ci lasciamo scappare un'occasione unica perché abbiamo fatto casino...»

Non concluse la frase, ma non ce n'era bisogno.

«Secondo me non ci sono problemi. Edgar ha scritto parola per parola tutto quello che l'uomo ha detto. Ci siamo fermati quando abbiamo capito di avere in mano abbastanza elementi per inchiodarlo. La registrazione possiamo farla adesso.»

La Billets era ancora agitata.

«E se obietta di non essere stato informato dei suoi diritti? Come fai a essere così sicuro che non ci saranno contestazioni?» disse, con il tono di chi implica che i problemi potrebbero esserci, eccome.

«Non mi sembra possibile. Ha cominciato a spiattellare la storia prima che avessimo il tempo di avvertirlo. Poi ha continuato a parlare. A volte succede. Ci si prepara a sfondare una porta e l'indiziato ce la spalanca davanti. Forse l'avvocato difensore avrà un infarto e comincerà a strillare, ma non otterrà niente. Siamo puliti, tenente.»

Grace Billets annuì, segno che Bosch era stato convincente.

«Magari fosse tutto così facile! Cosa dicono all'ufficio del procuratore distrettuale?»

«Devo ancora chiamarlo.»

«In quale stanza è Delacroix? Vorrei andare a dargli un'occhiata.»

«Nella numero 3.»

«D'accordo, Harry. Torchialo per benino.»

Si girò di nuovo verso il computer. Bosch le fece un segno di saluto e stava per uscire quando si bloccò. Lei percepì la sua presenza e si voltò.

«Che cosa c'è?»

Bosch si strinse nelle spalle. «Per tutto il tempo non ho

278

fatto altro che pensare a quello che avremmo potuto evitare se, invece di gingillarci, fossimo andati subito da lui.»

«Harry, ti capisco, ma come potevi sapere che questo tizio, dopo venti anni e passa, era lì in attesa che tu bussassi alla sua porta? Hai fatto quello che dovevi fare e, se ti trovassi di nuovo in una situazione simile, forse procederesti in modo identico. Compito di un investigatore è accerchiare la preda. Quello che è successo a Julia Brasher non c'entra niente con i tuoi metodi di conduzione dell'inchiesta.»

Bosch la fissò per un attimo, poi annuì. Quelle parole lo avrebbero aiutato ad alleggerirsi la coscienza.

«Fa' come ti ho detto: torchialo per bene» concluse la Billets e riprese a lavorare.

Bosch tornò in ufficio per avvertire telefonicamente l'ufficio del procuratore distrettuale che era stato effettuato un arresto per omicidio e che lui si preparava a raccogliere una confessione. Parlò con un funzionario, una certa O'Brien, e l'avvertì che in giornata o lui o il suo collega sarebbero passati per stilare l'atto di accusa. La O'Brien, che era al corrente dell'inchiesta solo per averne letto sui giornali, disse che qualcuno della procura sarebbe andato da loro per assistere all'interrogatorio e per seguire gli sviluppi del caso.

Con il traffico che a quell'ora si riversava fuori città ci sarebbero voluti almeno quarantacinque minuti prima che quel qualcuno arrivasse. Così Bosch avvertì la O'Brien che avrebbe accolto più che volentieri la persona che intendevano mandare, ma che non l'avrebbe aspettata per iniziare l'interrogatorio. La O'Brien insisté perché dilazionasse il tutto.

«Senta, questo tizio vuole parlare» le spiegò Bosch. «Magari tra tre quarti d'ora avrà cambiato idea. Non possiamo rischiare. Dica al vostro uomo di bussare alla stanza numero 3 quando arriva. Lo faremo entrare appena possibile.»

In un mondo perfetto, un procuratore dovrebbe essere sempre presente a un interrogatorio, ma l'esperienza aveva insegnato a Bosch che i sensi di colpa non hanno vita lunga. Quando uno affermava di voler confessare un omicidio, non era prudente perdere tempo. L'unica cosa da fare era accendere il registratore e dirgli: «Mi racconti tutto».

La O'Brien acconsentì con qualche riluttanza e non senza aver citato le proprie esperienze in proposito, poi riagganciò. Appena conclusa la telefonata, Bosch chiamò la Divisione Affari Interni per chiedere di Carol Bradley. Gliela passarono.

«Sono Bosch della Divisione Hollywood. Dove diavolo è finito il mio registratore?»

L'unica risposta fu il silenzio.

«Bradley? Pronto?»

«Sì, sono in linea. Il suo registratore è qui.»

«Perché l'ha preso? Le avevo chiesto di ascoltare il nastro, non di portarsi via l'apparecchio.»

«Volevo risentire il nastro per accertarmi che non ci fossero tagli.»

«Bastava che prendesse quello.»

«A volte ci vuole il registratore originale per autenticare il nastro.»

Bosch scosse la testa esasperato.

«Che razza di procedura è? Lo sapete, no, da chi è filtrata la notizia? Perché perdete tempo?»

Un'altra pausa, poi arrivò la risposta.

«Dovevo verificare. Sono io che conduco l'indagine, e lo faccio come ritengo meglio.»

Questa volta fu Bosch a rimanere in silenzio, chiedendosi se non gli stesse sfuggendo qualcosa o se c'era sotto dell'altro. Alla fine decise di lasciar perdere. Aveva la sua indagine cui badare.

«Fantastico!» disse poi. «Oggi per poco non ho perduto una confessione perché non avevo il mio apparecchio. Le sarei grato se me lo restituisse.»

«Ho finito di utilizzarlo e l'ho già messo nella posta interna. Dovrebbe riceverlo fra poco.»

«Grazie. Arrivederci.»

Mentre concludeva la telefonata, comparve Edgar con tre tazze di caffè. A Bosch venne in mente che c'era qualcos'altro che dovevano fare.

«Chi è di guardia oggi?»

«Mankiewicz, e anche Young.»

Bosch trasferì il caffè dalla tazza di plastica al boccale che teneva nel cassetto della scrivania. Poi prese il telefono e chiamò l'ufficio di guardia. Rispose Mankiewicz.

«C'è nessuno nella grotta dei pipistrelli?»

«Bosch? Pensavo che ti fossi preso un periodo di congedo.»

«Sbagliato. Che mi dici della cella?»

«È vuota e secondo me oggi resterà vuota per un po'. Che ti serve?»

«Sto per raccogliere una confessione e voglio evitare che un avvocato possa smontarmela in seguito. Il mio uomo puzza di whisky, ma è lucido. A scanso di equivoci, vorrei misurargli il tasso alcolico.»

«Si tratta del caso delle ossa?»

«Sì.»

«Portalo da me. Sono autorizzato a farlo.»

«Grazie, Mank.» Riattaccò e guardò Edgar.

«Portiamolo nella grotta dei pipistrelli e controlliamogli il fiato. Tanto per essere al sicuro.»

«Buona idea.»

Raggiunsero, con ancora in mano le tazze di caffè, la stanza numero 3 dove in precedenza avevano ammanettato Delacroix all'anello del tavolo. Gli liberarono i polsi e lo lasciarono bere qualche sorso prima di condurlo lungo il corridoio sul retro alla piccola prigione della stazione. Era composta da due grandi celle che di solito accoglievano ubriachi e prostitute. Gli indiziati di reati più gravi venivano in genere condotti nel carcere principale della città o in quello della contea. Una terza cella, di dimensioni più contenute, era nota con il nome di grotta dei pipistrelli perché era lì che si eseguivano i prelievi di sangue, uno dei sistemi per determinare il tasso alcolico.

Trovarono Mankiewicz nel corridoio e lo seguirono fino alla cella, dove lui mise in funzione la macchina che analizzava il fiato e indicò a Delacroix di soffiare in un tubo di plastica trasparente attaccato all'apparecchio. Bosch notò che, in segno di lutto per la morte di Julia Brasher, Mankiewicz portava un nastrino nero sul distintivo.

Il risultato fu a loro disposizione in pochi minuti: il tasso di alcol nel sangue di Delacroix era inferiore al limite oltre il quale era vietato mettersi al volante. La legge non indicava i valori che invalidavano una confessione di omicidio.

Mentre riportavano indietro Delacroix, Mankiewicz afferrò Bosch per un braccio. Questi si voltò, mentre Edgar procedeva con il prigioniero.

«Harry, volevo dirti che mi dispiace per quanto è accaduto.»

Bosch capì che si riferiva a Julia. Chinò la testa. «Ti ringrazio. È stato un brutto colpo.»

«Ho dovuto mandarla, capisci. Sapevo che era inesperta ma...»

«Hai fatto il tuo dovere. Non stare a tormentarti.»

Mankiewicz annuì.

«Ora devo andare» disse Bosch.

Mentre Edgar riportava Delacroix nella stanza numero 3, Bosch si recò in quella adiacente da dove si poteva scorgere l'altro locale senza essere visti, poi mise a fuoco la cinepresa e vi infilò una nuova cassetta. Avviò la cinepresa e il registratore. Tornò quindi nella stanza degli interrogatori per portare a termine la sua missione.

37

BOSCH PRONUNCIÒ AD ALTA VOCE i nomi e i cognomi delle tre persone riunite nella stanza, e vi aggiunse il giorno e l'ora, nonostante questi ultimi dati fossero stampati nella parte inferiore del nastro che in quel momento scorreva nel video-registratore.

Mise sul tavolo un foglio su cui erano scritti i diritti dell'imputato e disse a Delacroix che voleva leggerglieli ancora una volta.

Conclusa questa fase, gli chiese di apporre la sua firma in calce al documento, quindi si sedete al tavolo, di lato. Bevve un sorso di caffè e cominciò.

«Signor Delacroix, oggi stesso, poche ore fa, lei ha manifestato il desiderio di raccontare quanto accadde a suo figlio Arthur nel 1980. Desidera ancora parlarne?»

«Sì.»

«Cominciamo dalle domande fondamentali, poi torneremo indietro e ci fermeremo sui particolari. È stato lei a provocare la morte di suo figlio, Arthur Delacroix?»

«Sì, sono stato io.»

Lo disse senza esitazione e senza rivelare particolare emozione.

«Lo ha ucciso?»

«Sì, non ne avevo l'intenzione, ma l'ho ucciso.»

«Quando è successo?»

«Nel maggio del 1980, credo. Mi pare che sia stato allora. Forse voi lo sapete meglio di me.»

«Non dia niente per scontato. Risponda alle domande nel modo più completo possibile.»

«Ci proverò.»

«Dove è stato ucciso suo figlio?»

«A casa, nella casa dove abitavamo allora. In camera sua.»

«Come è accaduto? Lo ha picchiato?»

«Eh, io, sì...»

Delacroix, che fino a quel momento aveva affrontato l'interrogatorio in modo molto concreto, all'improvviso cambiò atteggiamento. Il suo viso si raggrinzì in una morsa di dolore e lui si asciugò le lacrime che gli colavano dagli angoli degli occhi.

«Allora, lo ha picchiato?»

«Sì.»

«In quale parte del corpo?»

«Dappertutto.»

«Anche in testa?»

«Sì.»

«E tutto questo succedeva nella camera di suo figlio?»

«Esattamente.»

«Con che cosa lo ha colpito?»

«Che cosa significa?»

«Ha usato i pugni o si è servito di un oggetto?»

«Entrambi, i pugni e un oggetto.»

«Con quale oggetto lo ha colpito?»

«Non ricordo. Era qualcosa che si trovava lì, nella sua camera. Devo pensarci.»

«Possiamo tornare su questo punto in seguito. Prima di tutto, a che ora è successo?»

«Al mattino, dopo che Sheila, mia figlia, era andata a scuola. Ecco, quello che ricordo è che Sheila era uscita.»

«E sua moglie, la madre del ragazzo?»

«Se ne era andata da un pezzo. È stato per causa sua che ho cominciato...»

Si fermò. Probabilmente voleva dire che era colpa di sua moglie se lui aveva cominciato a bere, pensò Bosch, il che significava scaricare su di lei anche le conseguenze dell'alcolismo, omicidio compreso.

«Quando ha parlato per l'ultima volta con sua moglie?»

«Ex moglie. Non le parlo dal giorno in cui se ne è andata. Era...»

Non concluse la frase. Evidentemente non ricordava quanto tempo fosse passato.

«E sua figlia? Da quanto non la vede?»

Distogliendo lo sguardo da Bosch, Delacroix prese a fissarsi le mani, appoggiate sul tavolo.

«Da un mucchio di tempo.»

«Esattamente quanto?»

«Non me lo ricordo. Non ci parliamo più. Mi ha aiutato a comprare la roulotte, cinque o sei anni fa.»

«L'ha vista questa settimana?»

Delacroix levò lo sguardo su di lui, con un'espressione di curiosità dipinta sul viso.

«No. Perché?»

«Lasci fare a me le domande. Ha letto i giornali o guardato la televisione nelle ultime due settimane?»

Delacroix scosse la testa.

«Non mi piace quello che danno oggi in televisione. Preferisco le videocassette.»

Bosch si accorse che si stava divagando. Doveva tornare al punto centrale. Quello che gli stava a cuore era ottenere una confessione chiara e lineare, praticamente inattaccabile. Bosch sapeva che Delacroix avrebbe ritrattato, non appena si fosse preso un avvocato. Succedeva sempre. Sarebbero state sollevate eccezioni su tutto il fronte – dalle procedure seguite, allo stato mentale dell'imputato. E il suo compito non era solo quello di raccogliere la confessione, ma anche di accertarsi che, in un eventuale processo, avesse la forza di resistere agli attacchi della difesa.

«Torniamo a suo figlio Arthur. Ricorda con quale oggetto lo colpì il giorno della sua morte?»

«Una mazza, credo. Una piccola mazza da baseball, una specie di souvenir che aveva preso a una partita dei Dodgers.»

Bosch annuì. Sapeva di che si trattava. Le vendevano nei chioschi, e somigliavano ai manganelli usati un tempo dalla Polizia, prima che venissero adottati quelli di metallo. Comunque, anche se piccole, potevano essere letali.

«Perché lo ha picchiato?»

Delacroix si guardò le mani. Bosch notò che i polpastrelli erano quasi privi di unghie. Era certo che gli facessero male.

«Non ricordo. Probabilmente ero ubriaco. Io...»

Le lacrime ripresero a sgorgare e l'uomo si nascose il viso dietro le dita torturate. Bosch aspettò che si riprendesse.

«Avrebbe dovuto essere a scuola. Ma non c'era andato. Così sono entrato in camera sua e l'ho visto. Ho perso la testa. La retta mi costava un mucchio di soldi e io ero alla canna del gas. Mi sono messo a urlare, poi ho cominciato a picchiarlo. Alla fine ho visto la mazza e l'ho colpito. Troppo forte, immagino.»

Bosch rimase in silenzio, in attesa che l'altro continuasse, ma Delacroix continuò a tacere.

«Era morto?»

Delacroix annuì.

«È un sì?»

«Sì, certo.»

Qualcuno bussò piano alla porta. Bosch fece un cenno a Edgar, che si alzò e uscì dalla stanza. Doveva essere il procuratore, ma Bosch non aveva alcuna intenzione di interrompere l'interrogatorio solo per fare le presentazioni. Continuò a incalzarlo.

«Che cosa fece poi? Ormai Arthur era morto.»

«Lo portai fuori attraverso la porta sul retro, e giù per la scala fino al garage. Non mi vide nessuno. Lo misi nel bagagliaio della macchina, poi tornai nella sua camera, diedi una pulita e ficcai in una borsa qualche vestito.»

«Quale borsa?»

«Quella della scuola, uno zainetto.»

«Che vestiti erano?»

«Non ricordo. Quello che mi capitava sotto mano.»

«Può descrivermi lo zainetto?»

Delacroix si strinse nelle spalle.

«Non ricordo... era uno zainetto come tanti.»

«Va bene. Dopo averci messo dentro i vestiti, che cosa fece?»

«Lo buttai nel bagagliaio. E lo chiusi.»

«Che macchina era?»

«Un'Impala del '72.»

«Ce l'ha ancora?»

«Magari. È una macchina da collezione. Purtroppo l'ho distrutta in un incidente. La prima volta che mi denunciarono per ubriachezza.»

«Che cosa intende per distrutta?»

«L'ho sfasciata. Sono andato a sbattere contro una palma a Beverly Hills e l'auto è finita da un demolitore.»

Bosch sapeva che sarebbe stato comunque difficile rintracciare una macchina di trent'anni prima, ma la notizia che era finita dallo sfasciacarrozze gli toglieva ogni speranza di poter controllare il baule alla ricerca di qualche prova concreta.

«Torniamo alla sua storia. Il cadavere era nel baule. Quando se ne sbarazzò?»

«Di notte. Sul tardi. Quel giorno, passata l'ora in cui avrebbe dovuto tornare, cominciammo a cercarlo.»

«Noi?»

«Io e Sheila. Lo cercammo un po' ovunque, soprattutto nei posti dove era solito andare in skateboard.»

«E intanto che lei girava in auto per la città, Arthur era dietro, chiuso nel baule?»

«Sì. Non volevo che Sheila sapesse quello che avevo fatto. Volevo proteggerla.»

«Capisco. Denunciò la scomparsa alla Polizia?»

Delacroix scosse la testa.

«Andai al distaccamento di Wilshire e parlai con un poliziotto. Proprio all'ingresso, al banco. Mi disse che probabilmente Arthur era scappato di casa e che sarebbe tornato. Mi consigliò di aspettare un paio di giorni prima di denunciarne la scomparsa.»

Bosch cercava di raccogliere quanti più elementi possibile, riesaminando i fatti che potevano essere verificati e quindi utilizzati per rinforzare l'accusa prima che Delacroix, su consiglio dell'avvocato, ritrattasse tutto. Il modo migliore per farlo era quello di raccogliere delle prove inoppugnabili o dei dati scientifici. Ma erano importanti anche i confronti tra le versioni.

Sheila Delacroix aveva già dichiarato che la notte della scomparsa di Arthur lei e suo padre erano andati alla Polizia. Suo padre era entrato, ma lei era rimasta in macchina. Bosch però non aveva trovato alcuna traccia di una denuncia. Le cose collimavano. Era un elemento che avrebbe convalidato la confessione.

«Signor Delacroix, per caso questo nostro colloquio la mette a disagio?»

«No, assolutamente.»

«Non ha l'impressione di essere costretto o minacciato in qualche modo?»

«No.»

«Mi sta parlando in tutta libertà?»

«Sì.»

«Quando tirò fuori del baule il corpo di suo figlio?»

«Più tardi. Dopo che Sheila si fu coricata, ripresi la macchina e andai dove avrei potuto nascondere il cadavere.»

«Dove?»

«Sulle colline del Laurel Canyon.»

«Ricorda il punto esatto?»

«No. Imboccai la strada che sale sulla Lookout Mountain e oltrepassai la scuola. Mi fermai lì, da qualche parte. Era buio e io avevo bevuto parecchio. L'incidente mi aveva sconvolto.»

«Incidente?»

«L'aver dato un colpo così violento ad Arthur.»

«Già. Allora, oltrepassò la scuola... ricorda che strada stava percorrendo?»

«Wonderland Avenue.»

«Ne è sicuro?»

«No, ma credo che fosse quella. Ho passato tutti questi anni cercando di dimenticare.»

«Mi sta dicendo che aveva bevuto quando nascose il cadavere?»

«Ero ubriaco. Perché, non lo crede possibile?»

«Non importa quello che credo io.»

Bosch si sentì percorrere da un brivido di paura. Aveva sollecitato informazioni che rischiavano di danneggiare l'impianto accusatorio proprio mentre Delacroix stava fornendo una confessione completa. Il fatto che l'uomo fosse ubriaco poteva spiegare perché aveva agito con tanta fretta, limitandosi a ricoprire il cadavere con un po' di terra e aghi di pino. Ma Bosch ricordava di avere faticato ad arrampicarsi su quella collina e non riusciva a immaginare come un uomo ubriaco fosse potuto arrivare fin lassù, trascinando il cadavere del figlio.

Senza contare lo zaino. L'aveva portato insieme al cadavere del ragazzo oppure era ritornato una seconda volta sulla collina, ritrovando al buio lo stesso punto in cui aveva lasciato il corpo?

Studiò attentamente Delacroix, pensando allo stesso tempo a come proseguire. Doveva agire con circospezione. Sarebbe stato un suicidio se avesse provocato una reazione che la difesa avrebbe poi potuto sfruttare in tribunale. All'improvviso Delacroix riprese a parlare.

«Ricordo solo che mi ci volle quasi tutta la notte per seppellirlo. E ricordo anche di averlo abbracciato stretto prima di deporlo nella buca. È stato come una specie di funerale.»

Fece un gesto di assenso con il capo e scrutò Bosch negli occhi, quasi a chiedere conferma di aver fatto la cosa giusta. Lo sguardo di Bosch rimase impassibile.

«Cominciamo da qui, dalla buca in cui lo seppellì. Quanto era profonda?» chiese.

«Non molto. Mezzo metro, al massimo.»

«Come la scavò? Aveva portato con sé qualche attrezzo?»

«No, non ci avevo pensato. Feci tutto con le mani. Per questo non potei andare in profondità.»

«E lo zaino?»

«Seppellii anche quello. Almeno mi pare, ma non ne sono sicuro.»

Bosch annuì.

«Ricorda nient'altro di quel luogo? Era piatto o scosceso? C'era fango?»

Delacroix scosse la testa.

«Non me lo ricordo.»

«C'erano case nelle vicinanze?»

«Sì, qualcuna. Ma non mi vide nessuno, se è questo che vuole sapere.»

Bosch si avvide che aveva imboccato una strada pericolosa dal punto di vista legale. Doveva fermarsi, tornare indietro e chiarire alcuni particolari.

«Che ne fu dello skateboard di suo figlio?»

«Lo skateboard?»

«Che cosa ne fece?»

Delacroix si piegò in avanti pensandoci.

«Lo sa? Non mi ricordo.»

«Lo seppellì con suo figlio?»

«Non so... non lo ricordo proprio.»

Bosch tacque per qualche momento in attesa di capire se sarebbe saltato fuori qualcos'altro. Ma Delacroix rimase in silenzio.

«Signor Delacroix, faremo una pausa. Io vado a conferire con il mio collega e lei cerchi di concentrarsi su quello di cui abbiamo appena parlato, e cioè il luogo in cui ha seppellito suo figlio. Sarebbe utile se lei riuscisse a ricordare qualche altro particolare. Anche sullo skateboard.»

«Ci proverò.»

«Le porterò del caffè.»

«Grazie.»

Bosch si alzò, prendendo le tazze vuote. Per prima cosa entrò nella stanza adiacente. Vi trovò Edgar insieme a un uomo che non conosceva e che in quel momento stava guardando Delacroix attraverso lo specchio unidirezionale. Edgar si avvicinò alla telecamera per spegnerla.

«Lasciala in funzione» intervenne in fretta Bosch.

Edgar si bloccò.

«Se per caso dovesse ricordare altre cose, vorrei evitare che si dica che siamo stati noi a suggerirgliele.»

Edgar annuì. L'altro uomo si allontanò dalla parete a specchio e tese la mano. Dimostrava trent'anni al massimo. Aveva i capelli scuri pettinati all'indietro, la pelle bianchissima, e un largo sorriso stampato in faccia.

«George Portugal, vice procuratore distrettuale» si presentò.

Bosch ricambiò la stretta dopo avere appoggiato sul tavolo le tazze vuote.

«Sembra un caso interessante» disse Portugal.

«E lo diventa sempre di più.»

«Da quanto ho potuto vedere in questi dieci minuti non

ha di che preoccuparsi. La partita è vinta, un vero colpo da maestro.»

Bosch annuì, ma non ricambiò l'entusiasmo. Lo faceva sorridere la vacuità dell'affermazione di Portugal. Sapeva che non era il caso di affidarsi alle intuizioni dei giovani procuratori. Pensò a tutto quello che era accaduto prima che portassero Delacroix in quella stanza, dall'altro lato della vetrata a specchio. E sapeva che i colpi da maestro non esistevano.

38

ALLE DICIANNOVE BOSCH ED EDGAR condussero Samuel Delacroix al Parker Center, dove sarebbe stato formalizzato l'arresto con l'accusa di omicidio. Lo avevano torchiato per un'altra ora, e Portugal aveva seguito l'interrogatorio dall'altra stanza, ma non avevano raccolto molti altri particolari. Vent'anni di sensi di colpa e di libagioni avevano corroso i ricordi di Delacroix sulla morte del figlio e sulla parte che vi aveva avuto.

Portugal se ne andò con la convinzione che il caso fosse chiuso e inattaccabile. Bosch, invece, non ne era così convinto. A differenza di quanto succedeva ad altri inquirenti, le confessioni volontarie lo lasciavano sempre dubbioso. Credeva che il rimorso autentico fosse una merce rara in questo mondo. Trattava le confessioni spontanee con grande cautela, cercando sempre altri significati oltre a quelli espressi dalle parole. Per lui un caso era paragonabile a un edificio in costruzione. La confessione era come il cemento su cui poggiava l'edificio. Se non era miscelato bene, o era fatto di materiale scadente, la casa rischiava di non superare l'impatto della prima scossa di terremoto. Mentre portava Delacroix al Parker Center, non poteva impedirsi di pensare che ci fossero delle crepe invisibili nelle fondamenta di quella particolare casa. E che il terremoto era vicino.

La suoneria del cellulare venne a interrompere il flusso dei suoi pensieri. Era Grace Billets.

«Ve la siete svignata senza dirmi una parola.»

«Lo stiamo portando al quartier generale per formalizzare l'arresto.»

«Mi sembri soddisfatto.»

«Non è il momento giusto per parlare.»

«Sei in macchina con lui?»

«Sì.»

«Irving e l'Ufficio Relazioni Esterne non mi danno tregua. Credo che dall'ufficio del procuratore distrettuale sia già filtrata la notizia che abbiamo un colpevole. Come devo comportarmi?»

Bosch guardò l'orologio. Riteneva che, una volta consegnato Delacroix, avrebbero fatto in tempo ad arrivare entro le otto a casa di sua figlia Sheila. Se i giornalisti fossero stati informati, si sarebbero precipitati da lei prima di loro.

«Il fatto è che vogliamo parlare con la figlia di Delacroix. Non puoi metterti in contatto con l'ufficio del procuratore e avvertirli di non comunicare la notizia fino alle nove? Lo stesso vale per quelli delle Relazioni Esterne.»

«Certamente. Senti, quando avrai affidato il tuo uomo a chi di dovere e potrai parlare liberamente, chiamami. Anche a casa. Se ci sono grane, voglio esserne informata.»

«Sarà fatto.»

Conclusa la telefonata, lanciò un'occhiata a Edgar.

«Portugal deve essersi precipitato a chiamare il suo ufficio stampa.»

«C'era da aspettarselo. Probabilmente è il suo primo caso importante. Cercherà di ricavarne il massimo della pubblicità.»

«Già.»

Tacquero per qualche minuto. Bosch ripensò all'incertezza che doveva avere trasmesso a Grace Billets. Non riusciva a capire la ragione della propria inquietudine. Ormai il caso passava dalla fase puramente investigativa a quella giudiziaria. Le indagini non erano concluse e c'era ancora molto da fare, ma la fisionomia di un caso cambiava completamente nell'istante in cui esisteva un presunto colpevole e si metteva in moto la Procura. Quasi sempre Bosch provava un senso di sollievo quando affidava un assassino al carcere. Gli pareva di essere un re, di avere contribuito in qualche modo a cambiare il mondo. Non era così questa volta, e non sapeva darsene ragione.

Ma alla fine attribuì questa sua sensazione ai molti passi falsi compiuti e alle circostanze incontrollabili intervenute. I costi erano stati troppo alti perché si sentisse sollevato. Certo, avevano un reo confesso, e lo stavano portando in carcere. Ma Nicholas Trent e Julia Brasher erano morti e i loro fantasmi avrebbero per sempre abitato la casa che lui aveva costruito. Non avrebbero mai smesso di ossessionarlo.

«Stava parlando di mia figlia al telefono? Andrà da lei?»

Bosch guardò nello specchietto retrovisore. Delacroix era piegato in avanti perché le mani gli erano state ammanettate dietro la schiena. Per vederlo in faccia dovette spostare lo specchietto e accendere la luce.

«Sì, saremo noi a darle la notizia.»

«È proprio necessario? Non potete lasciarla fuori da questa storia?»

Bosch continuò a fissarlo nello specchietto, ma Delacroix spostava lo sguardo, per evitare di incontrare il suo.

«No, non è possibile. Si tratta della sua famiglia.»

Imboccò l'uscita di Los Angeles Street. Nel giro di cinque minuti sarebbero arrivati sul retro del Parker Center, dove c'era l'ingresso in cui venivano registrati gli arresti.

«Che cosa le direte?»

«Quello che ci ha raccontato lei. Che è stato lei a uccidere Arthur. Vogliamo arrivare prima che la informino i giornalisti o che lo venga a sapere dalla televisione.»

Vide che Delacroix assentiva. Subito dopo alzò gli occhi a incontrare i suoi.

«Può dirle qualcosa da parte mia?»

«Che cosa?»

Bosch infilò la mano nella tasca interna alla ricerca del registratore, ma si ricordò che non l'aveva. Imprecò in silenzio contro Carol Bradley e contro se stesso, che aveva deciso di collaborare con gli Affari Interni.

Delacroix rimase in silenzio per qualche tempo. Scuoteva la testa da parte a parte, come se cercasse le cose da dire a sua figlia. Poi levò lo sguardo verso lo specchietto e parlò.

«Le dica che sono addolorato per quanto è accaduto. Solo questo. Glielo dica.»

«D'accordo, ho capito. Nient'altro?»

«No, solo questo.»

Edgar si voltò sul sedile per guardarlo in faccia.

«Addolorato, eh? È un po' tardi, dopo vent'anni.»

Bosch girò in Los Angeles Street. Non riuscì a guardare nello specchietto per vedere come aveva reagito Delacroix.

«Lei non sa niente» replicò Delacroix con rabbia. «Sono vent'anni che piango.»

«Già, piange e si consola con il whisky» rimbeccò Edgar. «Ma non ha fatto niente prima che noi bussassimo alla sua porta. Poteva lasciar perdere la bottiglia, costituirsi e tirar fuori da quella buca suo figlio in tempo per dargli un funerale decente. Di lui restano solo ossa, lo sa. Solo poche ossa.»

In quel momento Bosch riuscì a vederlo. Delacroix, piegato al punto da sfiorare con la fronte lo schienale del sedile anteriore, scuoteva la testa.

«Non potevo» disse. «Non ho neppure...»

Si interruppe, e Bosch si accorse che le sue spalle avevano cominciato a tremare. Piangeva.

«Non ha neppure... cosa?» gli chiese.

Delacroix non rispose.

«Non ha neppure... cosa?» chiese Edgar a voce più alta.

Sentì il conato di Delacroix che vomitava.

«Merda!» esclamò Edgar. «Me l'aspettavo.»

L'odore acre del vomito si diffuse nella macchina. Il vomito di un alcolizzato. Malgrado l'aria pungente di gennaio, Bosch abbassò il finestrino. Edgar lo imitò. In quel momento arrivarono al Parker Center.

«Tocca a te. L'ultima volta l'ho fatto io. Ricordi il tipo che avevamo beccato al bar Marmount?»

«Lo so, lo so» disse Edgar. «Proprio quello che avevo voglia di fare prima di cena.»

Bosch si infilò in uno degli spazi vicino all'ingresso, riservati ai veicoli che trasportavano i prigionieri. Uno degli agenti addetti alla registrazione degli arresti si staccò dalla soglia, avvicinandosi.

Bosch si ricordò che Julia Brasher si lamentava di dover pulire il vomito degli ubriachi dal sedile posteriore dell'auto di pattuglia. Gli parve quasi che lei gli desse di gomito, e lui sorrise.

39

SHEILA DELACROIX venne ad aprire la porta della casa dove avevano abitato lei e il fratello, ma dove solo uno di loro era vissuto abbastanza per diventare grande. Indossava una calzamaglia nera e un camicione che le arrivava quasi alle ginocchia. Non era truccata e per la prima volta Bosch si accorse che aveva un bel viso quando non lo nascondeva dietro il fard e il fondotinta. Sgranò gli occhi nel riconoscerli.

«Non vi aspettavo» disse, senza invitarli a entrare. Fu Bosch a parlare.

«Sheila, abbiamo identificato i resti trovati nel Laurel Canyon. Ci dispiace doverla informare che sono quelli di suo fratello Arthur. Possiamo entrare per qualche minuto?»

Annuì e per un attimo si appoggiò allo stipite. Chissà, si chiese Bosch, se sarebbe rimasta in quella casa ora che sapeva che Arthur non sarebbe più tornato.

Poi, facendosi di lato, Sheila indicò loro di entrare.

«Accomodatevi» disse, quando arrivarono nel soggiorno.

Si sedettero nello stesso posto dove si erano sistemati la volta precedente. Bosch notò che sul tavolino basso era ancora appoggiata la scatola con le fotografie che lei aveva ritirato due giorni prima. Adesso le foto erano disposte in pile ordinate. Sheila si accorse che le stava guardando.

«Ho cercato di metterle un po' in ordine. Era un pezzo che ci pensavo.»

Bosch annuì e attese che lei si sedesse prima di sistemarsi a sua volta. Durante il tragitto aveva discusso con Edgar su come condurre il colloquio. Sheila Delacroix sarebbe stata una pedina importante dell'accusa. Avevano la confessione del padre e le ossa, ma le dichiarazioni di Sheila erano un elemento indispensabile per completare la storia. Solo lei poteva raccontare che cosa aveva voluto dire crescere in casa Delacroix.

«C'è dell'altro, Sheila. Desideriamo comunicarglielo prima che lo venga a sapere dai giornali. Oggi nel tardo pomeriggio suo padre è stato accusato formalmente dell'omicidio di Arthur.»

«Mio Dio!»

Si chinò in avanti, appoggiando i gomiti sulle ginocchia e premendosi sulla bocca le mani strette a pugno. Chiuse gli occhi e i capelli le ricaddero sul viso, nascondendolo parzialmente.

«È in stato di arresto al Parker Center. Domani verrà redatto l'atto di accusa e si terrà l'udienza preliminare per la libertà provvisoria. Dal tipo di vita che conduce non credo che gli verrà concessa.»

Lei riaprì gli occhi.

«Ci deve essere un errore. Cosa mi dite dell'uomo che abitava sull'altro lato della strada? Quello che si è suicidato? Sarà stato lui l'assassino.»

«È da escludere, Sheila.»

«Mio padre non può aver fatto una cosa simile.»

«Ha confessato» intervenne Edgar piano.

La donna si raddrizzò, e Bosch lesse sul suo viso un'espressione di autentica sorpresa che lo colpì. Era convinto che lei avesse sempre sospettato che fosse stato suo padre a uccidere Arthur.

«Ci ha detto di aver perso la testa perché non era andato

299

a scuola e di averlo colpito con una mazza da baseball» cominciò Bosch. «Quel giorno aveva bevuto, non riuscì a controllarsi e lo picchiò con troppa forza. Un incidente, secondo lui.»

Sheila lo fissava intensamente, come se volesse imprimersi nella mente quello che lui stava dicendo.

«Poi mise il corpo di suo fratello nel baule della macchina. Quella notte, mentre andavate in giro a cercarlo, Arthur era chiuso nel baule.»

Lei serrò di nuovo gli occhi.

«Più tardi, mentre lei dormiva, sgusciò fuori di casa, raggiunse in macchina le colline e scaricò il cadavere.»

Sheila cominciò a scuotere la testa quasi volesse cancellare quelle parole.

«No, no, lui...»

«Vide mai suo padre picchiare Arthur?» chiese Bosch.

A questo punto Sheila si riscosse.

«No, mai.»

«Ne è sicura?»

Scosse la testa.

«Niente più di uno sculaccione, ma solo quando era una peste.»

Bosch lanciò un'occhiata a Edgar, poi tornò a posare lo sguardo sulla donna che aveva gli occhi fissi a terra.

«Sheila, lo so che c'è di mezzo suo padre. Ma stiamo parlando anche di suo fratello. Non ha avuto una gran vita, a quanto pare.»

Attese, senza che lei manifestasse alcuna reazione. Poi la donna prese a scuotere la testa senza guardarlo.

«Abbiamo la confessione di suo padre e altre prove. Le ossa di Arthur sono eloquenti, Sheila. Mostrano molte lesioni, alcune di vecchia data.»

Lei annuì.

«Quello che abbiamo bisogno è il suo racconto. Deve dirci che cosa è stato per Arthur crescere in questa casa.»

300

«Tentare di crescere» intervenne Edgar.

Sheila si raddrizzò e con le mani si asciugò le lacrime che le rigavano le guance.

«Posso soltanto dirvi che non ho mai visto mio padre picchiare Arthur, neanche una volta.»

Tornò ad asciugarsi le lacrime. Aveva il viso lucido, quasi distorto da una smorfia.

«È incredibile. Tutto quello che volevo era solo sapere se era Arthur il ragazzino che avevate trovato lassù. E adesso... Non avrei dovuto chiamarvi...»

Non concluse la frase, ma si strinse la sella del naso nel tentativo di fermare le lacrime.

«Sheila» disse Edgar «se non è stato suo padre a commettere il delitto, che motivo avrebbe avuto di confessare?»

Scosse la testa con forza e parve agitarsi.

«Perché ci avrebbe raccomandato di dirle che gli dispiaceva?»

«Non lo so. È malato. Beve. Forse vuole richiamare l'attenzione su di sé, dopotutto faceva l'attore.»

Bosch si tirò vicino la scatola di fotografie e con il dito passò in rassegna quelle di una fila. Vide una foto di Arthur, scattata quando doveva avere più o meno cinque anni. La tirò fuori per esaminarla da vicino. Nulla in quell'immagine lasciava pensare che il bambino avrebbe fatto una brutta fine, che sotto la pelle le ossa avevano già subito molti traumi.

La rimise al suo posto e alzò gli occhi sulla donna.

«Sheila, intende aiutarci o no?»

Lei distolse lo sguardo.

«Non posso.»

40

BOSCH SI FERMÒ con la macchina davanti al fossato che convogliava le acque pluviali e spense il motore. Non voleva attirare l'attenzione di quanti abitavano in Wonderland Avenue, e l'auto della Polizia lo esponeva alla curiosità. Ma sperava che, data l'ora, nessuno stesse guardando dalla finestra.

Era rimasto solo, visto che Edgar se ne era tornato a casa. Si chinò per tirare la levetta che apriva il portabagagli. Appoggiato al finestrino, scrutò l'oscurità che avvolgeva la collina. L'unità dei Servizi Speciali aveva già tolto le rampe e le scale di fortuna che portavano alla scena del crimine. Era esattamente quello che voleva, e cioè che il luogo assomigliasse il più possibile a com'era stato quando Samuel Delacroix aveva trascinato il corpo di suo figlio nel cuore della notte.

La luce improvvisa della torcia lo fece trasalire. Non si era accorto di avere appoggiato il pollice sul pulsante di accensione. La spense e si volse a guardare le case circostanti, immerse nella quiete. Stava seguendo il suo istinto, che lo spingeva a tornare dove tutto era cominciato. È vero che aveva già un reo confesso per un delitto commesso vent'anni prima, ma c'era qualcosa che non lo convinceva. Per questo voleva ripercorrere, passo dopo passo, la stessa strada che aveva fatto l'uomo per salire.

Accese la luce interna dell'auto, aprì la portiera e uscì tenendo in mano la torcia. Girò dietro la macchina e si guardò di nuovo intorno prima di sollevare il cofano del portabagagli. Ci aveva messo un manichino, di quelli usati nei test di laboratorio, che aveva preso in prestito da Jesper alla DIS, la Divisione Investigativa Speciale. Si ricorreva spesso ai manichini per ricostruire le modalità di un decesso, specie nei casi di suicidio poco chiari o di pirateria stradale. Alla DIS avevano un vasto assortimento di manichini di ogni dimensione, il cui peso poteva essere variato infilando dei sacchi di sabbia da mezzo chilo nel torso e negli arti, all'interno di apposite tasche chiuse con cerniere lampo.

Il manichino nel portabagagli di Bosch era contrassegnato dalla dicitura DIS sul petto. Era privo di lineamenti e in laboratorio Bosch e Jesper lo avevano appesantito fino a portarlo a circa trenta chili, più o meno il peso del ragazzo, stando ai calcoli di Golliher, basati sulle dimensioni delle ossa e sulle foto. Vi avevano anche agganciato uno zainetto simile a quello recuperato vicino al cadavere e lo avevano riempito di stracci per simulare gli abiti trovati con le ossa.

Bosch appoggiò la torcia, prese il manichino per le braccia, lo estrasse dal portabagagli, lo sollevò e se lo issò sulla spalla sinistra. Indietreggiò di un passo per ritrovare l'equilibrio e quindi afferrò la torcia. Era un affare di poco prezzo, simile a quella che Delacroix aveva detto di avere usato la notte in cui aveva seppellito suo figlio. Bosch l'accese, lasciò la strada e s'incamminò verso la collina.

Prese a salire, ma ben presto si accorse che aveva bisogno di entrambe le mani per aggrapparsi ai ramoscelli e issarsi lungo il pendio. Ficcò la torcia in una tasca, ma la direzione del fascio di luce, che a questo punto illuminava le cime degli alberi, gli era del tutto inutile.

Cadde due volte nei primi cinque minuti e si ritrovò senza fiato dopo aver percorso solo pochi metri sul fianco scosceso della collina. Senza la torcia che gli rischiarasse il sentiero, non si avvide di un piccolo ramo spoglio che gli graffiò la guancia, procurandogli un taglio. Imprecò ma continuò a procedere.

Dopo una quindicina di metri fece una sosta, lasciò cadere il manichino vicino al tronco di un pino e vi si sedette sopra. Si tirò fuori la maglietta dai pantaloni e la usò per tamponare il sangue che gli scendeva lungo la guancia. La ferita gli bruciava, anche perché stava sudando copiosamente.

«Su, amico, rimettiamoci in marcia» disse non appena ebbe ripreso fiato.

Per una decina di metri trascinò il manichino su per la salita. Procedeva più lentamente, ma faticava di meno ora che non doveva reggere l'intero peso. E Delacroix aveva detto di aver trascinato il corpo di suo figlio.

Dopo un'altra sosta Bosch finalmente percorse gli ultimi metri che lo separavano dal punto in cui il terreno si faceva pianeggiante. Portò il manichino nella radura sotto l'acacia, poi si lasciò cadere sulle ginocchia e si appoggiò sui talloni.

«Che stronzata» borbottò ansimando.

Non se lo figurava Delacroix a fare tutta quella fatica. Era vero che l'uomo allora aveva avuto vent'anni di meno, ma lui era in ottima forma per la sua età. E per giunta era sobrio, al contrario di Delacroix, stando a quanto aveva detto.

Era riuscito a trasportare il manichino fin lì, ma l'istinto gli diceva che l'uomo aveva mentito. I fatti non si erano svolti come li raccontava lui. O non aveva trasportato il corpo, o qualcuno lo aveva aiutato. E c'era anche una terza possibilità: che Arthur Delacroix fosse stato ancora vivo e fosse salito da solo su per il pendio.

Finalmente il respiro riprese il suo ritmo normale. Alzando la testa, Bosch guardò tra gli squarci che si aprivano nel folto degli alberi. Scorse il cielo notturno e una falce di luna che sbucava da una nube. Gli arrivò l'odore di legna che bruciava nel caminetto di una delle case sottostanti.

Toltasi di tasca la torcia, afferrò una cinghia sul dorso del manichino. Riportarlo giù non faceva parte dell'esperimento e quindi poteva permettersi di trascinarlo. Stava per rimettersi in piedi quando sentì un rumore, a una decina di metri sulla sinistra.

Levò la torcia in quella direzione ed ebbe la fuggevole visione di un coyote che si muoveva nel sottobosco. L'animale scomparve con un balzo. Bosch mosse il fascio di luce intorno ma non lo vide più. Si alzò e cominciò la discesa tirandosi dietro il manichino.

La legge di gravità gli facilitava il cammino, ma le insidie erano sempre presenti. Mentre appoggiava con cautela i piedi, Bosch pensava al coyote. Chissà quanti anni poteva vivere. Chissà se, vent'anni prima, aveva visto un uomo seppellire un cadavere in quello stesso punto.

Riuscì a concludere la discesa senza cadere. Arrivato in fondo, notò che vicino alla sua auto c'era il dottor Guyot in compagnia del cane. Lo teneva al guinzaglio. Bosch si avvicinò in fretta al portabagagli, vi buttò dentro il manichino e richiuse il cofano. Il dottor Guyot lo raggiunse.

«Detective Bosch.»

Ebbe il buon senso di non chiedere che cosa ci facesse lì.

«Dottor Guyot, come sta?»

«Meglio di lei, temo. Vedo che si è ferito di nuovo.»

Bosch si toccò la guancia. Gli bruciava.

«È solo un graffio. Fa bene a tenere Calamity al guinzaglio. Ho appena visto un coyote lassù.»

«Sì, la tengo sempre al guinzaglio di notte. La collina è piena di coyote che vanno a caccia. Li sentiamo correre. Venga in casa con me, la medicherò e fascerò la ferita. In caso contrario le resterà la cicatrice.»

Gli tornarono in mente le domande che Julia gli aveva fatto sulle sue cicatrici.

«Va bene. La ringrazio» disse al dottore.

Lasciarono la macchina dov'era e si avviarono a piedi verso

la casa del medico. Nello studio, Bosch si sedette sulla scrivania e Guyot gli pulì il taglio, applicandogli due garze tenute ferme con del cerotto.

«Guarirà perfettamente» disse chiudendo la scatola del pronto soccorso. «Quanto alla maglietta, non so se tornerà pulita.»

Abbassando lo sguardo, Bosch si accorse che l'orlo era sporco di sangue.

«Grazie delle cure, dottore. Quanto tempo devo tenere la fasciatura?»

«Qualche giorno, se ce la fa.»

Bosch si toccò la guancia. Era leggermente gonfia, ma non gli bruciava più. Guyot si girò e lo fissò. Bosch intuì che stava per chiedergli qualcosa.

«Che c'è, dottore?»

«La donna che venne qui quella notte, la donna poliziotto. È lei che è morta?»

Bosch annuì.

«Già.»

Guyot scosse la testa con sincera tristezza. Lentamente girò intorno alla scrivania e si lasciò cadere sulla sedia.

«Strano come vanno le cose a volte» disse. «Sembra una reazione a catena. Il signor Trent dall'altra parte della strada e ora quella donna. E tutto perché un cane una sera è tornato con un osso in bocca. Una cosa tanto naturale.»

Bosch annuì senza parlare. Non c'era molto da dire. Poi si infilò la maglietta nei pantaloni, nascondendo le macchie di sangue.

Guyot guardò il cane, che si era accucciato vicino alla sua sedia.

«Se almeno non avessi tolto il guinzaglio a Calamity. Me ne rammarico sinceramente.»

Bosch scivolò giù dalla scrivania. Chinò gli occhi a guardarsi. Le macchie di sangue erano sparite, ma restavano le chiazze di sudore.

«Non so se ha ragione di rammaricarsi, dottor Guyot. Rischia di non uscire più di casa, se si mette a pensare così.»

Si fissarono per un istante e annuirono. Bosch indicò la guancia. «Grazie. Non è il caso che mi accompagni, so dov'è la porta.»

Si volse per uscire, ma Guyot lo fermò.

«In televisione hanno detto che è stato effettuato un arresto. Guarderò il telegiornale delle undici.»

Arrivato alla porta, Bosch si voltò e gli lanciò un'ultima occhiata.

«Non creda a tutto quello che dicono in televisione.»

41

IL TELEFONO SQUILLÒ nello stesso istante in cui Bosch finiva di guardare il video della prima parte della confessione di Delacroix. Prese il telecomando, abbassò l'audio e rispose. Era Grace Billets.

«Pensavo che mi avresti chiamata.»

Bosch bevve una sorsata dalla lattina di birra che aveva in mano, poi l'appoggiò sul tavolino vicino alla poltrona.

«Scusami, me ne sono dimenticato.»

«Sei della stessa idea su come sono andate le cose?»

«Sempre più convinto.»

«Come mai, Harry? Non ho mai visto un investigatore più abbattuto di te per avere ottenuto una confessione.»

«C'è qualcosa di poco chiaro, qualcosa che non gira per il verso giusto.»

«Che cosa vuoi dire?»

«Che forse non è lui il colpevole. Che forse sta architettando qualcosa. Il perché lo ignoro.»

Grace Billets rimase in silenzio per un po', come se fosse incerta su quello che doveva dire.

«Cosa ne pensa Jerry?» chiese alla fine.

«Non lo so. Presumo che sia contento di chiudere la faccenda.»

«Lo siamo tutti, Harry. Ma solo se è lui il colpevole. Hai

qualcosa di concreto in mano? Qualcosa che confermi i tuoi dubbi?»

Bosch si toccò delicatamente la guancia. Il gonfiore era quasi sparito, ma la ferita gli doleva ancora.

«Stasera ho fatto una ricognizione sul luogo del crimine, portando un manichino che mi sono fatto prestare dalla DIS. Pesava più o meno come il ragazzino, una trentina di chili. L'ho portato fin lassù, ma è stata una faticaccia.»

«Però hai dimostrato che è fattibile. Che problemi ci sono?»

«Io ho trascinato fin lassù un manichino. Delacroix ha trasportato il cadavere di suo figlio. Io ero sobrio. Delacroix sostiene che era sbronzo. Io lassù c'ero già stato. Lui no. Secondo me non poteva farcela, perlomeno non da solo.»

«Vuoi dire che si è fatto aiutare? Forse da sua figlia?»

«Forse si è fatto aiutare o forse lassù non c'è mai andato. Non lo so. Stasera abbiamo parlato con sua figlia. Non si metterà contro suo padre. Non dirà una parola. Allora viene da concludere che forse hanno agito insieme. Ma non credo. Se lei era implicata, perché ci avrebbe chiamati mettendoci sulla buona strada? Non ha senso.»

Grace Billets non rispose. Guardando l'orologio, Bosch si accorse che erano le undici. Non voleva perdere il telegiornale. Con il telecomando spense il videoregistratore e premette il pulsante corrispondente a Channel 4.

«Hai acceso il televisore?» chiese la Billets.

«Sì, su Channel 4.»

Era la notizia di apertura: un padre uccide il figlio, seppellisce il cadavere e viene arrestato venti anni dopo, e tutto grazie a un cane.

Una storia perfetta, tipica di Los Angeles. Bosch guardava con attenzione e lo stesso faceva Grace Billets, a casa sua. Bosch non colse nessuna inesattezza nel servizio di Judy Surtain e ne fu quasi sorpreso.

«Niente male» disse quando finì. «Una volta tanto hanno detto la verità.»

Tolse l'audio nel momento in cui il conduttore passava alla notizia successiva. Tacque per un momento continuando a guardare lo schermo. Il servizio riguardava le ossa umane trovate nei La Brea Tar Pits. Si vedeva Golliher durante una conferenza stampa, davanti a una miriade di microfoni.

«Coraggio, Harry!» disse Grace Billets. «Quale tarlo ti rode? Di sicuro hai dell'altro in mano, oltre alla sensazione che forse non è lui l'assassino. In quanto alla figlia, non mi sembra così strano che si sia messa in contatto con i nostri uffici. È venuta a sapere di Trent dal telegiornale, no? Forse pensava di scaricare la colpa su di lui. Dopo vent'anni di angoscia, finalmente aveva trovato un capro espiatorio.»

Bosch scosse la testa, pur sapendo che la Billets non poteva vederlo. Sheila non avrebbe chiamato se fosse stata coinvolta nella morte del fratello, ne era convinto.

«Non lo so, ma non mi torna» disse.

«Che cosa pensi di fare?»

«Di riesaminare tutto, di ricominciare daccapo.»

«La formalizzazione dell'accusa è prevista per domani?»

«Sì.»

«Non hai abbastanza tempo, Harry.»

«Lo so, ma voglio provarci. Ho già individuato una contraddizione che non avevo notato prima.»

«Di che si tratta?»

«Delacroix ha dichiarato di avere ucciso suo figlio di mattina quando si accorse che non era andato a scuola. Quando abbiamo interrogato sua figlia, lei ha detto che Arthur non era tornato da scuola. Le due dichiarazioni non coincidono.»

Grace Billets si lasciò sfuggire un sospiro.

«Harry, è un particolare insignificante. Sono passati più di vent'anni e lui è alcolizzato. Forse dovresti controllare i registri scolastici.»

«Sì, lo farò domani.»

«Così avrai un quadro preciso. Come faceva sua sorella a sapere se era andato o no a scuola? Lei sapeva solo che non era a casa alla solita ora. Il tuo ragionamento non mi convince.»

«Non voglio convincerti, non ci provo nemmeno. Ti sto solo dicendo che intendo andare a fondo su certi punti.»

«Avete trovato niente quando avete perquisito la roulotte?»

«Non abbiamo fatto una perquisizione in piena regola. Abbiamo cominciato subito a parlare. Ci andremo domani dopo la formalizzazione dell'accusa.»

«Quanto dura la validità del mandato di perquisizione?»

«Quarantotto ore. Siamo ancora nei termini.»

L'accenno alla roulotte gli richiamò alla mente il gatto di Delacroix.

Si erano lasciati prendere dagli avvenimenti al punto da dimenticarsi di provvedere all'animale.

«Merda!»

«Cosa?»

«Niente. Mi sono dimenticato del gatto. Delacroix ha un gatto e gli ho promesso che lo avrei affidato a un vicino.»

«Perché non chiami la Protezione Animali?»

«Ce lo ha impedito. Tu hai dei gatti, no?»

«Sì, ma non ho intenzione di prendermi a carico quello del tuo imputato.»

«E chi te l'ha chiesto? Voglio solo sapere quanto resistono senza mangiare e senza bere.»

«Vuoi dire che non gli hai dato niente da mangiare?»

«No, gli abbiamo lasciato qualcosa, ma nel frattempo l'avrà finito.»

«Se oggi ha mangiato, resisterà fino a domani. Non sarà molto contento. Forse butterà per aria la roulotte.»

«Pareva che l'avesse già fatto. Ora ti devo salutare. Voglio guardare il resto del nastro e capire a che punto siamo.»

«D'accordo, ma ricorda: a caval donato non si guarda in bocca. Hai capito cosa intendo?»

«Sì.»

Appena riappeso, Bosch riavvolse il nastro e riprese dall'inizio. Ma spense il video registratore quasi subito. La faccenda del gatto lo tormentava e decise di andare a vedere.

42

AVVICINANDOSI ALLA ROULOTTE, Bosch si accorse che dalle
tendine filtrava un po' di luce. Era certo che non l'avessero
dimenticata accesa quando se ne erano andati. Arrivato al
parcheggio, si infilò in uno degli spazi liberi. Lasciò in macchina la scatoletta di cibo per gatti e si avviò, fermandosi a
osservare la roulotte dallo stesso punto in cui, il giorno
prima, aveva atteso che Edgar riuscisse a farsi aprire tempe-
stando la porta di pugni. Malgrado l'ora tarda, il sibilo delle
auto che passavano sulla freeway era incessante, al punto di
impedirgli di sentire eventuali suoni o movimenti provenienti
dall'interno.

Tirò fuori la pistola dalla fondina e si accostò alla porta.
Con cautela, senza far rumore, salì i blocchi di cemento e
girò la maniglia che cedette subito. Appoggiato allo stipite,
rimase in ascolto, ma non colse alcun suono all'interno. Attese ancora un momento, poi, senza far rumore, spalancò la
porta tenendo la pistola puntata.

Il soggiorno era vuoto. Bosch entrò e diede un'occhiata
intorno. Non c'era nessuno. Guardò in cucina e nel corri-
doietto che portava alla camera da letto. La porta era socchiusa e la stanza sembrava vuota, ma a un tratto gli arrivò
come un rumore di cassetti che venivano sbattuti. Attraversò la cucina. L'odore di pipì di gatto era tremendo. Notò che

il piattino sotto la tavola era stato ripulito, e che la ciotola dell'acqua era quasi vuota. Era a circa un metro dalla camera da letto quando la porta si spalancò e una figura a testa china avanzò verso di lui.

Appena alzò gli occhi e lo vide, Sheila Delacroix emise un grido. Istintivamente Bosch spianò la pistola, poi la riabbassò vedendo che si trattava di lei. Sheila sgranò gli occhi e si portò una mano al petto.

«Che cosa ci fa qui?» gli chiese.

Bosch rimise la pistola nella fondina.

«Stavo per chiederle la stessa cosa.»

«Questa è la casa di mio padre e io ho la chiave.»

«E allora?»

Scosse la testa e si strinse nelle spalle.

«Ero... ero preoccupata per il gatto. L'ho cercato dappertutto. Che cosa si è fatto in faccia?»

Passandole accanto, Bosch entrò in camera da letto.

«Un piccolo incidente.»

Si guardò intorno. Non vide il gatto né altro che attirasse la sua attenzione.

«Credo che si sia nascosto sotto il letto.»

Bosch si girò verso di lei.

«Non sono riuscita a farlo uscire.»

Bosch tornò verso la porta e, mettendole una mano sulla spalla, la sospinse piano verso il soggiorno.

«Andiamo a sederci.»

Sheila si accomodò sulla poltrona dallo schienale reclinabile, mentre Bosch restava in piedi.

«Che cosa stava cercando?»

«Il gatto, gliel'ho detto.»

«Ho sentito che apriva e chiudeva i cassetti. Non sono posti dove va a nascondersi un gatto.»

Sheila scosse la testa, quasi a fargli capire che si dava da fare per niente.

«Ero curiosa. Ho voluto dare un'occhiata in giro.»

«Dove ha posteggiato la macchina?»

«Davanti alla portineria. Non sapevo se qui c'era un parcheggio e quindi sono venuta a piedi.»

«Intendeva portarsi via il gatto al guinzaglio?»

«Lo avrei tenuto in braccio. Perché mi fa queste domande?»

Bosch la fissò attentamente. Sapeva che gli stava mentendo, ma non aveva le idee chiare su come prenderla. Eppure capiva che era arrivato il momento di metterla con le spalle al muro.

«Sheila, mi ascolti. Se per qualche motivo è stata coinvolta nella morte di suo fratello, è arrivato il momento di dirmelo.»

«Sta scherzando?»

«Ha aiutato suo padre quella notte? Gli ha dato una mano a trasportare suo fratello sulla collina e a seppellirlo?»

Lei si portò le mani al viso con un movimento così rapido da far pensare che Bosch le avesse spruzzato dell'acido negli occhi. Poi urlò: «Dio mio! Non è possibile».

Infine, con un movimento altrettanto brusco lasciò cadere le mani e lo fissò sbalordita.

«Come può pensare che io sia in qualche modo responsabile di quello che è successo? Come può esserle venuto in mente?»

Bosch aspettò che si calmasse prima di rispondere.

«Credo che lei mi stia nascondendo qualcosa e questo mi ha fatto nascere dei sospetti. Io devo tener conto di ogni possibilità.»

Lei si alzò di scatto. «Sono in stato di arresto?»

Bosch scosse la testa. «No, Sheila, non si tratta di questo. Ma se lei mi raccontasse...»

«Allora me ne vado.» E, girando intorno al tavolino, si avviò con passo deciso alla porta.

«E il gatto?»

Sheila non si fermò. Era già fuori, nel buio. «Se ne occupi lei» fu la risposta.

Dalla soglia la vide dirigersi lungo la strada che portava fuori dal campeggio, verso gli uffici della direzione, dove aveva parcheggiato la macchina.

«Fantastico» si disse.

Appoggiato allo stipite, inalò l'aria pura della notte. Si domandò cosa stesse facendo Sheila poco prima, nella roulotte del padre. Dopo un po' guardò l'orologio e si voltò, lanciando un'ultima occhiata all'interno. Era mezzanotte passata e si sentiva stanco. Ma nonostante questo decise di fermarsi e di provare a cercare quello che aveva attirato la donna.

Sentì qualcosa che gli si sfregava contro le gambe e abbassando gli occhi scorse un gatto nero. Lo allontanò delicatamente. Non gli piacevano i gatti.

Ma l'animale gli si avvicinò di nuovo, strofinandogli la testa contro la gamba. Bosch entrò nella roulotte, e il gatto si ritrasse prudentemente di un metro.

«Aspetta qui. Ti ho portato qualcosa da mangiare.»

43

G<small>LI UFFICI DEL TRIBUNALE PENALE</small> erano come una specie di
zoo. Quando alle nove meno dieci di venerdì mattina Bosch
varcò la soglia, il giudice non era ancora arrivato, ma davanti all'aula gli avvocati si muovevano in un viavai confuso,
come formiche impazzite a cui fosse stato distrutto il for-
micaio. Solo un veterano con anni di esperienza riusciva a
capire quello che succedeva lì dentro.

Per prima cosa Bosch fece scorrere lo sguardo sulle file
riservate al pubblico in cerca di Sheila Delacroix. La donna
non c'era. Cercò poi Edgar e Portugal, il vice procuratore,
ma neppure loro erano ancora arrivati. Notò due operatori
della televisione che sistemavano la telecamera vicino alla
scrivania del cancelliere, perché da lì avrebbero potuto
inquadrare meglio l'imputato, quando il giudice avesse dato
inizio all'udienza.

Bosch avanzò e spinse il cancelletto che divideva la zona
destinata al pubblico da quella riservata agli avvocati, agli
imputati e al personale giudiziario. Prese il distintivo, lo
mostrò al cancelliere intento a studiare un foglio stampato
al computer con l'elenco dei casi che si discutevano quel
giorno.

«C'è un'udienza fissata per Samuel Delacroix?» chiese.

«È stato fermato mercoledì o giovedì?»

«Giovedì, ieri.»

Il cancelliere girò la prima pagina e con un dito scorse la lista dei nomi.

«Eccolo qui.»

«A che ora sarà l'udienza?»

«Dobbiamo ancora terminare con gli imputati che sono stati fermati mercoledì. Dipende da chi è il suo avvocato: pubblico patrocinio o professionista privato?»

«Pubblico patrocinio, immagino.»

«Vanno in ordine. Faccia conto che ci vorrà almeno un'ora, se il giudice comincia puntuale. Mi hanno detto che non è ancora arrivato.»

«Grazie.»

Bosch si avvicinò al tavolo della pubblica accusa dopo avere superato due gruppi di avvocati difensori che chiacchieravano tra loro. Seduta al tavolo Bosch scorse una donna che non conosceva. Era il sostituto procuratore assegnato al lavoro in aula. Discuteva lei l'ottanta per cento dei reati minori, prima che venissero passati ai procuratori. Davanti a sé, sul tavolo, aveva una pila di fascicoli alta una trentina di centimetri. Erano i casi che sarebbero stati dibattuti nella mattinata. Bosch le mostrò il distintivo.

«Sa se George Portugal sarà presente a sostenere l'accusa contro Delacroix? L'uomo è stato fermato ieri.»

«Penso di sì» rispose lei senza alzare gli occhi. «Gli ho appena parlato.»

Poi lo guardò e Bosch si accorse che aveva notato il taglio sulla guancia. Si era tolto la medicazione quella mattina, e la ferita era molto evidente.

«Non arriverà prima di un'ora. Delacroix è difeso da un avvocato d'ufficio. Le fa male?»

«Solo se sorrido. Posso usare il suo telefono?»

«Faccia pure, ma veda di sbrigarsi. Sta arrivando il giudice.»

Bosch chiamò l'ufficio del procuratore distrettuale, che si

trovava in quello stesso edificio, al terzo piano. Chiese di Portugal, e gli passarono l'interno.

«Sono Bosch. Posso salire un attimo? Devo parlarle.»

«Mi troverà qui finché non dovrò scendere in aula.»

«Sarò da lei tra cinque minuti.»

Uscendo avvertì uno dei cancellieri che, se fosse arrivato un poliziotto di nome Edgar, doveva indirizzarlo all'ufficio del procuratore distrettuale. Il cancelliere gli assicurò che avrebbe provveduto.

Il corridoio su cui si aprivano le aule brulicava di avvocati e di persone che erano venute ad assistere ai vari dibattimenti. Più o meno tutti stavano parlando al cellulare.

Il pavimento di marmo e il soffitto alto rifrangevano le voci, moltiplicandole in una cacofonia assordante. Bosch si infilò nel piccolo bar e dovette aspettare cinque minuti in fila prima di avere una tazza di caffè. Una volta uscito, salì a piedi la scala antincendio per evitare l'attesa all'ascensore.

Quando entrò nell'ufficio di Portugal, vide che Edgar era già arrivato.

«Ci chiedevamo dove fosse finito» disse Portugal.

«Cosa diavolo ti sei fatto?» chiese Edgar guardando la guancia di Bosch.

«Una lunga storia. Ne parliamo dopo.»

Prese l'altra sedia che stava davanti alla scrivania di Portugal e appoggiò per terra, accanto a sé, la tazza di caffè. Pensò che forse avrebbe dovuto portare del caffè anche agli altri due, e decise di aspettare a berlo.

Aprì la cartella tenendola sulle ginocchia e ne estrasse una copia piegata del *Los Angeles Times*. Poi la richiuse e la depose per terra.

«Allora, cosa c'è di nuovo?» chiese Portugal, impaziente di conoscere le ragioni che avevano spinto Bosch a sollecitare quell'incontro.

Bosch cominciò a sfogliare il quotidiano.

«C'è che abbiamo preso la persona sbagliata e che è meglio rimediare prima che sia formalizzata l'accusa.»

«Merda! Me lo sentivo che avrebbe tirato fuori qualcosa del genere» disse Portugal. «Non so se ho voglia di ascoltarla. Stava andando tutto liscio, Bosch.»

«Non posso farci niente se non è stato lui.»

«Ma se ha confessato! Non ha fatto altro che ripeterlo, che il ragazzo l'aveva ucciso lui.»

«Senta» intervenne Edgar rivolgendosi a Portugal «diamo a Harry il tempo di spiegarsi. Nessuno ha voglia di far casino.»

«Date le premesse, mi sembra che il guaio sia già stato fatto.»

«Su, Harry, parla. Cosa c'è che non va?»

Bosch raccontò di aver cercato di ricreare la situazione in cui si era trovato Delacroix, trasportando il manichino lungo il pendio che sovrastava Wonderland Avenue.

«È un miracolo che ci sia riuscito» disse toccandosi delicatamente la guancia. «Ma il punto è che Delacroix...»

«Però ce l'ha fatta» lo interruppe Portugal. «E come ce l'ha fatta lei, avrebbe potuto farcela anche Delacroix. Allora, qual è il problema?»

«Che io ero sobrio, mentre lui sostiene che quella sera era ubriaco. Inoltre io sapevo che più in alto il terreno si faceva pianeggiante, ma lui ignorava che cosa avrebbe trovato lassù.»

«Stronzate irrilevanti.»

«La vera stronzata è quello che ci ha raccontato Delacroix. Quando è arrivato sulla collina, il ragazzino era vivo. È lì che è stato ammazzato.»

Portugal scosse la testa sconsolato.

«Sono congetture prive di fondamento, Bosch. Non ho intenzione di bloccare tutto solo per delle fantasie che non hanno riscontro con la realtà.»

«Mi creda, so quello che dico.»

Lanciò un'occhiata a Edgar, ma questi non la ricambiò. La sua espressione era cupa. Bosch tornò a posare lo sguardo su Portugal.

«Senta, c'è dell'altro. Ieri sera mi sono ricordato del gatto di Delacroix. L'avevamo lasciato nella roulotte e mi ero impegnato ad averne cura, poi me ne sono dimenticato. Così sono tornato.»

Bosch si accorse che Edgar era seccato. Sapeva il perché: ancora una volta era stato tagliato fuori. Era imbarazzante essere informato delle mosse del partner in contemporanea con Portugal. In teoria Bosch avrebbe dovuto avvertirlo prima di conferire con il procuratore, ma non ne aveva avuto il tempo.

«Il mio obiettivo era dar da mangiare al gatto, ma quando sono arrivato mi sono accorto che nella roulotte c'era già qualcuno. Per la precisione la figlia di Delacroix.»

«Sheila? Che ci faceva lì?» chiese Edgar.

La notizia lo aveva sorpreso a tal punto da renderlo indifferente al fatto che Portugal fosse venuto a sapere che non aveva partecipato alle ultime fasi dell'indagine.

«Stava frugando in giro. Ha dichiarato di essere andata per il gatto, in realtà stava cercando qualcosa.»

«Che cosa?»

«Non me lo ha detto, anzi, ha negato. Ma dopo che se ne è andata, ho cominciato a guardarmi intorno e in effetti qualcosa ho trovato.»

Bosch indicò il giornale.

«Questo è l'inserto domenicale. C'è un lungo articolo sul caso, con una quantità di particolari provenienti da una fonte di cui non viene fatto il nome e una descrizione piuttosto accurata della scena del crimine.»

La sera precedente, dopo aver letto l'articolo nella roulotte di Delacroix, Bosch si era convinto che la fonte fosse Teresa Corazón, espressamente citata all'inizio del servizio in relazione a una serie di casi analoghi. Bosch sapeva benissimo quali erano i rapporti di scambio tra i giornalisti e le loro fonti. In alcuni casi il nome veniva citato, in altri volutamente ignorato. Ma ai fini della discussione l'identità dell'informatore non era essenziale, e lui non sollevò la questione.

«Non vedo il problema» obiettò Portugal.

«Dice che le ossa si trovavano in una buca poco profonda, scavata con tutta evidenza senza l'uso di attrezzi. Dice anche che insieme al corpo era stato seppellito uno zaino. Poi fornisce molti altri particolari. Di alcuni invece, non fa parola, come per esempio dello skateboard del ragazzino.»

«E con questo?» chiese Portugal con una traccia di impazienza nella voce.

«L'articolo dava tutte le informazioni necessarie per rilasciare una confessione, pur non avendo commesso il delitto.»

«Andiamo! Delacroix non si è limitato a raccontarci dove ha sepolto suo figlio. Ci ha descritto l'omicidio, ci ha riferito di essere andato in giro in macchina con il cadavere nel portabagagli, e molto altro.»

«Già, ma non era difficile inventarsi una storia che nessuno avrebbe potuto smentire. Non c'erano testimoni e quanto all'auto probabilmente a quest'ora è stata ridotta alle dimensioni di una scatola. Abbiamo soltanto la versione di Delacroix, e l'unico punto in cui coincide con i dati a nostra disposizione è il luogo in cui sono state trovate le ossa. Un particolare che avrebbe potuto benissimo apprendere da questo articolo.»

Buttò il giornale sulla scrivania di Portugal, ma il vice procuratore non lo degnò nemmeno di un'occhiata. Appoggiò i gomiti sul piano e accostò le mani, allargando le dita. Bosch vide i muscoli che si contraevano sotto la giacca e capì che stava facendo una specie di ginnastica. Portugal prese a parlare continuando a premere le mani l'una contro l'altra.

«Mi serve ad allentare la tensione.»

Finalmente smise, espirò con forza e si appoggiò allo schienale della poltrona.

«D'accordo. Diciamo pure che si è inventato tutto. Ma per quale ragione avrebbe dovuto farlo? Dopotutto si tratta di suo figlio. Perché ha dichiarato di averlo ucciso se non è stato lui?»

«Ve lo spiego subito» disse Bosch, ed estrasse dalla tasca interna della giacca una busta piegata in due. Si protese in avanti e la posò delicatamente sopra il giornale.

Mentre Portugal si accingeva ad aprirla, Bosch aggiunse: «Penso che fosse questo che Sheila cercava ieri notte nella roulotte. L'ho trovata nel comodino vicino al letto di suo padre. Era infilata sotto l'ultimo cassetto, in una sorta di nascondiglio segreto. Per trovarlo bisogna estrarre tutto il cassetto e lei non ci ha pensato».

Portugal tirò fuori dalla busta una serie di Polaroid e cominciò a passarle in rassegna.

«Oh, Dio! È sua figlia?» chiese subito. «È una cosa orribile!»

Le scorse frettolosamente e le mise sulla scrivania. Edgar si alzò e le dispose a ventaglio per guardarle. Serrò la mascella, ma non disse niente.

Erano vecchie fotografie con i bordi ormai ingialliti e i colori sbiaditi dal tempo. Bosch usava spesso le Polaroid nel suo lavoro. Da come erano ridotte, capì che risalivano a molto tempo prima. Erano in tutto quattordici e il soggetto era invariabilmente lo stesso: una bambina nuda. Considerando i cambiamenti intervenuti nel corpo della piccola e la lunghezza dei capelli, presumibilmente si riferivano a un arco di tempo di almeno cinque anni. In alcune la ragazzina sorrideva con innocenza; in altre i suoi occhi esprimevano tristezza, forse addirittura rabbia. Dal primo momento in cui le aveva viste Bosch aveva riconosciuto in quei lineamenti infantili Sheila Delacroix.

Edgar si appoggiò pesantemente allo schienale della

323

sedia. Era turbato, sicuramente per il contenuto delle foto, ma forse anche per non essere rimasto al passo con l'indagine.

«Ieri sembrava che avessimo fatto centro e oggi ci troviamo a sollevare il coperchio di un verminaio. Spero che voglia spiegarmi qual è la sua opinione su tutto questo» disse Portugal rivolgendosi a Bosch.

Bosch annuì.

«Cominciamo con l'analisi della famiglia» prese a dire.

Parlando, si chinò in avanti, raccolse le foto, ne raddrizzò gli angoli e le infilò di nuovo nella busta. Non gli andava di vederle lì esposte.

«La madre è una donna debole. Troppo giovane per essere sposata, troppo giovane per avere figli. Il figlio è un ragazzino difficile. Lei si rende conto di quale futuro l'aspetta e la cosa non le piace. Di punto in bianco pianta tutto, e Sheila rimane sola a vedersela con il fratello e a difendersi da suo padre.»

Bosch lanciò una rapida occhiata agli altri due per valutare l'effetto che avevano avuto le sue parole. Entrambi erano attentissimi. Bosch levò la busta con le foto.

«Una vita d'inferno, ovviamente. Non c'era molto che potesse fare se non dare la colpa a sua madre, a suo padre, a suo fratello. Ma con chi poteva prendersela? Sua madre se ne era andata, suo padre era un omone prepotente, che controllava perfettamente la situazione. Non restava che Arthur.»

Si accorse che Edgar scuoteva la testa quasi impercettibilmente.

«Mi stai dicendo che è stata Sheila ad ammazzarlo? È assurdo. Se è stata lei a telefonarci, permettendoci di identificare la vittima.»

«Noi lo sappiamo, ma suo padre no.»

Edgar corrugò le sopracciglia. Portugal riprese i suoi esercizi con le mani.

«Non riesco a seguirla. Che c'entra questo con il fatto che Delacroix abbia ucciso o meno suo figlio?»

Bosch si sporse in avanti e riprese con maggior animazione. Levò di nuovo la busta, come se la risposta a tutte le loro domande fosse contenuta lì dentro.

«Non capite? Vi ricordate le lesioni che abbiamo riscontrato sulle ossa del ragazzino? Bene, non era suo padre che lo picchiava, era Sheila. Da vittima si era trasformata in carnefice.»

Lasciando cadere le mani sulla scrivania, Portugal scosse la testa.

«Mi sta dicendo che è stata lei a uccidere il ragazzo? E che vent'anni dopo l'omicidio ci chiama e ci fornisce l'elemento chiave dell'indagine? Cosa vuole darmi a intendere, che nel corso del tempo è stata colpita da amnesia, che non ricorda più niente di quello che ha fatto?»

Bosch non si prese neanche la briga di rispondere.

«Non è stata lei a ucciderlo. Ma i continui maltrattamenti nei confronti del fratello hanno convinto suo padre che fosse lei l'assassina. Già, per tutti questi anni Samuel Delacroix ha creduto che sua figlia avesse ammazzato Arthur. E sapeva anche il perché.»

Ancora una volta Bosch mostrò la busta con le fotografie.

«Era convinto che la causa di tutto fosse stato il suo comportamento con Sheila. Poi saltano fuori le ossa, lui legge la notizia sui giornali e fa due più due. E quando arriviamo noi, lui confessa senza quasi darci il tempo di entrare.»

Portugal allargò le braccia in un gesto di impotenza.

«Ma perché?»

Bosch se l'era chiesto fin da quando aveva trovato le foto.

«Forse per un tentativo di redenzione.»

«Figuriamoci!»

«Parlo seriamente. Delacroix sta invecchiando, è un uomo finito. Quando si hanno più ricordi che speranze, si comincia a riflettere su ciò che si è fatto. Si cerca di rimediare agli errori. E lui è convinto che sua figlia abbia ucciso il fratello per una sorta di rappresaglia nei suoi confronti e, poiché si sente responsabile, è disposto ad accollarsi la colpa. In fondo che cosa ha da perdere? Vive in una roulotte vicino a un'autostrada, fa un lavoro più che modesto. Lui, che ha conosciuto la notorietà e il benessere. E forse pensa che questa sia la sua ultima possibilità per rimediare agli errori commessi.»

«Senza sapere che Sheila non c'entra niente.»

«Proprio così.»

Portugal si alzò e con un calcio allontanò la sedia che, volteggiando sulle rotelle, andò a sbattere contro la parete.

«In questo edificio c'è un tizio che potrei mandare al fresco senza fare una piega e lei viene a dirmi di dargli un calcio e rimetterlo in libertà.»

Bosch annuì.

«Se sbaglio, può accusarlo di nuovo. Ma secondo me lui si dichiarerà colpevole. Niente processo, niente avvocati, niente di niente. E se il giudice prende per buona la confessione, il vero assassino di Arthur sarà al sicuro per sempre.»

Bosch guardò Edgar.

«Che ne pensi?»

«Che il tuo istinto ci ha preso un'altra volta.»

Portugal sorrise, ma non perché trovasse particolarmente spiritosa la situazione.

«Due contro uno. Non è giusto.»

«A questo punto possiamo fare un paio di cose» disse Bosch. «Probabilmente a quest'ora Delacroix sarà giù, chiuso in cella. Andiamo da lui, diciamogli che è stata Sheila a metterci sulla buona strada e gli chiediamo se per caso non stia cercando di coprirla.»

«E poi?»

«Gli chiediamo di sottoporsi alla macchina della verità.»

«Non servirebbe a niente, non è un elemento di prova da esibire in un'aula di tribunale.»

«Non sto pensando al processo. La mia idea è quella di metterlo alla prova. Se ha mentito, rifiuterà di sottoporsi al test.»

Portugal riportò la sedia vicino alla scrivania. Prese il giornale, diede un'occhiata all'articolo, fece girare lo sguardo sugli oggetti presenti sulla scrivania, come se stesse facendo un inventario e alla fine decise.

«D'accordo» disse infine. «Facciamo come dice lei. Per il momento lascio cadere l'accusa.»

44

BOSCH ED EDGAR si diressero verso l'ascensore e rimasero ad aspettarlo in silenzio.

Bosch fissò la sua immagine riflessa nelle porte di acciaio, poi spostò lo sguardo su quella del partner e infine si voltò direttamente verso di lui.

«Dimmi la verità. Ci sei rimasto male?»

«Be', vedi un po' tu.»

Bosch fece un cenno del capo, a significare che aveva inteso.

«Harry, mi hai lasciato in braghe di tela, là dentro.»

«Lo so, mi dispiace. Preferisci prendere le scale?»

«Abbi un po' di pazienza. Cosa è successo al tuo cellulare ieri sera? Era rotto, spento o che altro?»

«No, volevo... Insomma non ero sicuro di quello che pensavo e quindi ho preferito fare le mie verifiche da solo. E poi sapevo che il giovedì sera sei impegnato con tuo figlio. Non potevo immaginarmi che sarei piombato su Sheila, là alla roulotte.»

«E quando hai cominciato la perquisizione, non potevi chiamarmi? Mio figlio era già a casa bell'e addormentato a quell'ora.»

«Sì, hai ragione. Avrei dovuto farlo.»

Edgar annuì e la cosa finì lì.

«Lo sai che la tua teoria ci fa tornare al punto di partenza?» disse poi.

«Già. Dovremo cominciare da capo, rifare tutto il percorso un'altra volta.»

«Ci lavorerai durante il fine settimana?»

«È probabile.»

«Allora chiamami.»

«Lo farò senz'altro.»

A questo punto l'impazienza di Bosch ebbe il sopravvento.

«Merda, io scendo a piedi. Ci vediamo giù.»

Si voltò di scatto e si avviò verso le scale di emergenza.

45

TRAMITE UN ASSISTENTE dell'ufficio di Sheila Delacroix seppero che la donna stava lavorando in un ufficio temporaneo del Westside, dove stava preparando il casting per la puntata pilota di una produzione televisiva.

Bosch ed Edgar si fermarono in un parcheggio riservato pieno di Jaguar e di BMW ed entrarono in un magazzino di mattoni a due piani, in cui erano stati ricavati degli uffici. Sulle pareti erano affissi dei cartelli con la scritta CASTING, e una freccia che indicava la direzione da prendere. Percorsero un lungo corridoio e poi imboccarono una scala sul retro.

Quando raggiunsero il secondo piano si trovarono di fronte un altro corridoio, affollato di uomini che indossavano abiti scuri, stropicciati e completamente fuori moda. Alcuni portavano anche l'impermeabile e il cappello. Altri camminavano da soli, gesticolando e parlando sottovoce.

Sempre seguendo le frecce, Bosch ed Edgar sbucarono in una grande stanza con una serie di sedie addossate alle pareti. Su di esse erano seduti altri uomini vestiti come i precedenti, che li seguirono con gli occhi mentre si dirigevano a un tavolo al lato opposto della stanza. Dietro il tavolo una giovane donna era intenta a studiare dei fogli con un elenco di nomi. Sul piano erano sparsi dei mucchietti di foto in formato 8x10 e le pagine di una sceneggiatura. Da una porta chiusa, alle spalle della donna, proveniva un suono di voci tese.

Attesero che la ragazza alzasse gli occhi dai fogli che stava consultando.

«Dobbiamo vedere Sheila Delacroix» disse Bosch.

«Il vostro nome?»

«Detective Bosch e detective Edgar.»

La donna fece un sorrisetto, ma Bosch estrasse il distintivo e glielo mostrò.

«Siete perfetti» commentò la donna. «Vi hanno già dato le battute?»

«Mi scusi?»

«Le battute. E perché non avete il cappello?»

Finalmente Bosch capì.

«Non siamo attori. Siamo poliziotti. Potrebbe dire alla signora Delacroix che abbiamo bisogno di vederla subito?»

La donna continuò a sorridere.

«È vera la cicatrice che ha sulla guancia? A guardarla, si direbbe di sì.»

Bosch guardò Edgar e fece un cenno verso la porta. Scattarono simultaneamente, aggirando il tavolo.

«Ehi! È impegnata in un'audizione. Fermatevi!»

Bosch spalancò la porta ed entrò in una stanza più piccola. Sheila Delacroix stava dietro una scrivania, intenta a osservare un uomo seduto su una sedia pieghevole in mezzo alla stanza che leggeva una sceneggiatura. Una ragazza lo stava filmando con una videocamera posta su un treppiedi. In un angolo altri due tizi assistevano all'audizione.

Quando Bosch e Edgar entrarono, l'attore continuò a leggere imperterrito.

«Bene. Fermati qui, Frank» disse Sheila Delacroix, vedendoli. «Che cosa ci fate qui?»

La ragazza di prima entrò di corsa, urtando Bosch.

«Mi dispiace, Sheila. Non sono riuscita a trattenerli. Chissà chi si credono di essere, forse dei veri poliziotti.»

«Dobbiamo parlarle» disse Bosch a Sheila. «Subito.»

«Mi dispiace, ma adesso non posso. Non vede che sto lavorando?»

«Anche noi stiamo lavorando a un caso di omicidio. E lei dovrebbe saperlo.»

La donna buttò la penna sulla scrivania e si passò le mani tra i capelli. Poi si voltò verso la ragazza dietro la videocamera, che ora era puntata sui due detective.

«Spegnila pure, Jennifer. Quanto a voi, ho bisogno di qualche momento. Mi dispiace, Frank, stavi andando benissimo. Puoi fermarti ancora qualche istante? Ti riascolterò per primo, appena mi sarò liberata.»

Frank si alzò e le dedicò un sorriso smagliante.

«Non c'è problema. Aspetterò fuori.»

Tutti se ne andarono, lasciando Bosch ed Edgar in compagnia di Sheila.

«Bene» disse lei quando la porta si chiuse. «Con un'entrata come quella, potreste fare benissimo gli attori.»

Cercò di sorridere, ma non funzionò. Bosch si avvicinò alla scrivania, mentre Edgar si appoggiava alla porta. Avevano deciso che sarebbe stato Bosch a condurre il colloquio.

«I protagonisti del telefilm per cui sto facendo il casting sono due detective soprannominati "I maghi del crimine". Li hanno chiamati così perché sono in grado di risolvere i casi ritenuti impossibili, quelli in cui tutti gli altri hanno fallito. Immagino che non esista gente simile nella realtà, vero?»

«Nessuno è perfetto» commentò Bosch.

«Cosa c'è di tanto importante perché vi siate precipitati dentro in quel modo, mettendomi in imbarazzo davanti a tutti?»

«Un paio di cosette. Pensavo che le facesse piacere sapere che ho trovato quello che stava cercando ieri sera. Inoltre suo padre è stato rilasciato circa un'ora fa.»

«Cosa significa *rilasciato*? Ieri sera lei stesso mi ha detto che non avrebbe potuto ottenere la libertà su cauzione.»

«È vero. Il fatto è che l'accusa è caduta.»

«Come è possibile, se ha confessato?»

«Be', questa mattina ha ritrattato. È bastato che gli dicessimo che l'avremmo collegato alla macchina della verità, informandolo anche del fatto che era stata lei a chiamarci, dandoci gli elementi che ci hanno permesso di identificare suo fratello.»

Lei scosse il capo lentamente.

«Non capisco.»

«E io invece penso che capisca benissimo. Suo padre è convinto che sia stata lei a uccidere Arthur. Era lei a picchiarlo di continuo, è stata lei a spedirlo all'ospedale colpendolo con una mazza da baseball. Quando Arthur scomparve, suo padre pensò che lei fosse andata fino in fondo, uccidendolo e facendo sparire il corpo. Per coprirla, arrivò al punto di andare in camera di suo fratello e far sparire la mazza, pensando che fosse l'arma del delitto.»

Sheila appoggiò i gomiti sul tavolo e si nascose la faccia tra le mani.

«Per questo quando siamo andati da lui, ha confessato subito. Voleva assumersi la colpa del delitto, come per compensarla di tutto il male che le aveva fatto.»

Bosch si ficcò la mano in tasca e ne estrasse la busta con le foto, che lasciò cadere sul tavolo. Lei abbassò le braccia lentamente e la prese, ma non l'aprì. Non ne aveva bisogno.

«È in questo che consiste il vostro lavoro? Nell'intrufolarsi nella vita degli altri per appropriarsi dei loro segreti?»

«A volte non possiamo farne a meno.»

Per terra, vicino alla scrivania, c'era una cassa di bottiglie di acqua minerale. Bosch ne prese una, l'aprì e la porse a Sheila. Poi guardò Edgar, che rifiutò scuotendo il capo. A questo punto ne afferrò una per sé, trascinò accanto alla scrivania la sedia pieghevole su cui prima era seduto Frank e si sedette a sua volta.

«Mi stia ad ascoltare, Sheila. Non deve vergognarsi. Lei è

333

stata una vittima. Era una bambina e lui era suo padre. Un uomo forte, che aveva il controllo della situazione.»

Lei rimase in silenzio.

«Qualsiasi peso si porti dentro, è arrivato il momento di dividerlo con noi. Non deve nasconderci più niente. Sono convinto che sappia molto di più di quanto non ci abbia detto. Purtroppo siamo tornati al punto di partenza e per ripartire abbiamo bisogno del suo aiuto. In fondo Arthur era pur sempre suo fratello.»

Aprì la bottiglia e bevve una lunga sorsata. All'improvviso si accorse che nella stanza faceva un caldo terribile. Buttò giù un altro sorso e in quel momento Sheila riprese a parlare.

«Dopo la scomparsa di Arthur, mio padre non mi toccò più. Pensai che avesse smesso di desiderarmi, ero diventata grassa e brutta. Ma adesso mi viene il sospetto che avesse paura di me... di quello che secondo lui avevo fatto. Forse mi considerava capace di tutto.»

Rimise la busta sulla scrivania.

«Sheila, c'è qualcosa di quell'ultimo giorno che non ci ha ancora detto?» riprese Bosch, protendendosi verso di lei. «Qualcosa che potrebbe aiutarci?»

Lei annuì appena, poi chinò il capo, nascondendo la faccia dietro i pugni chiusi.

«Sapevo che stava scappando» disse parlando lentamente. «E non ho fatto niente per fermarlo.»

Bosch si protese verso di lei, sedendosi sul bordo della sedia.

«Come faceva a saperlo?»

Ci fu una lunga pausa, poi lei riprese.

«Quando sono tornata a casa da scuola, lui era lì, in camera sua.»

«Quindi anche lui era tornato?»

«Sì, ma non ci è rimasto per molto. La porta della sua stanza era socchiusa e io ho sbirciato all'interno. Stava infilando dei vestiti nello zainetto. Ho capito subito che intendeva

334

andarsene. Allora sono andata in camera mia e ho chiuso la porta. *Volevo* che se ne andasse. Forse lo odiavo, chissà. Comunque volevo che sparisse. Per me era lui la causa di tutto. Così sono rimasta nella mia stanza finché non ho sentito la porta d'ingresso che si chiudeva alle sue spalle.»

Alzò il viso e guardò Bosch. Aveva gli occhi umidi, ma lui sapeva, per averlo già visto altre volte, che quando una persona ammette le proprie colpe e guarda in faccia la verità acquista spesso una nuova forza. E fu questa forza che le lesse nello sguardo.

«Avrei potuto fermarlo, ma non l'ho fatto. E ho dovuto convivere con questo pensiero tutta la vita. Ora che so quello che gli è successo...»

Il suo sguardo vagò verso un punto indefinito, oltre la spalla di Bosch, come se vedesse proiettato davanti a sé tutto l'orrore del suo passato.

«Grazie, Sheila» Bosch disse piano. «C'è nient'altro che vuole dirci?»

Lei scosse il capo.

«Ora togliamo il disturbo.»

Si alzò e riportò la sedia in mezzo alla stanza. Poi tornò alla scrivania e prese la busta con le Polaroid. Si avviò quindi verso la porta che Edgar aveva aperto.

«Che cosa gli succederà?» domandò Sheila.

Si voltarono entrambi ed Edgar richiuse la porta. Bosch sapeva che stava parlando di suo padre.

«Niente. Quello che le ha fatto non è più punibile. È accaduto troppo tempo fa e i termini di prescrizione sono stati abbondantemente superati. Presumo che tornerà alla sua roulotte.»

Lei annuì senza guardarlo.

«Sheila, forse suo padre le ha distrutto la vita. Ma il tempo cambia le cose. Toglie potere a chi lo aveva e lo dà a chi una volta ne era privo. Ora è suo padre a essere distrutto. Mi creda, non può più farle del male. È un uomo finito.»

«Cosa farete delle fotografie?»

Bosch fissò la busta che teneva in mano e tornò a guardare la donna.

«Verranno accluse al fascicolo dell'omicidio. Non le vedrà nessuno.»

«Vorrei che sparissero.»

«Cerchi di far sparire i suoi ricordi.»

Lei annuì. Bosch stava per uscire quando la sentì ridere. Si voltò di nuovo e la vide scuotere la testa.

«Cosa c'è?»

«Niente. Solo che devo stare qui tutto il giorno ad ascoltare della gente che cerca disperatamente di parlare come voi. E nessuno ci arriverà neanche lontanamente vicino. Nessuno riuscirà a riprodurre il vostro tono o il modo in cui dite le cose.»

«È il bello dello spettacolo» commentò Bosch.

Mentre percorrevano il corridoio, diretti alle scale, passarono di nuovo accanto agli attori in attesa. Sul pianerottolo, il tipo che Sheila aveva chiamato Frank stava ripetendo le battute ad alta voce. Vedendoli, sorrise.

«Ehi, ragazzi, voi due siete degli sbirri veri, no? Mi avete sentito, come ho recitato là dentro?»

«Sei stato fantastico, Frank» rispose Edgar. «Sei perfetto per la parte.»

336

46

ALLE DUE DI VENERDÌ POMERIGGIO Bosch ed Edgar entrarono nella sala detective diretti al loro tavolo. Il tragitto dal
Westside a Hollywood si era svolto in un silenzio quasi
totale.

Erano ormai passati dieci giorni dall'inizio delle indagini
e loro continuavano a brancolare nel buio. Tutto quello che
avevano ottenuto in quel periodo era la morte di un poliziotto e il suicidio di un pedofilo pentito.

Ad attendere Bosch c'era la solita pila di foglietti rosa su
cui venivano trascritti i messaggi telefonici. Ma accanto a
questi, sul tavolo, questa volta c'era anche una busta, del tipo
usato per la posta interna. La guardò per prima, quasi certo
di quello che vi avrebbe trovato dentro.

Come previsto, la busta conteneva il suo mini registratore.
Premette il pulsante di avvio per controllare il livello delle
batterie e sentì il suono della sua voce. Abbassò il volume,
poi spense l'apparecchio. Se lo ficcò in tasca e buttò la busta
nel cestino della carta straccia.

Poi passò ai messaggi. Erano tutte chiamate di giornalisti.
Avrebbe lasciato a quelli delle Relazioni Esterne il compito
di spiegare le ragioni per cui un uomo, accusato di omicidio
e reo confesso, veniva rilasciato per non aver commesso il
fatto il giorno dopo l'arresto.

«Lo sai che in Canada gli sbirri non sono tenuti a parlare di un caso finché non è definitivamente chiuso?» disse a Edgar.

«Senza contare che lassù hanno anche la pancetta arrotolata» rispose Edgar. «Cosa diavolo ci restiamo a fare qui?»

C'era un messaggio dell'assistente sociale dell'ufficio del medico legale, il quale comunicava che i resti di Arthur Delacroix erano stati consegnati alla famiglia e che il funerale era fissato per la domenica successiva.

Bosch lo mise da parte, con l'intenzione di richiamare. Voleva appurare a che ora si sarebbe svolta la cerimonia e qual era il membro di famiglia che aveva chiesto di riavere le ossa.

Tornò ai messaggi e si imbatté in un foglietto rosa che lo sprofondò nell'inquietudine. Si appoggiò allo schienale continuando a fissarlo, mentre una sorta di formicolio, partendo dalla sommità del capo, gli scendeva fino alla nuca. Il messaggio era stato lasciato alle 10,35 da un certo tenente Bollenbach dell'Ufficio Operativo, o O-3 come veniva più frequentemente chiamato dalla bassa forza. L'O-3 era il settore che si occupava dei nuovi incarichi e dei trasferimenti. Dieci anni prima, quando Bosch era passato alla Divisione Hollywood, aveva ricevuto la comunicazione direttamente dall'O-3. E lo stesso era accaduto a Kiz Rider, quando era stata trasferita alla Divisione Rapine-Omicidi.

Bosch si ricordò quello che Irving gli aveva detto tre giorni prima. Pensò che l'O-3 stesse dando inizio alle grandi manovre per realizzare il desiderio del vicecapo, quello di spedirlo a casa con un bel pensionamento anticipato. Prese il messaggio come il segno di un suo prossimo allontanamento dalla Hollywood. Il nuovo incarico avrebbe forse previsto quella che veniva definita "terapia della freeway". Un'assegnazione lontano da casa e lunghi percorsi in macchina fino al posto di lavoro e viceversa. Era un sistema usato frequentemente per convincere i poliziotti a restituire il distintivo e a cambiare mestiere.

Bosch guardò Edgar. Stava esaminando la sua serie di messaggi, nessuno dei quali, tuttavia, sembrava averlo particolarmente colpito. Decise di non dirgli niente e di non richiamare Bollenbach, almeno per il momento. Piegò il foglietto e se lo infilò in tasca. Diede un'occhiata alla sala detective in piena attività. Gli sarebbe mancato tutto quel trambusto, se il suo nuovo incarico fosse stato tale da non scatenare il flusso di adrenalina a cui era tanto abituato. A lui non importava di passare ore in autostrada. Ciò che gli importava era il lavoro, la sua missione. Senza di quella era perduto.

Tornò a concentrarsi sui messaggi. L'ultimo del mucchio, e quindi il primo ad arrivare, era stato lasciato da Antoine Jesper della DIS, la cui chiamata risaliva alle dieci di quella mattina.

«Merda» esclamò.

«Cosa succede?» gli chiese Edgar.

«Devo andare in centro. Nel bagagliaio ho ancora il manichino che mi sono fatto prestare ieri sera. Penso che Jesper lo rivoglia indietro.»

Stava per telefonare alla Scientifica, quando sentì qualcuno che chiamava lui ed Edgar dall'estremità opposta della sala. Era il tenente Billets, che fece cenno di raggiungerla nel suo ufficio.

«Comincia il ballo» commentò Edgar. «A te l'onore di ragguagliarla sugli sviluppi della faccenda. Dille a che punto siamo. Anzi, a che punto *non* siamo.»

E Bosch eseguì. In cinque minuti aggiornò Billets sugli ultimi avvenimenti e sulla battuta d'arresto subita dalle indagini.

«E adesso cosa pensate di fare?» domandò lei quando ebbe finito.

«Di ricominciare daccapo. Esaminiamo quello che abbiamo, verifichiamo quello che ci manca. Andremo alla scuola del ragazzo, studieremo i registri, le annotazioni degli insegnanti. Cercheremo di parlare con i compagni. E così via.»

Lei annuì. Se era al corrente della telefonata dell'O-3, non lo diede a vedere.

«Comunque penso che l'elemento chiave sia ancora il posto sulla collina» disse Bosch.

«Cosa te lo fa pensare?»

«Sono convinto che il ragazzino fosse ancora vivo quando è arrivato lassù. È lì che è stato ucciso. Dobbiamo scoprire che cosa o chi l'ha spinto a salire fin là in cima. Dobbiamo tornare a perlustrare l'intera zona, dobbiamo riprendere a torchiare i vicini. Avremo bisogno di tempo.»

Lei scosse il capo.

«Be', non potremo certo lavorarci a tempo pieno. Voi due siete rimasti fuori dalla rotazione abituale per dieci giorni. Qui non siamo alla Rapine-Omicidi. Non era mai capitato che tenessi impegnata una squadra su un unico caso per dieci giorni consecutivi. Il che significa che il prossimo è vostro.»

Bosch annuì. In un certo senso se l'aspettava. Nel periodo in cui si era dedicato unicamente all'indagine sul ragazzino, le altre due squadre che componevano il reparto Omicidi della Divisione Hollywood avevano avuto il loro daffare. Adesso toccava a lui. Non capitava spesso di potersi occupare così a lungo di un caso. Era stato un lusso, peccato che non avessero combinato nulla.

Bosch sapeva anche che nell'assegnarli al giro normale dei turni, Grace Billets riconosceva implicitamente di non aspettarsi che il caso venisse risolto. Era un dato di fatto che, più a lungo duravano le indagini su un caso, minori erano le possibilità di riuscire a risolverlo.

I maghi che, intervenendo all'ultimo momento, arrivavano alla soluzione in un battibaleno esistevano solo in televisione.

«D'accordo» concluse la Billets. «C'è nient'altro di cui volete parlare?»

Guardò Bosch con un sopracciglio alzato e lui cominciò a sospettare che lei sapesse qualcosa sul suo futuro. Ebbe un attimo di esitazione, poi scosse il capo.

«Bene, ragazzi. Grazie.»

Tornarono alle loro scrivanie e Bosch chiamò Jesper.

«Il tuo manichino è sano e salvo» disse, quando l'altro rispose. «Te lo porterò più tardi.»

«Non c'è fretta, amico. Non è questa la ragione per cui ti ho chiamato. Volevo solo dirti che sono andato a fondo su un paio di cose riguardanti lo skateboard. Sempre che sia ancora importante.»

Bosch rimase un attimo in silenzio.

«Non proprio» riprese poi. «Comunque, di cosa si tratta?»

Mentre parlava aprì il fascicolo dell'omicidio e lo sfogliò, in cerca del rapporto della Scientifica.

«Be', nel mio rapporto ho scritto che la produzione dello skate poteva essere collocata tra il febbraio del '78 e il giugno dell'86, ricordi?»

«Esatto. Ce l'ho davanti.»

«Bene, ora sono in grado di restringere notevolmente il periodo. Quel particolare skateboard è stato prodotto tra il '78 e l'80. Non so se può significare qualcosa ai fini del caso.»

Bosch scorse rapidamente il rapporto. La nuova versione di Jesper era irrilevante, visto che Trent era stato sollevato da ogni sospetto e che lo skateboard trovato in casa sua non era mai stato collegato ad Arthur Delacroix. Ma Bosch sentì nascere ugualmente una certa curiosità.

«Come fai a essere così preciso? Qui dici che il modello è rimasto in produzione fino all'86.»

«È esatto. Ma questo skateboard porta una data. E la data è il 1980.»

Bosch era sorpreso.

«Aspetta un attimo. Dove diavolo è scritta? Io non ho visto niente.»

«L'ho trovata togliendo la parte meccanica. Mi riferisco alle ruote. Avevo un po' di tempo che mi avanzava e volevo vedere se c'era qualche segno particolare sulla tavola, qualcosa che riguardasse la fabbricazione. All'inizio non ho trovato niente, poi mi sono accorto che qualcuno aveva inciso una data nel legno, riapplicando poi le ruote.»

«E questo quando è successo? Al momento della costruzione dello skate?»

«Penso di no. Non è un lavoro da professionisti. Era anche difficile da leggere. Ho dovuto usare una lente d'ingrandimento e illuminarlo di sbieco. Penso che sia stato il proprietario a farlo, come un segno di identificazione nel caso qualcuno avesse cercato di rubarglielo. Non dimenticare che gli skateboard di quella marca andavano forte in quel periodo, e tra l'altro non erano facili da trovare. Secondo me il ragazzino che lo possedeva ha tolto le ruote posteriori e ha inciso la data. 1980 A.D.»

Bosch guardò Edgar. Era al telefono e teneva la mano a coppa sul microfono. Doveva essere una telefonata personale.

«Hai detto A.D.?»

«Sì, come in *Anno Domini*. È latino. Significa "anno del Signore". L'ho guardato sul dizionario.»

«Mi dispiace, ma ti sbagli. A.D. sono le iniziali di Arthur Delacroix.»

«E chi diavolo è?»

«È la vittima, Antoine.»

«Dannazione! Non ce l'avevo il nome della vittima, Bosch. Le prove sono state raccolte e portate qui quando il

342

ragazzino era ancora il Signor Nessuno. Non solo ti sei ben guardato dal dirmi come si chiamava, ma non sapevo nemmeno che fosse stato identificato.»

Ma Bosch aveva già smesso di ascoltarlo. Un fiotto di adrenalina gli percorreva le arterie e il suo battito cardiaco si era fatto più veloce.

«Antoine, resta lì. Arrivo subito.»

«E chi si muove?»

47

LA FREEWAY ERA INTASATA DAL TRAFFICO. Evidentemente la gente aveva deciso di cominciare presto il weekend. Mentre Bosch si dirigeva verso il centro, a velocità ridotta rispetto alle sue aspettative, provava una sensazione di urgenza quasi spasmodica. Due erano le cause di questo suo stato d'animo: la scoperta fatta da Jesper e il messaggio dell'Ufficio Operativo.

Senza togliere la mano dal volante girò il polso per guardare l'orologio e controllare la data. Sapeva che i trasferimenti avvenivano abitualmente in concomitanza con i giorni di paga, il primo e il quindici del mese. Quindi, se il suo trasferimento aveva effetto immediato, aveva solo tre o quattro giorni per chiudere il caso. Ma non voleva essere sollevato dal suo incarico, né lasciarlo nelle mani di Edgar o di nessun altro. Voleva essere lui a mettere un punto fermo alla faccenda.

Si ficcò la mano in tasca e prese il foglietto con il messaggio. Lo aprì, controllando il volante con i polsi, e lo studiò per un attimo. Poi tirò fuori il suo telefono, compose il numero e attese che qualcuno gli rispondesse.

«Ufficio Operativo, parla il tenente Bollenbach.»

Bosch interruppe la comunicazione. Si sentiva le guance bollenti e si chiese se Bollenbach aveva la possibilità di identificare le chiamate. Sapeva benissimo che rimandare la telefonata era ridicolo. Quel che era fatto era fatto, che lui chiamasse o meno. Eppure era come se si rifiutasse di guardare in faccia la realtà.

Depose telefono e foglietto e cercò di concentrarsi sul caso, e soprattutto sulle ultime novità riguardanti lo skateboard ritrovato in casa di Trent. Nonostante fossero passati dieci giorni, aveva l'impressione che il caso continuasse a sfuggirgli di mano. L'uomo, per la cui innocenza si era battuto con tanta insistenza, era tornato ad essere l'unico indiziato e ora c'erano anche delle prove tangibili che lo collegavano alla vittima. Chissà, forse Irving ci aveva visto giusto. Doveva darsi una mossa.

Il telefono squillò e il suo primo pensiero andò a Bollenbach. Era tentato di non rispondere, poi decise che era inutile cercare di sottrarsi al destino. Aprì il cellulare. Era Edgar.

«Cosa stai facendo, Harry?»

«Te l'ho detto. Sto andando alla DIS.»

Non voleva parlargli dell'ultima scoperta di Jesper, finché non l'avesse verificata di persona.

«Sarei potuto venire con te.»

«Sarebbe stata una perdita di tempo.»

«Già. Be', stammi a sentire, Harry, la Billets ti sta cercando e... insomma, gira voce che stiano per trasferirti.»

«Io non ne so niente.»

«Mi terrai informato se capita qualcosa, eh? È un pezzo che lavoriamo insieme.»

«Sarai il primo a saperlo, Jerry.»

Quando Bosch arrivò al Parker Center, si fece aiutare da uno degli uomini della sorveglianza che stazionavano nell'atrio a trasportare il manichino fino al piano che ospitava la Scientifica. Qui lo restituì a Jesper, il quale se lo caricò sulle spalle e lo infilò senza sforzo nell'armadio che lo ospitava abitualmente.

Entrambi proseguirono poi alla volta del laboratorio

dove, su un tavolo, era stato messo lo skateboard. Jesper accese una lampada montata su un trespolo e spense la luce centrale. Girò una lente d'ingrandimento a braccio sopra lo skateboard e invitò Bosch a guardare. La particolare inclinazione della luce creava delle piccole ombre nei punti in cui il legno era stato inciso, così da rendere la scritta perfettamente visibile.

1980 A.D.

Era comprensibile che Jesper l'avesse interpretata nel modo più ovvio, non conoscendo il nome della vittima.

«Sembra quasi che qualcuno abbia cercato di raschiarla via» osservò Jesper mentre Bosch continuava nel suo esame. «Mi viene quasi da pensare che a un certo punto la tavola sia stata completamente rifatta, con nuove ruote e una nuova verniciatura.»

Bosch annuì.

«Bene» disse raddrizzandosi. «Mi sa che devo portarla via con me.»

«È tutta tua.» E Jesper riaccese la luce centrale.

«Hai controllato anche sotto le altre ruote?»

«Certo, ma non c'è niente. Così le ho rimontate.»

«Hai uno scatolone, per caso?»

«Pensavo che volessi usarlo per andartene.»

Bosch non si lasciò sfuggire neanche un sorriso.

«Ehi, era uno scherzo!»

«L'avevo capito.»

Jesper lasciò la stanza e tornò con uno scatolone rettangolare, abbastanza lungo da contenere lo skateboard, che vi infilò assieme alle ruote e alle viti che aveva messo in un sacchettino di plastica.

«Che ne dici, Harry. Non sono stato in gamba?»

Bosch ebbe un attimo di esitazione, poi gli disse: «Sì, Antoine, sei stato fantastico».

Jesper indicò la guancia di Bosch. «Ti sei tagliato facendoti la barba?»

«Diciamo di sì.»

Il ritorno a Hollywood fu ancora più lento dell'andata. Finalmente Bosch arrivò al casello corrispondente all'uscita di Alvarado, ma continuò a procedere a passo d'uomo fino al Sunset. Nemmeno qui la situazione migliorò, e a questo punto gli toccò arrendersi al fatto che ci avrebbe messo il doppio del previsto.

Mentre guidava, continuò a pensare allo skateboard e a Nicholas Trent, cercando di trovare delle spiegazioni che si adattassero sia al periodo di tempo in cui si erano svolti i fatti sia alle prove che avevano raccolto fino a quel momento. Niente da fare, c'era qualcosa che non andava. Era come se ci fosse un pezzo mancante, senza il quale i conti non tornavano. Sapeva che la soluzione era vicina ed era certo che ci sarebbe arrivato, se solo gliene avessero lasciato il tempo.

Alle quattro e mezzo spalancò la porta posteriore della stazione con lo scatolone che conteneva lo skate. Si stava dirigendo rapidamente verso la sala detective, quando Mankiewicz si affacciò in corridoio dall'ufficio di guardia.

«Ehi, Harry.»

Bosch lo guardò, continuando a camminare.

«Che cosa c'è?»

«Ho sentito le novità. Ci mancherai.»

Le voci giravano in fretta. Tenendo lo scatolone con il braccio destro, Bosch alzò il sinistro, facendo con la mano un gesto ondulatorio, come se stesse mimando la superficie di un oceano immaginario. Era un gesto abitualmente riservato a chi guidava le auto di pattuglia e significava "buona navigazione a te, fratello". Poi continuò a camminare, senza fermarsi.

Edgar aveva appoggiato sulla sua scrivania una lavagna bianca, tanto grande da sconfinare su quella di Bosch, su cui aveva disegnato quello che a prima vista sembrava un gigantesco termometro. In realtà si trattava della raffigurazione di

Wonderland Avenue, dove la rotonda corrispondeva al bulbo. Dai lati del corpo verticale partivano delle linee che indicavano le varie case, identificate con i nomi dei proprietari scritti con pennarelli di diverso colore. Il luogo in cui erano state ritrovate le ossa era segnato con una X tracciata con il pennarello rosso.

Bosch fissò lo schema della strada senza fare domande.

«Avremmo dovuto farlo sin dall'inizio» disse Edgar.

«Come funziona?»

«I nomi in verde corrispondono a chi risiedeva nella zona nel 1980 e poi si è trasferito. Quelli in blu, a chi è arrivato dopo l'80 ma ha già lasciato la zona. Mentre i nomi in nero corrispondono agli attuali residenti che vivevano lì già nell'80. Se vedi un nome scritto in nero, come Guyot per esempio, significa che quella gente non si è mai mossa.»

Bosch annuì. I nomi in nero erano solo due. Il dottor Guyot e un certo Al Hutter, la cui abitazione era situata all'estremità più lontana dal luogo del delitto.

«Ottimo» commentò Bosch, anche se gli sembrava che ormai quel diagramma non servisse più a niente.

«Cosa hai in quell'affare?» chiese Edgar.

«Lo skateboard. Jesper ha trovato qualcosa.»

Posò lo scatolone sulla scrivania e tolse il coperchio. Poi raccontò a Edgar quello che aveva scoperto Jesper, indicandogli la data e le iniziali.

«Questo significa che dobbiamo ricominciare da Trent. Chissà, magari avevi ragione tu quando sostenevi che forse si era trasferito nella zona per essere più vicino alla sua vittima.»

«Cristo, Harry, ma io stavo scherzando!»

«Be', adesso non è più uno scherzo. Dobbiamo tornare a indagare su di lui, dobbiamo tracciare un suo profilo almeno a partire dal 1980.»

«E nel frattempo dovremo cuccarci il prossimo caso. Un vero sballo.»

348

«Ho sentito alla radio che questo fine settimana pioverà. Se siamo fortunati, non succederà niente. Se ne resteranno tutti buoni buoni in casa.»

«Harry, è lì che di solito avviene la maggior parte degli omicidi.»

Bosch lanciò un'occhiata attraverso la sala detective e vide che il tenente Billets, in piedi nel suo ufficio, gli faceva cenno di raggiungerla. Si era dimenticato che lo stava cercando. Indicò Edgar e poi se stesso, come a chiederle se voleva vedere entrambi. La Billets scosse il capo e puntò il dito verso di lui. Ecco, era arrivato il momento.

«Devo andare dalla Billets.»

Edgar lo fissò. Anche lui sapeva che erano arrivati al dunque.

«Buona fortuna, socio.»

«Già. Chi lo sa se potrò ancora chiamarti così.»

Si diresse verso l'ufficio del tenente che, a questo punto, si era seduta dietro la scrivania.

«Harry, sei stato cercato con urgenza dall'O-3. Richiama il tenente Bollenbach prima di fare qualsiasi altra cosa. È un ordine.»

Bosch annuì.

«Gli hai chiesto dove mi spediranno?»

«No, ero troppo incazzata per farlo. Temevo che, se glie-l'avessi chiesto, avrei finito per prendermela con lui. Ma Bollenbach non c'entra niente, lui si limita a trasmettere quello che altri hanno deciso.»

«Sei incazzata davvero?» domandò Bosch con un sorriso.

«Certo. Non voglio perderti. Soprattutto per colpa di qualcuno su in alto che ce l'ha con te per chissà quale stron-zata.»

Lui si strinse nelle spalle.

«Grazie, tenente. Perché non chiami Bollenbach con il viva voce, così la facciamo finita?»

Lei indugiò a guardarlo.

«Sei sicuro? Potrei andare a prendere un caffè e lasciarti l'ufficio.»

«Non c'è problema. Chiamalo pure.»

«Tenente, parla il tenente Billets. Ho davanti a me il detective Bosch.»

«Benissimo. Mi dia un attimo di tempo per cercare la comunicazione.»

Si sentì un fruscio di carte che venivano spostate, poi Bollenbach si schiarì la gola.

«Detective... Hier... Hieronym...»

«Hieronymus» intervenne Bosch. «Suona un po' come anonimo.»

«Già, certo, Hieronymus. Detective Hieronymus Bosch, lei deve presentarsi per prendere servizio alla Divisione Rapine-Omicidi alle otto in punto del quindici gennaio. Questi sono gli ordini. È tutto chiaro?»

Bosch rimase senza parole. La Rapine-Omicidi equivaleva a una promozione. Dieci anni prima aveva compiuto il percorso inverso, passando dalla Rapine-Omicidi alla Divisione Hollywood. Guardò la Billets, che aveva stampata in faccia un'espressione a metà tra la sorpresa e il sospetto.

«Ha detto proprio la Divisione Rapine-Omicidi?»

«Sì, detective. È esatto.»

«E qual è il mio incarico?»

«Gliel'ho appena detto. Si deve presentare alle otto di...»

«Questo l'ho capito. Volevo sapere che ruolo avrò.»

«Glielo dirà il suo ufficiale superiore la mattina del quindici. Io le ho trasmesso gli ordini che mi erano stati affidati. A questo punto lei sa quello che deve fare. Le auguro un buon weekend.»

Poi interruppe la comunicazione.

Bosch guardò la Billets.

«Che cosa ne pensi? Credi che sia uno scherzo?»

«Se lo è, mi sembra riuscito. Congratulazioni.»

«Tre giorni fa Irving mi ha proposto la pensione, e adesso mi spedisce al Parker Center?»

«Be', forse vuole tenerti sott'occhio. Ti conviene stare attento, Harry.»

Bosch annuì.

«D'altra parte sappiamo entrambi che il tuo posto è là. Anzi, non avrebbero mai dovuto spostarti. Forse è solo un cerchio che si chiude. Comunque, sentiremo la tua mancanza. Io di sicuro. Sei in gamba e fai un ottimo lavoro.»

Bosch le rivolse un cenno di ringraziamento. Fece per andarsene, poi tornò a guardarla e sorrise.

«Non ci crederai, soprattutto alla luce di quello che è appena successo, ma dobbiamo riprendere a indagare su Trent. È per via dello skateboard. Alla DIS hanno trovato qualcosa che lo collega al ragazzo.»

La Billets buttò indietro la testa e scoppiò in una risata sonora, che attirò l'attenzione di tutti i presenti nella sala detective.

«Fantastico. Quando Irving lo saprà mi sa che ti cambierà destinazione. Dalla Rapine-Omicidi alla Divisione Sudest.»

Si riferiva a un distretto infestato dalle bande, alla periferia della città. Un posto che era il simbolo della famosa "terapia della freeway".

«Non ne ho alcun dubbio» rispose Bosch.

La Billets smise di sorridere e tornò seria. Chiese a Bosch notizie sugli ultimi sviluppi del caso e ascoltò attentamente mentre lui le esponeva la sua idea di indagare a fondo sull'arredatore suicida, per riuscire a delinearne un profilo il più completo possibile.

«Stammi bene a sentire» disse lei, quando Bosch finì di parlare. «Sospendiamo la rotazione. Non ha senso che cominci a occuparti di un altro caso se sei destinato a lasciarci. Vi autorizzo anche a lavorare durante il fine settimana. Quindi, dedicati a Trent, dacci sotto e tienimi informata. Hai quattro giorni, Harry. Voglio che il caso sia chiuso prima che tu te ne vada.»

Bosch annuì e uscì dall'ufficio. Tornò al suo tavolo, sentendosi addosso gli sguardi di tutti, ma rimase imperturbabile e si sedette senza alzare gli occhi.

«E allora?» gli chiese Edgar, quasi sussurrando. «Cosa ti hanno affibbiato?»

«La Rapine-Omicidi.»

«*La Rapine-Omicidi?*»

Senza accorgersene, aveva quasi urlato, con il risultato che i presenti vennero informati in un attimo di quanto era accaduto. Bosch si sentì arrossire. Ora era certo che tutti lo stessero guardando.

«Cristo santo» continuò Edgar. «Prima Kiz e ora tu. E io chi sono, lo stronzo di turno?»

48

DALLO STEREO USCIVANO LE NOTE di *Kind of Blue*. Bosch aveva in mano una bottiglia di birra e se ne stava appoggiato allo schienale della poltrona reclinabile con gli occhi chiusi. Era stata una giornata confusa, alla fine di una settimana altrettanto confusa. Ora voleva solo lasciar scorrere la musica dentro di sé per eliminare tutte le scorie. Era sicuro che ciò che stava cercando era già lì, a portata di mano. Bastava solo fare un po' di ordine, e liberarsi di tutta la zavorra che gli impediva di procedere. Lui ed Edgar avevano lavorato fino alle sette, poi avevano deciso di prendersi una serata di riposo. Edgar era rimasto molto turbato dalla notizia del trasferimento di Bosch. In un certo senso l'aveva presa anche come un segno di mancanza di stima nei suoi confronti, perché non era stato lui il prescelto. Bosch aveva cercato di tranquillizzarlo, assicurandogli che quel posto era un nido di vipere, ma tutto era stato inutile. A quel punto Bosch aveva deciso di tagliar corto, e aveva consigliato al suo partner di andarsene a casa, di bere qualcosa e di farsi una buona notte di sonno. Avrebbero raccolto le informazioni su Trent durante il weekend.

Adesso, invece, era lui che, con una buona dose di birra in corpo, si stava addormentando in poltrona. Aveva l'impressione di avere raggiunto un traguardo importante. La vita gli aveva offerto un nuovo inizio, ma il periodo che si apriva davanti a lui significava anche maggiori pericoli, obiettivi più alti e ricompense proporzionate. Ora che nessuno lo stava guardando, il pensiero lo faceva sorridere.

Il telefonò squillò e lui reagì con un balzo. Spense lo stereo e andò in cucina. Quando rispose, una donna gli disse che il vicecapo Irving voleva parlargli. Attese a lungo, poi sentì la voce di Irving.

«Detective Bosch?»

«Sì?»

«Ha ricevuto gli ordini di trasferimento?»

«Sì, li ho ricevuti.»

«Bene. Volevo informarla che ho preso io la decisione di riportarla alla Divisione Rapine-Omicidi.»

«Posso chiederle come mai, signore?»

«Perché, dopo la nostra conversazione, ho deciso di darle un'ultima opportunità. Ma la sua posizione mi permetterà di controllare le sue mosse da vicino.»

«Di che cosa si tratta?»

«Non gliel'hanno detto?»

«Mi hanno detto semplicemente di presentarmi alla Rapine-Omicidi il quindici di gennaio. Tutto qui.»

Ci fu un lungo silenzio e Bosch pensò che finalmente avrebbe scoperto dove stava il trucco. Certo, lo rispedivano alla Rapine-Omicidi, ma con quali compiti? Quale poteva essere l'incarico peggiore all'interno di una situazione che apparentemente sembrava perfetta?

Alla fine Irving riprese a parlare.

«Riprenderà il suo vecchio posto. La Squadra Speciale. Si è liberato un posto oggi, quando il detective Thornton ha restituito il distintivo.»

«Thornton se ne è andato?»

«Esatto.»

«E io tornerò a lavorare con Kiz Rider?»

«Questo dipenderà dal tenente Henriques. Comunque il

detective Rider è rimasta senza partner e voi due avete un rapporto di lavoro già collaudato.»

Bosch si limitò ad annuire. Era al settimo cielo, ma voleva evitare che la voce lasciasse trapelare i suoi sentimenti.

Come se sapesse quello che stava pensando, Irving disse: «Detective, magari lei ha la sensazione di essere caduto in una fogna e di esserne uscito profumato come una rosa. È meglio che cambi idea. Non dia niente per scontato e soprattutto non commetta errori. In caso contrario, prenderò provvedimenti. Sono stato chiaro?».

«Chiarissimo.»

Irving interruppe la comunicazione senza dire altro. Bosch rimase lì, nella cucina buia, con il ricevitore incollato all'orecchio, finché questo cominciò a emettere un suono stridulo e fastidioso. Allora riappese e tornò in soggiorno. Fu tentato di chiamare Kiz per verificare cosa sapeva, poi decise di aspettare. Quando si sedette nuovamente in poltrona, sentì qualcosa di duro che gli si conficcava nel fianco. Non poteva essere la pistola, perché se l'era già tolta. Si mise la mano in tasca e ne estrasse il registratore.

Lo accese e riascoltò il suo scambio verbale con Judy Surtain, la giornalista televisiva che l'aveva assalito fuori dalla casa di Trent, la sera in cui l'uomo si era ucciso. Alla luce di quello che era successo in seguito, si sentì attanagliare dai sensi di colpa e pensò che avrebbe dovuto cercare di bloccarla in modo più incisivo.

Quando udì il rumore della portiera che sbatteva, fermò il nastro e premette il pulsante del riavvolgimento. Si rese conto che non aveva mai ascoltato per intero il colloquio tra Trent ed Edgar, visto che, mentre si svolgeva, lui era stato occupato a perlustrare il resto della casa. Decise di ascoltarlo ora. Sarebbe stato un ottimo punto di partenza per il lavoro di indagine che lo attendeva nel fine settimana.

Bosch si concentrò, cercando di analizzare ogni singola parola in cerca di nuovi significati, di qualche elemento che tradisse Trent. Mentre lo ascoltava parlare in toni quasi disperati, era ancora convinto che non fosse stato lui a uccidere il ragazzino e che le sue proteste di innocenza fossero sincere. Ma questo contrastava con i nuovi elementi di cui era venuto in possesso. Sullo skateboard trovato in casa di Trent erano incise le iniziali del ragazzo e l'anno in cui questi ne era entrato in possesso, che coincideva con quello della sua morte. Quella tavola era diventata una specie di lapide.

Finì di ascoltare il nastro, ma non udì niente che gli facesse scattare qualche nuova idea. Riavvolse nuovamente il nastro e decise di fare un altro tentativo. Era appena iniziata la registrazione quando finalmente qualcosa lo colpì. Si sentì invadere da un'ondata di calore, come se la sua temperatura corporea fosse salita all'improvviso. Tornò a risentire le frasi che con tanta prepotenza avevano attirato la sua attenzione. Si ricordò che in quel preciso momento lui si era fermato nel corridoio della casa di Trent a origliare, ma non aveva colto l'importanza delle parole dell'uomo.

«Le piaceva stare a guardare i bambini che giocavano lassù?» gli aveva chiesto Edgar.

«Da qui non riuscivo a vederli. Di tanto in tanto, mentre guidavo o portavo a spasso il cane, mi capitava di scorgerli mentre si arrampicavano nel bosco. La bambina che abitava dall'altra parte della strada. I Foster, che stavano nella casa accanto. Insomma, tutta la banda dei ragazzini della zona. Quello era terreno libero, l'unico dove non avessero ancora costruito. Alcuni dei vicini pensavano che i più grandi andassero su a fumare, ed erano preoccupati che inavvertitamente dessero fuoco alla collina.»

Come aveva fatto a non pensarci! Foster poteva essere un cognome, ma era anche il nome con cui si indicavano i bambini in affido. Spense il registratore e tornò in cucina, diretto al telefono. Edgar rispose dopo un solo squillo. D'altra parte erano solo le nove. Impossibile che fosse andato a dormire così presto.

«Non hai portato a casa niente, vero?»

«A cosa ti riferisci?»

«Agli elenchi telefonici per indirizzo.»

«No, li ho lasciati in ufficio. Che cosa succede?»

«Non so. Ricordi lo schema che hai fatto oggi? C'era qualcuno che si chiamava Foster a Wonderland Avenue?»

Edgar rimase in silenzio, come se stesse frugando nella memoria.

«Jerry, ti ricordi o no?»

«Ehi, un attimo di pazienza. Ci sto pensando.»

Un'altra pausa.

Finalmente Edgar riprese. «No, per quanto mi ricordi non c'era nessun Foster.»

«Sei sicuro o no?»

«Dai, Harry, e come faccio a essere sicuro? Non ho qui niente, ma penso che quel nome me lo sarei ricordato. Perché è tanto importante?»

«Ti richiamo.»

Bosch portò il telefono in sala da pranzo dove aveva lasciato la sua cartella. La aprì e ne estrasse il fascicolo dell'omicidio. Lo sfogliò rapidamente fino alla pagina su cui erano elencati gli attuali residenti di Wonderland Avenue con i relativi numeri di telefono. Prese il telefono e compose un numero. Dopo quattro squilli gli rispose una voce nota.

«Dottor Guyot, sono il detective Bosch. È troppo tardi, per caso?»

«Salve, detective. No, va benissimo. Ho passato quarant'anni della mia vita a ricevere telefonate a tutte le ore del giorno e della notte. Le nove sono un orario da dilettanti. Come sta? Si è ripreso dalle sue disavventure?»

«Tutto bene, dottore. Purtroppo ho una certa fretta, ma ho bisogno di farle qualche domanda sui suoi vicini.»

«Dica pure, la ascolto.»

«Torniamo indietro nel tempo, direi verso il 1980. Ha mai abitato lì una famiglia il cui cognome era Foster?»

Ci fu un attimo di silenzio.

«No, non mi pare. Non ricordo nessuno che si chiamasse così.»

Il diniego del dottore tolse a Bosch ogni dubbio restante sul vero significato di quel Foster, citato da Trent nella registrazione. Non si trattava di un nome di famiglia, era piuttosto il modo in cui venivano indicati i bambini adottati o in affido. Comunque, quasi ad avere una conferma, chiese a Guyot se qualcuno avesse tenuto dei ragazzini in affido.

Questa volta Guyot rispose senza esitare.

«Sì, c'erano i Blaylock. Gente straordinaria. Nel corso degli anni ne hanno aiutato un'infinità. Li ammiravo moltissimo.»

Bosch scrisse il nome su un foglio di carta bianca all'inizio del fascicolo. Poi passò al rapporto sugli abitanti attuali della zona e vide che nessuno rispondeva al nome di Blaylock.

«Ricorda come si chiamavano di nome?»

«Sì, Don e Audrey.»

«Per caso non ricorda anche l'anno in cui hanno lasciato la zona?»

«Ma, deve essere stato almeno dieci anni fa. I ragazzi erano cresciuti e loro non avevano più bisogno di una casa così grande, quindi l'hanno venduta e si sono trasferiti.»

«Non ha idea di dove siano andati?»

Ci fu un attimo di silenzio e Bosch rimase in attesa che il dottore riprendesse a parlare.

«Sto cercando di ricordare» disse Guyot. «Il fatto è che sono convinto di saperlo.»

«Faccia con calma, dottore» gli concesse Bosch, nonostante fosse l'ultima cosa che voleva.

«Mi viene un'idea. Ho conservato tutti i biglietti natalizi che ho ricevuto nel corso del tempo. Mi semplifica la vita. Così so già a chi mandarli l'anno successivo. Se aspetta un attimo vado a prenderli. Audrey mi scrive ancora tutti gli anni.»

«Faccia pure. Io aspetto.»

Bosch sentì il telefono che veniva appoggiato. Fece un cenno affermativo con la testa. Avrebbe avuto l'indirizzo. Cercò di pensare all'eventuale importanza dell'informazione, ma poi decise di lasciar perdere. L'avrebbe valutata in seguito.

Guyot impiegò parecchio tempo prima di tornare, ma Bosch rimase con la penna appoggiata sul foglio, pronto a scrivere.

«Okay, detective, l'ho trovato.»

Mentre scriveva, Bosch per poco non si lasciò sfuggire un respiro di sollievo. Don e Audrey Blaylock non si erano trasferiti in Alaska, o in qualche altra zona remota del mondo. Abitavano tuttora in un luogo raggiungibile con l'auto.

49

ALLE OTTO DI SABATO MATTINA Bosch era seduto nella sua auto, con gli occhi fissi su una villetta in legno, a un isolato di distanza dalla via principale di Lone Pine, una cittadina che distava tre ore da Los Angeles, ai piedi della Sierra Nevada. Stava sorseggiando un caffè ormai gelido da un bicchiere di plastica, e ne aveva con sé un altro, da attaccare quando avesse finito questo. Era tutto indolenzito per il freddo, per le ore di guida e soprattutto per aver cercato di dormire in macchina. Era arrivato troppo tardi per trovare un motel aperto. E comunque sapeva per esperienza che non era consigliabile venire a Lone Pine il fine settimana senza aver prenotato.

Quando la luce dell'alba cominciò a schiarire il cielo, scorse le montagne azzurrine che si ergevano nella nebbia dietro la città, riducendola a quella che era, un luogo piccolo e insignificante rispetto all'eternità del tempo e al ritmo naturale delle cose. Bosch alzò gli occhi sul monte Whitney, il monte più alto della California, e pensò che era lì da prima che occhio umano si fosse posato su di lui, e ci sarebbe stato anche quando l'ultimo barlume di umanità si fosse spento. Non sapeva perché, ma questa consapevolezza gli dava un grande senso di pace.

Era affamato e avrebbe voluto andare in una delle tavole calde della città a farsi un piatto di uova e pancetta, ma non se la sentiva di lasciare la sua postazione. Se uno si trasferiva da Los Angeles a Lone Pine non era solo perché odiava la folla, lo smog e il trambusto della grande città. Era anche perché amava la montagna. E Bosch non voleva correre il rischio che i Blaylock decidessero di andare a farsi una passeggiata mentre lui si rimpinzava. Decise di mettere in moto e di accendere il riscaldamento per qualche minuto. Era tutta notte che faceva quel giochetto, accendendo per qualche istante e poi spegnendo per risparmiare la benzina.

Continuò a sorvegliare la casa, in attesa di vedere una luce o qualcuno che usciva a prendere il giornale, che un camion, passando, aveva buttato sul vialetto due ore prima. Erano solo pochi fogli, tutt'altra storia dal *Los Angeles Times*. Ma alla gente di Lone Pine non importava niente di Los Angeles, dei suoi omicidi e dei suoi detective.

Alle nove Bosch cominciò a vedere delle volute di fumo levarsi dal camino della casa. Qualche istante dopo un uomo sulla sessantina con addosso una vestaglia uscì a prendere il giornale. Lo raccolse, lanciò un'occhiata lungo la strada e indugiò con lo sguardo sulla macchina di Bosch. Poi rientrò.

Bosch sapeva che la sua auto non poteva passare inosservata, ma non aveva nemmeno cercato di nascondersi. Stava solo aspettando. Avviò il motore e guidò fino alla casa dei Blaylock, andando a fermarsi sul vialetto di accesso.

Quando arrivò alla porta, l'uomo che aveva già visto la aprì prima ancora che bussasse.

«Il signor Blaylock?»

«Sono io.»

Bosch gli mostrò il distintivo e il tesserino di identificazione.

«Avrei bisogno di scambiare due parole con lei e con sua moglie. È a proposito di un caso a cui sto lavorando.»

«È venuto da solo?»

«Sì.»

«Da quanto tempo era là fuori?»

Bosch sorrise.

«Dalle quattro. Troppo tardi per andare in un motel.»

«Venga dentro. Stiamo facendo il caffè.»

«Se è caldo, lo accetto volentieri.»

L'uomo precedette Bosch in una stanza dove alcune poltrone e un divano erano sistemate a cerchio davanti al caminetto.

«Vado a chiamare mia moglie e a prendere il caffè.»

Bosch si diresse verso la poltrona più vicina al fuoco e stava per sedersi quando vide sulla parete una serie di fotografie incorniciate. Si avvicinò a guardarle. Erano foto di bambini e ragazzi di tutte le razze. Due di loro erano handicappati. Eccoli lì, i piccoli in affido. Si voltò e andò a sedersi vicino al fuoco.

Poco dopo Blaylock tornò con una grossa tazza di caffè fumante, seguito da una donna che sembrava leggermente più anziana di lui. Aveva un viso gentile e gli occhi ancora pieni di sonno.

«Questa è Audrey, mia moglie» disse Blaylock. «Lo vuole nero il suo caffè? Non ho mai sentito di un poliziotto che non lo prendesse nero.»

Marito e moglie si sedettero uno accanto all'altra sul divano.

«Nero va bene. Conosce molti poliziotti?»

«Ne ho conosciuti un mucchio quando abitavo a Los Angeles. Sono stato trent'anni nei pompieri. Ero diventato comandante di una stazione, ma me ne sono andato dopo i disordini del '92. Quello è stato il colpo di grazia.»

«Di che cosa ci vuole parlare?» chiese Audrey, quasi insofferente nei confronti delle chiacchiere del marito.

Bosch fece un cenno d'assenso. Aveva avuto il suo caffè e i preamboli erano finiti.

«Mi occupo di omicidi, alla Divisione Hollywood.»

«Ho passato sei anni da quelle parti» disse Blaylock, riferendosi evidentemente alla caserma dei pompieri, situata alle spalle della stazione di Polizia.

Bosch annuì di nuovo.

«Don, lascia che ci esponga la ragione per cui è arrivato fin qui» intervenne Audrey.

«Mi scusi. Dica pure.»

«Mi sto occupando di un caso di omicidio. Il cadavere è stato rinvenuto nella zona del Laurel Canyon, più o meno dove stavate prima. Stiamo contattando tutti coloro che abitavano da quelle parti intorno al 1980.»

«Perché proprio allora?»

«Perché è l'anno in cui è stato commesso l'omicidio.»

Lo fissarono con espressione stupita.

«Non mi ricordo che sia successo niente del genere» disse Blaylock.

«Il corpo è stato scoperto soltanto un paio di settimane fa. Era stato sepolto nel bosco sulla collina.»

Bosch li guardò, studiando la loro espressione. Erano sconvolti.

«Oh, mio Dio» esclamò Audrey. «Vuol dire che per tutto il tempo che siamo rimasti lì, c'era un cadavere sepolto a poca distanza? I nostri bambini andavano a giocare lassù. E chi è la vittima?»

«Un ragazzino di dodici anni. Si chiamava Arthur Delacroix. Vi dice niente?»

I due coniugi si concentrarono come se stessero cercando di ricordare, poi si guardarono e, scuotendo il capo, confermarono il risultato negativo a cui erano arrivati.

«No, mai sentito» disse Don Blaylock.

«Dove abitava?» chiese Audrey. «E come è stato ucciso?»

«Abitava nella zona di Miracle Mile ed è stato colpito con un oggetto contundente. Capisco la vostra curiosità, ma se non vi spiace sono io che ho bisogno di farvi delle domande.»

«Oh, mi scusi. Continui pure.»

«Stiamo cercando di farci un quadro preciso di com'era Wonderland Avenue a quell'epoca. Tanto per sapere chi c'era e che cosa faceva. La solita routine.»

Bosch sorrise, rendendosi subito conto che le sue parole suonavano tutt'altro che sincere.

«Finora non è stato facile. Ci sono stati molti cambiamenti da allora. Per la verità, dei vecchi residenti, gli unici che abitano ancora in Wonderland Avenue sono il dottor Guyot e un certo Harris.»

Il viso di Audery si illuminò.

«Oh, Paul è una persona deliziosa. Ci manda sempre gli auguri di Natale. Purtroppo non potevamo permetterci di pagare i suoi onorari e quindi portavamo quasi sempre i bambini al pronto soccorso. Ma se c'era un'emergenza, o capitava qualcosa durante il fine settimana, non aveva un attimo di esitazione. Ci sono dottori, oggigiorno, che non sono più disposti a correre rischi... oh, mi scusi, mi sono fatta prendere la mano proprio come mio marito.»

«Non si preoccupi, signora Blaylock. A proposito dei suoi bambini, ho sentito da alcuni dei vicini che avevate dei ragazzini in affido. È esatto?»

«Oh, sì» disse lei. «Don e io abbiamo preso bambini in affido per venticinque anni.»

«È straordinario quello che avete fatto. Vi ammiro moltissimo. Quanti bambini avevate?»

«Difficile dirlo. Alcuni sono rimasti anni, altri solo settimane. Dipendeva molto dalle decisioni del Tribunale dei Minorenni. Mi si spezzava il cuore quando, appena cominciato a ingranare con un bambino, lo rispedivano a casa o chissà che altro. Ho sempre detto che per occuparsi di affido bisogna avere un grande cuore corazzato di acciaio.»

Fece un cenno d'intesa all'indirizzo del marito, che glielo ricambiò e le prese la mano.

«Una volta ci è capitato di avere in casa trentotto ragaz-zini» disse poi. «Ma realisticamente possiamo dire che ne abbiamo cresciuti diciassette. Parlo di quelli che si sono fer-mati abbastanza a lungo da ricevere un'influenza positiva. Diciamo dai due anni in su. Pensi che uno di loro è rimasto con noi per quattordici anni.»

Si voltò verso la parete alle spalle del divano e indicò la foto di un bambino su una sedia a rotelle. Era molto esile e portava un paio di occhiali dalle lenti spesse. I polsi erano piegati in maniera innaturale e gli angoli della bocca si incur-vavano in una sorta di sorriso sbilenco.

«Quello è Benny.»

«Incredibile» osservò Bosch.

Prese il taccuino dalla tasca e lo aprì su una pagina bianca. In quel momento il suo cellulare prese a squillare.

«Scusatemi. Ho dimenticato di spegnerlo.»

«Non risponde?» chiese Blaylock.

«Mi lasceranno un messaggio. Non pensavo nemmeno che funzionasse così vicino alle montagne.»

«Ehi, vediamo persino la tivù.»

Bosch lo guardò e si rese conto di essere stato indelicato.

«Mi dispiace, non volevo essere villano. Potreste dirmi chi erano i bambini che vivevano con voi nel 1980?»

Marito e moglie si scrutarono per un attimo senza dire niente.

«Pensa che uno dei nostri ragazzi possa essere coinvolto nel caso di cui si sta occupando?» chiese Audrey.

«Non lo so, signora. Non ho elementi sufficienti. Come le ho detto, stiamo cercando di delineare un quadro preciso di com'era la zona a quell'epoca. Dobbiamo sapere con esat-tezza chi ci abitava. A quel punto potremo partire con le indagini.»

«Be', sono sicuro che la Divisione per i Servizi Giovanili potrà darvi una mano.»

Bosch annuì.

«Ora ha cambiato nome. Si chiama Dipartimento dei Servizi per l'Infanzia. E non potranno fare niente per noi fino a lunedì, al più presto. Ma ci troviamo di fronte a un omicidio e non possiamo aspettare.»

Ci fu un'altra pausa, mentre i due si guardavano come per consultarsi.

«Bene» disse infine Don Blaylock. «Non sarà facile ricordare esattamente il periodo preciso in cui i vari ragazzini sono stati con noi. Per alcuni è più semplice, mi riferisco a Benny, a Jody o a Frances. Ma, come le ha detto Audrey, ogni anno c'era qualcuno che ci veniva affidato e subito ripreso. È da qui che nasce la confusione. Vediamo, il 1980 ha detto...»

Si alzò, così da vedere meglio la parete a cui erano appese le fotografie. Ne indicò una, in cui era ritratto un bambino di colore di circa otto anni.

«Quello è William. Era con noi nell'80.»

«No, ti sbagli» intervenne Audrey. «È arrivato nell'84. Non ricordi? Era l'anno delle Olimpiadi e tu gli hai fatto una torcia con la stagnola.»

«Ah, già. Era l'84.»

Bosch si protese in avanti. Cominciava a essere troppo vicino al camino. Stava morendo di caldo.

«Iniziamo da quelli che ha nominato prima, Benny e le altre due. Si ricorda come si chiamavano di cognome?»

Gli diedero il nome per intero, e anche i numeri di telefono, tranne quello di Benny.

«È morto sei anni fa» disse Audrey. «Sclerosi multipla.»

«Mi dispiace.»

«Gli volevamo molto bene.»

Bosch fece un cenno d'assenso e attese qualche istante prima di proseguire.

«Non avete tenuto una sorta di registro di chi arrivava e quanto tempo si fermava?»

«Sì, ma non l'abbiamo con noi» disse Blaylock. «È in un magazzino a Los Angeles.»

A un tratto fece schioccare le dita.

«Però abbiamo un elenco dei nomi di tutti i ragazzini. Purtroppo non è ordinato per anno. Pensa che possa esserle ugualmente utile?»

Bosch si avvide che Audrey lanciava un'occhiata adirata al marito. Capiva che, d'istinto, la donna voleva proteggere i bambini dalla minaccia, presunta o reale, che lui rappresentava.

«Sono sicuro di sì» rispose.

Blaylock lasciò la stanza e Bosch guardò Audrey.

«Signora, lei non vuole che suo marito mi dia quell'elenco, vero? Posso chiederle perché?»

«Perché credo che lei non sia sincero. Sta cercando qualcosa di preciso. Qualcosa che si adatti alle sue necessità. Non si fanno tre ore di macchina nel cuore della notte per "qualche domanda di routine", per usare la sua definizione. Questi ragazzini provenivano da ambienti degradati e non erano certo tutti degli angeli. Ma io non voglio che nessuno di loro subisca delle accuse solo perché è nato sfortunato.»

Bosch attese che avesse finito.

«Signora Blaylock, è mai stata all'Istituto McClaren?»

«Sì, certo. Molti dei nostri bambini venivano da lì.»

«Anch'io ci sono stato. E sono stato anche in un numero imprecisato di famiglie dove non mi fermavo mai a lungo. Quindi so benissimo com'erano i suoi ragazzini, perché anch'io sono stato uno di loro. E so anche che alcune famiglie sono capaci di dispensare affetto, mentre altre invece sono persino peggio del luogo che uno ha lasciato. Ci sono genitori affidatari che si dedicano completamente ai bambini, altri che si interessano unicamente degli assegni che incassano dalle istituzioni competenti.»

Lei rimase in silenzio a lungo prima di rispondere.

«Non importa» disse poi. «Il suo unico scopo resta quel-

367

lo di completare il quadro con qualsiasi elemento vi si possa adattare.»

«Ha torto, signora Blaylock. Quello che dice non è vero, così come è ingiusto il giudizio che dà di me.»

In quel momento Blaylock entrò nella stanza portando con sé una cartelletta verde. La posò sul tavolino quadrato e la aprì. All'interno era munita di tasche piene di fotografie e di lettere. Sua moglie, per niente intimidita dal suo ritorno, continuò a parlare.

«Mio marito ha lavorato per l'amministrazione cittadina esattamente come lei, e io so che non gli farà piacere quello che dico. Ma io non mi fido di lei, né delle ragioni che l'hanno portata qui. Lei ci sta mentendo.»

«Audrey!» esclamò Blaylock. «Quest'uomo sta solo cercando di fare il suo lavoro.»

«Ed è pronto a tutto pur di portarlo a termine, anche a fare del male ai nostri bambini.»

«Ti prego, Audrey!»

Il signor Blaylock porse a Bosch un foglio che conteneva un elenco di nomi scritti a mano. Prima che questi riuscisse a leggerlo, l'uomo lo riprese e, appoggiandolo sul tavolino, cominciò a fare dei segni con una matita accanto ad alcuni dei nomi.

«Questo elenco è un sistema per tenerci in contatto con i nostri ragazzini. Si può volere molto bene a qualcuno, ma quando ci si devono ricordare le date di venti o trenta compleanni, be', la faccenda cambia. Si finisce per dimenticarne sempre qualcuno. Quelli che sto segnando sono i ragazzi che sono arrivati dopo il 1980. Quando avrò finito, Audrey controllerà il tutto.»

«Non ci penso nemmeno.»

I due uomini la ignorarono. Mentre Blaylock scriveva, Bosch cominciò a scorrere la lista. Arrivato poco oltre la metà, si chinò e indicò un nome con il dito.

«Mi parli di lui.»

Blaylock si voltò a guardarlo, poi guardò la moglie.

«Di chi si tratta?» chiese la donna.

«Di Johnny Stokes» rispose Bosch. «Era con voi nell'80, vero?»

Audrey lo fissò con uno sguardo di fuoco.

«Cosa ti avevo detto?» disse al marito, senza distogliere gli occhi da Bosch. «Quando è venuto sapeva già dell'esistenza di Johnny. Avevo ragione, non è un uomo sincero.»

50

IL MOMENTO IN CUI DON BLAYLOCK andò in cucina a preparare una seconda caffettiera, Bosch aveva già riempito due pagine di appunti su Johnny Stokes. Il ragazzo era arrivato a casa dei Blaylock nel gennaio del 1980 e vi era rimasto fino al luglio successivo, quando era stato arrestato per aver rubato una macchina. L'avevano beccato mentre stava scorrazzando per Hollywood e, visto che era già al suo secondo furto, l'avevano mandato in riformatorio, dove era rimasto sei mesi. Alla fine del periodo di riabilitazione, un giudice aveva pensato bene di rispedirlo in famiglia. Di tanto in tanto i Blaylock avevano avuto sue notizie, e qualche volta l'avevano visto durante le sue rare puntate nella zona, ma, presi com'erano dagli altri bambini affidati alle loro cure, avevano finito per perdere i contatti con lui.

Rimasto solo con Audrey, Bosch temette di doversi preparare a un difficile silenzio, ma la donna lo stupì, riprendendo a parlare.

«Dodici dei nostri ragazzi si sono laureati, altri due hanno intrapreso la carriera militare. Un altro ha seguito Don nei pompieri e ora lavora nella Valley.»

Fece un cenno d'assenso con la testa, come a sottolineare i successi ottenuti.

«Non abbiamo mai pensato che fosse possibile ottenere

dei buoni risultati con tutti» continuò. «Ma abbiamo sempre fatto del nostro meglio. A volte le circostanze ci hanno impedito di aiutarli, senza contare gli interventi inopportuni dei tribunali o dei servizi sociali. Con Johnny è andata così. Ha commesso un errore e per qualche ragione hanno addossato a noi la colpa. Così ce l'hanno portato via, prima che potessimo aiutarlo davvero.»

Bosch si limitò ad annuire.

«A quanto pare lei sa chi è. Ha già avuto modo di parlargli?»

«Sì, brevemente.»

«È in prigione?»

«No, adesso è fuori.»

«Come ha vissuto da allora?»

Bosch allargò le braccia.

«Non direi che se l'è cavata bene. La droga, un mucchio di arresti, la galera.»

Lei chinò il capo con aria triste.

«Pensa che sia stato lui a uccidere quel ragazzino? Magari mentre viveva con noi?»

Dall'espressione del suo viso Bosch capì che, se le avesse detto la verità, avrebbe distrutto ogni sua certezza nella validità di quello che avevano fatto. Le foto alla parete, i diplomi di laurea, la riuscita di alcuni dei suoi ragazzi, tutto sarebbe stato spazzato via da quell'unico gesto atroce.

«Non lo so. L'unica cosa certa è che Johnny era amico del ragazzino ucciso.»

Lei chiuse gli occhi, come se avesse bisogno di un attimo di pausa. Poi non disse altro fino al ritorno del marito. L'uomo si diresse verso il camino e mise un altro ceppo sul fuoco.

«Il caffè sarà pronto tra un attimo.»

«Grazie» rispose Bosch, e si alzò.

«C'è qualcosa che vorrei farvi vedere. Devo andarlo a prendere in macchina.»

Si scusò e uscì. Afferrò la cartella che aveva lasciato sul

sedile anteriore, poi aprì il bagagliaio e ne estrasse lo scatolone che conteneva lo skateboard. Pensò che forse valeva la pena di mostrarlo ai Blaylock. Mentre richiudeva lo sportello il suo telefono squillò. Questa volta decise di rispondere. Era Edgar.

«Harry, dove sei?»

«A Lone Pine.»

«Cosa diavolo ci fai lassù?»

«Senti, non ho tempo di parlare adesso. Tu dove sei?»

«Al mio posto, come d'accordo. Credevo che...»

«Sta' a sentire, ti richiamo tra un'ora. Tu, intanto, segnala che abbiamo un ricercato. Si tratta di Stokes. Dobbiamo scovarlo.»

«E perché?»

«Perché è stato lui a uccidere il ragazzo.»

«Cosa cazzo stai dicendo?»

«Ti richiamo tra un'ora. Fai quella segnalazione.»

Riappese e questa volta spense il telefono.

Tornato in casa, posò lo scatolone per terra, poi si sedette e aprì la cartella tenendola in grembo. Prese la busta contenente le foto di famiglia che si erano fatti dare da Sheila Delacroix. Le divise in due mucchietti e le passò ai Blaylock.

«Date un'occhiata al ragazzino e ditemi se lo riconoscete. Non è mai venuto a casa vostra, con Johnny o con qualcun altro?»

Rimase a osservare i coniugi che guardavano le foto, poi se le scambiavano. Quando terminarono, scossero il capo in segno di diniego, e gli restituirono il tutto.

«Non l'ho mai visto» disse Don.

«D'accordo, ci ho provato» disse Bosch, rimettendo le foto nella busta.

Chiuse la cartella e la posò per terra. Poi aprì lo scatolone e ne estrasse lo skateboard.

«E questo, l'avete mai visto?»

«Era di Johnny» disse Audrey.

«È sicura?»

«Sì, lo riconosco. L'ha lasciato da noi quando se n'è andato. L'ho avvertito che ce l'avevamo, ma non è mai venuto a riprenderselo.»

«Come fa a essere certa che sia proprio questo?»

«Me lo ricordo benissimo. Ho sempre detestato quel teschio con le tibie incrociate.»

Bosch rimise lo skate nello scatolone.

«Poi cosa ne avete fatto?»

«L'abbiamo venduto» rispose Audrey. «Quando Don è andato in pensione e abbiamo deciso di trasferirci qui, abbiamo organizzato una grande vendita per toglierci di torno la paccottiglia che avevamo accumulato nel corso degli anni.»

«Già, ci siamo liberati di tutto» convenne Don.

«Be', proprio di tutto non direi» soggiunse lei. «Non hai voluto vendere quella stupida campana dei pompieri che staziona sul retro della casa. Comunque, è stato in quell'occasione che abbiamo venduto lo skateboard.»

«Vi ricordate chi l'ha comperato?»

«Sì, il nostro vicino di casa. Il signor Trent.»

«E quando è successo?»

«Nell'estate del '92. È stato l'anno in cui ci siamo trasferiti.»

«Come fate a ricordare di averlo venduto proprio a lui?»

«Il fatto è che ci ha comperato quasi tutto, soprattutto gli oggetti più inutili. Gli servivano per il suo lavoro. Faceva lo scenografo.»

«Era un arredatore di set» precisò il marito.

«Comunque, ha acquistato tutta quella roba per utilizzarla nei film. Ho sempre sperato di riconoscere qualcosa di mio quando andavo al cinema o guardavo la televisione, ma non mi è successo.»

Bosch scrisse qualche annotazione sul suo taccuino. Aveva avuto tutto quello che gli serviva. Era arrivato il momento di tornare in città e di rimettere insieme i pezzi.

«Dove ha trovato lo skateboard?» gli chiese Audrey.

Bosch alzò gli occhi su di lei.

«Be', ce l'aveva il signor Trent.»

«Abita ancora là?» chiese Don Blaylock. «Era un ottimo vicino. Non abbiamo mai avuto problemi con lui.»

«Purtroppo è morto» disse Bosch.

«Oh, mio Dio» esclamò Audrey. «Era ancora giovane.»

«Scusatemi, ma ho ancora un paio di domande. Johnny Stokes vi ha mai raccontato come è entrato in possesso dello skateboard?»

«Mi ha detto che l'aveva vinto durante una gara, a scuola» rispose Audrey.

«Quale scuola, The Brethren?»

«Sì, è là che andava. La frequentava già quando è venuto da noi e abbiamo preferito non spostarlo.»

Bosch annuì e guardò i suoi appunti. Il quadro era completo. Chiuse il taccuino, se lo infilò nella tasca e si alzò, pronto a tornare in città.

51

PARCHEGGIÒ LA MACCHINA davanti al Lone Pine Diner. I tavoli accanto alle finestre erano occupati e quelli che vi erano seduti, nessuno escluso, si voltarono a guardare quell'auto del Dipartimento di Polizia di Los Angeles che si trovava a trecento chilometri da dove avrebbe dovuto essere.

Bosch stava morendo di fame, ma non poteva più rimandare la telefonata a Edgar, che rispose dopo il primo squillo.

«Sono io. Hai fatto la segnalazione?»

«Sì. Ma ti giuro che non è stato semplice, visto che non ho la minima idea di quello che sta succedendo, *partner*.»

Pronunciò l'ultima parola come se fosse un sinonimo di coglione. Era l'ultimo caso di cui si sarebbero occupati insieme e a Bosch dispiaceva che il loro sodalizio dovesse concludersi così. Sapeva che era colpa sua. Aveva tagliato fuori Edgar per motivi che non erano chiari nemmeno a lui.

«Hai ragione, Jerry» disse. «Ho fatto casino. Volevo solo accelerare i tempi e questo significava viaggiare di notte.»

«Sarei potuto venire con te.»

«Lo so» mentì Bosch. «Non ci ho pensato. Comunque adesso sto tornando.»

«Be', sarà meglio che mi spieghi tutto dall'inizio, così capirò finalmente che direzione ha preso il *nostro* caso. Mi sono sentito un idiota a emettere un mandato di ricerca senza neanche sapere perché.»

«Te l'ho detto. Stokes è il nostro uomo.»

«Già, ma non mi hai detto nient'altro.»

Bosch passò i dieci minuti successivi a guardare la gente che si abbuffava, mentre lui aggiornava Edgar sugli ultimi sviluppi.

«Cristo, e pensare che l'avevamo a portata di mano» commentò Edgar quando Bosch finì di parlare.

«Ormai è fatta. Ora dobbiamo trovarlo.»

«Insomma, secondo te quando il ragazzino ha fatto i bagagli e se l'è battuta, è finito da Stokes, che l'ha portato nel bosco e l'ha fatto fuori.»

«Direi che più o meno le cose sono andate così.»

«E perché?»

«Questo dobbiamo chiederlo a lui. Comunque io ho una mia teoria. Stokes voleva lo skateboard.»

«E avrebbe ammazzato un suo amico per averlo?»

«C'è gente che ammazza per molto meno. A parte il fatto che non sappiamo se intendeva davvero ucciderlo. La fossa era poco profonda, forse è stata scavata con le mani. Il che escluderebbe la premeditazione. Oppure l'ha spinto, buttandolo per terra, o l'ha colpito con una pietra. Magari tra loro c'era qualcosa che ignoriamo.»

Edgar rimase in silenzio a lungo, tanto che Bosch si augurò che la conversazione fosse finita e che fosse finalmente arrivato il momento della tanto agognata colazione.

«Cosa pensano i genitori affidatari della tua teoria?»

Bosch sospirò.

«Per la verità non sono stato a raccontargliela, ma non erano poi così sorpresi quando ho cominciato a fare domande su Stokes.»

«Vuoi sapere cosa penso, Harry? Che abbiamo perso del gran tempo con questa storia.»

«Cosa vuoi dire?»

«Che in fondo a cosa si riduce la faccenda? A un tredicenne che toglie di mezzo un suo coetaneo per un fottutissimo giocattolo. Stokes era minorenne quando è successo. Non è più perseguibile adesso.»

Bosch rimase a riflettere per un attimo.

«Chi te l'ha detto? Dipende da quello che riusciamo a fargli sputare quando lo prendiamo.»

«Hai ammesso tu stesso che non ci sono segni di premeditazione. Credimi, non troverai nessuno disposto a istruire un processo. Ci siamo rincorsi la coda, come i cani. Il caso è chiuso, ma il colpevole non può essere punito.»

Bosch sapeva che molto probabilmente Edgar aveva ragione. Era raro che un adulto venisse perseguito per un crimine commesso quando era ancora un ragazzino. Anche se fossero riusciti a estorcergli una confessione, Stokes se la sarebbe cavata ugualmente.

«Avrei dovuto lasciare che gli sparasse» mormorò.

«Che cosa hai detto, Harry?»

«Niente. Adesso vado a mangiare qualcosa, poi mi metto in strada. Ti troverò lì?»

«Certo. Ti terrò informato se succede qualcosa.»

«D'accordo.»

Interruppe la comunicazione e smontò dall'auto, pensando a Stokes, che l'avrebbe fatta franca. Quando entrò nella tavola calda e fu assalito dall'odore del cibo, si rese conto di aver perso l'appetito.

52

Bosch stava scendendo lungo quel tratto della freeway, infido e tutto curve, soprannominato The Grapevine, quando il suo telefono squillò. Era Edgar.

«Harry, è un pezzo che cerco di chiamarti. Dove sei?»

«Ero tra le montagne, il telefono non prendeva. Tra un'ora sarò lì. Che cosa c'è?»

«Hanno trovato Stokes. Si è rifugiato all'Usher.»

L'Usher era un albergo costruito negli anni Trenta, a un isolato di distanza dall'Hollywood Boulevard. Per decenni era stato una sorta di dormitorio, dove le stanze venivano affittate a settimana, oltre che un centro di prostituzione. Poi la valorizzazione della zona aveva provocato una levata di scudi contro la struttura, rendendola all'improvviso una proprietà appetibile e preziosa. Così l'Usher era stato venduto e successivamente chiuso, in attesa di essere ristrutturato per tornare a far parte della nuova Hollywood come una gran dama. Ma il progetto era ancora bloccato all'ufficio urbanistico del comune, a cui spettava l'approvazione finale. E questo aveva permesso agli abitanti della notte di appropriarsene.

Mentre l'Usher attendeva la sua rinascita, le stanze al tredicesimo piano erano diventate un rifugio per i vagabondi che, oltrepassando le recinzioni di compensato, le avevano elette a provvisoria dimora. Nei due mesi precedenti Bosch vi era entrato due volte a caccia di gente sospetta. L'albergo era privo di acqua corrente e di elettricità, ma i vagabondi si servivano ugualmente dei gabinetti e il posto puzzava come una fogna a cielo aperto. Mancavano anche le porte e i mobili, e i tappeti abbandonati nelle stanze venivano usati come letti. Muoversi al suo interno era una sorta di incubo. In ogni varco poteva nascondersi un uomo armato, e per quanto si tenessero gli occhi aperti, il pericolo era sempre in agguato.

Bosch inserì la luce di emergenza e schiacciò a fondo il pedale dell'acceleratore.

«Come diavolo sappiamo che è lì dentro?» chiese.

«I ragazzi della Narcotici stavano cercando qualcuno la settimana scorsa e hanno avuto una soffiata. Pare che si sia rifugiato al tredicesimo piano. Bisogna avere il pepe al culo per andare a ficcarsi fin là in alto senza uno straccio di ascensore.»

«D'accordo, e quali sono i piani?»

«Facciamo irruzione alla grande. Quattro squadre del servizio di pattuglia, io e quelli della Narcotici. Partiamo dal basso e procediamo fino in cima.»

«Quando è previsto?»

«Abbiamo una riunione proprio adesso, poi partiamo. Non possiamo aspettarti, Harry. Dobbiamo acciuffare quel bastardo prima che prenda il largo.»

Bosch si chiese se tutta quella fretta era giustificata o non era semplicemente un modo per fargliela pagare. Sapeva che Edgar era risentito per essere stato escluso da molte delle sue iniziative.

«Capisco» disse infine. «Porti con te la ricetrasmittente?»

«Sì, useremo il secondo canale.»

«D'accordo, ci vediamo là. Mettiti il giubbotto antiproiettile.»

Non pensava che Stokes fosse armato, ma non aveva dubbi sul fatto che un gruppo di poliziotti in pieno assetto,

379

nello spazio angusto di un corridoio d'albergo privo di luce, significasse a chiare lettere "pericolo".

Bosch interruppe la comunicazione e pigiò ulteriormente il pedale dell'acceleratore. Ben presto attraversò il perimetro settentrionale della città e imboccò la San Fernando Valley. Non incontrò un gran traffico. Cambiò freeway due volte e, mezz'ora dopo aver parlato con Edgar, stava già oltrepassando il Cahuenga Pass diretto a Hollywood. All'uscita di Highland vide l'Usher che si levava a qualche isolato di distanza in direzione sud. Dalle finestre buie erano state tolte le tende, in preparazione del prossimo lavoro di ristrutturazione.

Bosch non aveva con sé la radio e si era dimenticato di chiedere a Edgar dove sarebbe stato dislocato il comando operativo. Non intendeva avvicinarsi all'albergo a bordo di un'auto così facilmente identificabile, con il rischio di mandare a monte tutta l'operazione. Prese di nuovo il telefono e chiamò l'ufficio di guardia. Gli rispose Mankiewicz.

«Ehi, Mank, ti pigli mai una giornata libera?»

«Non in gennaio. I miei figli festeggiano sia Natale, sia Hannukah. Devo tenermi buoni i giorni di permesso. Cosa hai bisogno?»

«Puoi dirmi dove è situato il comando operativo dell'irruzione all'Usher?»

«Sì, è al parcheggio dell'Hollywood Presbyterian.»

«Bene, ti ringrazio.»

Due minuti dopo Bosch si fermava nel luogo indicato. Nel parcheggio c'erano già cinque auto di pattuglia, più un'auto senza le scritte e un camioncino della Narcotici. Erano state piazzate accanto alla chiesa perché non fossero visibili dall'Usher.

Due agenti erano seduti in una delle auto di pattuglia, che aveva il motore acceso. Bosch sapeva che si trattava dell'auto destinata a trasportare il ricercato. Quando le squadre che erano all'interno avessero acciuffato Stokes, l'auto, chiamata per radio, si sarebbe immediatamente avvicinata per prelevarlo. Bosch si accostò al finestrino in corrispondenza del posto di guida.

«Avete notizie?»

«Sono al dodicesimo piano. Non è successo ancora niente.»

«Puoi prestarmi la radio?»

Il poliziotto gliela porse e Bosch chiamò Edgar sul canale convenuto.

«Harry, sei arrivato?»

«Sì, ora salgo.»

«Abbiamo quasi finito.»

«Vengo lo stesso.»

Restituì la radio e attraversò il parcheggio, diretto alla staccionata che circondava l'albergo e in particolare al varco usato dai vagabondi per introdursi nell'edificio, parzialmente nascosto da un grande cartello che annunciava la futura disponibilità di appartamenti di lusso in quella storica costruzione.

Alle estremità dell'edificio c'erano due grandi scaloni, ai cui piedi erano state piazzate due squadre di agenti in uniforme per bloccare Stokes se fosse riuscito a sfuggire all'irruzione e avesse cercato di battersela. Bosch aprì il portone, estraendo il distintivo e tenendolo bene in vista.

Mentre si avviava verso le scale, fu fermato da un paio di agenti con le armi in pugno. Li salutò con un cenno del capo, che questi ricambiarono, facendogli segno di passare. Bosch cominciò a salire, cercando di darsi un ritmo regolare.

Tra un piano e l'altro c'erano due rampe di scale, separate da un pianerottolo. Fece mentalmente il conto, erano in tutto ventiquattro. L'odore proveniente dai gabinetti intasati era insopportabile, e a un tratto gli venne in mente quello che gli aveva detto Edgar, e cioè che a ogni odore corrispondevano delle particelle disperse nell'aria. Avrebbe preferito non saperlo.

Le porte d'accesso ai corridoi erano state rimosse, così

come le indicazioni dei piani. Ai piani inferiori qualcuno si era preso la briga di segnare il numero sulla parete, ma, man mano che si saliva, i numeri non c'erano più e Bosch finì per perdere il conto.

Verso il decimo piano, si prese un attimo di pausa. Sedendosi su uno scalino ragionevolmente pulito, attese che il respiro tornasse regolare. Lì in alto l'aria era meno mefitica, segno che erano in meno a spingersi fin lassù, forse dissuasi dalla salita.

Si mise in ascolto, ma non udì alcun suono. Le squadre di ricerca dovevano essere arrivate ormai all'ultimo piano. Si chiese se la soffiata su Stokes fosse stata fasulla, o se il sospetto fosse riuscito a svignarsela.

Finalmente riprese a salire. Un attimo dopo si rese conto di aver sbagliato a contare i piani, fortunatamente a suo favore. Era arrivato all'ultimo pianerottolo e alla porta spalancata dell'attico, corrispondente al tredicesimo piano.

Tirò un respiro di sollievo e si mise quasi a sorridere all'idea che la scalata fosse finita, quando udì delle grida provenire dal corridoio.

«Eccolo! È là!»

«Stokes, è la Polizia! No...»

Due colpi in rapida successione echeggiarono lungo il corridoio, cancellando il suono delle voci. Bosch estrasse la pistola e si addossò allo stipite, sporgendo la testa per guardare. In quel preciso istante udì altri due colpi e si ritirò prontamente.

L'eco gli impedì di capire da dove provenissero gli spari. Coperto dallo stipite, sbirciò nuovamente nel corridoio. Era buio, ma, in corrispondenza delle stanze, l'oscurità era interrotta da lame di luce. Vide Edgar acquattato in posizione di combattimento dietro due agenti in uniforme. I tre erano girati di spalle, a una ventina di metri da dove si trovava lui, con le armi puntate verso una delle porte aperte.

«È finita!» si sentì gridare. «Cessato pericolo!»

Gli uomini che stavano nel corridoio alzarono le pistole in contemporanea e si mossero verso la porta.

«Polizia di Los Angeles alle vostre spalle!» gridò Bosch, avviandosi per raggiungerli.

Edgar si voltò a guardarlo, mentre seguiva i due uomini in uniforme all'interno della stanza.

Bosch accelerò il passo e stava per entrare anche lui, quando si scostò per lasciar passare un agente che stava parlando nella ricetrasmittente.

«Centrale, abbiamo bisogno un'ambulanza al 41 di Highland. Tredicesimo piano. C'è un ricercato con ferite di arma da fuoco.»

Entrando, Bosch si girò a guardarlo. Il poliziotto era Edgewood. I loro occhi si incrociarono per un istante, poi Edgewood sparì nella penombra del corridoio. Bosch si voltò nuovamente verso l'interno della stanza.

Stokes era seduto in un armadio privo di porte, abbandonato contro la parete posteriore. Aveva le mani in grembo e in una teneva una pistola di dimensioni modeste, una calibro 25 da tasca. Aveva dei fori di entrata sul petto e sotto l'occhio destro. Gli occhi erano aperti, ma era visibilmente morto.

Edgar se ne stava acquattato davanti al corpo, senza toccarlo. Era inutile provare a sentire il battito, e tutti lo sapevano. L'odore di cordite era quasi piacevole rispetto al puzzo che permeava quel luogo.

Bosch si voltò a guardare la stanza. Erano in troppi in uno spazio angusto. Tre agenti in uniforme, Edgar, e un altro tipo in abiti civili che doveva appartenere alla Narcotici. Due degli agenti stavano studiando dei fori di proiettile, nell'intonaco della parete opposta. Uno alzò un dito come per toccarli.

«Giù le mani» abbaiò Bosch. «Vi voglio fuori tutti finché non arrivano quelli dell'ACA. Chi è stato a sparare?»

«Edgewood» rispose quello della Narcotici. «Il tizio era appostato nell'armadio e noi...»

«Mi scusi, il suo nome?»

«È Phillips.»

«D'accordo, Phillips, la sua storia non mi interessa. Se la risparmi per quelli dell'ACA. Vada a cercare Edgewood e aspetti da basso. Quando arriva l'ambulanza, dite che ci siamo sbagliati. Tanto vale che si risparmino tredici piani di scale.»

I poliziotti sciamarono con riluttanza all'esterno, lasciando soltanto Bosch ed Edgar. Questi si alzò e si avvicinò alla finestra, mentre Bosch si allontanò dall'armadio continuando a guardare il corpo. Poi gli si accostò di nuovo e si accocolò nello stesso punto in cui prima era stato Edgar.

Studiò la pistola nella mano di Stokes. Molto probabilmente, quando quelli dell'ACA l'avrebbero esaminata, si sarebbero accorti che il numero di serie era stato cancellato da un acido.

Pensò agli spari che aveva udito mentre era ancora sul pianerottolo. Prima due, poi altri due. Era difficile valutarli adesso, basandosi unicamente sulla memoria, ma i primi due gli erano sembrati molto più forti dei secondi. Il che voleva dire che Stokes aveva usato il suo giocattolo dopo che Edgewood gli aveva sparato con l'arma di servizio, e quindi dopo che era già stato colpito al petto e al volto.

«Cosa ne pensi?» chiese Edgar alle sue spalle.

«Non importa quello che penso. Ormai è morto. Adesso la faccenda è nelle mani dell'ACA.»

«Già, il caso è chiuso, socio. Non dobbiamo più preoccuparci che il procuratore generale decida di aprire un procedimento.»

Bosch annuì. Sapeva che ci sarebbe stato un mucchio di scartoffie da compilare, ma le indagini erano finite. Il caso non si sarebbe concluso con un processo e una condanna, ma sarebbe stato ugualmente iscritto nel registro dei casi risolti.

Edgar gli diede una pacca su una spalla.

«È il nostro ultimo caso insieme, Harry. Un finale alla grande.»

«Già. Dimmi una cosa, questa mattina, durante la riunione, hai menzionato il fatto che molto probabilmente non si sarebbe arrivati a un processo?»

Ci fu un attimo di silenzio, poi Edgar disse: «Sì, è possibile che ne abbia parlato».

«Hai detto per caso che stavamo girando a vuoto? Che il procuratore generale non avrebbe nemmeno incriminato Stokes?»

«Sì, può darsi che abbia aggiunto anche questo. Perché?»

Bosch non rispose. Si alzò e si avvicinò alla finestra. Guardò la città sottostante e, in lontananza, vide l'insegna di Hollywood in cima alla collina. Dipinta sulla fiancata di un edificio, a qualche isolato di distanza, c'era una pubblicità anti-fumo. Il disegno era quello di un cowboy con una sigaretta che gli pendeva dalle labbra, completato da una scritta in cui si diceva che il fumo provoca l'impotenza.

Si voltò nuovamente verso Edgar.

«Resti qui tu finché non arrivano quelli dell'ACA?»

«Sì, certo. Non saranno felici di doversi arrampicare fino al tredicesimo piano.»

Bosch si diresse verso la porta.

«E tu dove vai, Harry?»

Uscì dalla stanza senza rispondere. Per scendere usò le scale all'estremità più lontana del corridoio, così non avrebbe dovuto incontrare gli altri una volta arrivato in fondo.

53

I MEMBRI ANCORA VIVI di quella che un tempo era stata una famiglia erano disposti a triangolo, ognuno su un lato della fossa. La tomba era situata su un leggero pendio nel cimitero di Forest Lawn. Samuel Delacroix e la sua ex moglie si fronteggiavano, separati dalla bara, mentre Sheila si era messa sul lato più corto, di fronte al sacerdote. Madre e figlia si proteggevano con due ombrelli neri dalla pioggia leggera che aveva preso a cadere sin dalla mattina. Il padre, invece, era ormai fradicio, ma nessuna delle due donne gli aveva offerto ospitalità sotto il suo ombrello.

Il rumore della pioggia e il sibilo della freeway che passava a poca distanza soffocavano le parole del pastore, e Bosch non riusciva a sentirlo. Anche lui senza ombrello, aveva cercato riparo sotto una quercia, piuttosto lontano dagli altri. C'era una sorta di predestinazione, pensò, nel fatto che il ragazzo venisse sepolto su una collina.

Aveva chiamato l'ufficio del medico legale per sapere chi si sarebbe occupato del servizio funebre ed era stato indirizzato a Forest Lawn. Aveva appreso anche che era stata la madre del ragazzo a chiedere che le venissero riconsegnati i resti e a organizzare la cerimonia. Bosch era venuto al funerale per il ragazzo, ma anche perché voleva rivedere la donna.

La bara di Arthur Delacroix, di legno lucido con le maniglie cromate, aveva le dimensioni adatte al corpo di un adulto. Era sicuramente una bella bara, lucida come un'auto nuova. La pioggia ne rigava la superficie, per poi scivolare nella fossa sottostante. Ma era decisamente troppo grande per quelle poche ossa, e la cosa disturbava Bosch. Era come vedere un bambino vestito con abiti troppo larghi, ovviamente non suoi, ma passati da un fratello maggiore.

Quando la pioggia cominciò a cadere con più insistenza, anche il sacerdote aprì l'ombrello, tenendo il libro di preghiere con l'altra mano. Finalmente qualche frase riuscì ad arrivare all'orecchio di Bosch. Il prete parlava del regno dei cieli che aveva accolto Arthur e le sue parole gli fecero tornare alla mente Golliher e la sua fede cieca nell'esistenza di quel regno, nonostante le atrocità che il suo lavoro gli prospettava quotidianamente. Bosch, invece, era ancora in una fase di sospensione di giudizio. Lui si sentiva ancora molto attaccato al ben più modesto regno terreno.

Notò che i tre membri della famiglia evitavano di guardarsi. Quando la bara venne abbassata nella fossa e il prete fece il segno della croce finale, Sheila si voltò e si avviò lungo il pendio verso il parcheggio. Per tutta la cerimonia si era comportata come se i genitori non fossero presenti.

Samuel la seguì immediatamente e quando lei, girandosi, si accorse di averlo alle spalle, accelerò il passo. A un tratto buttò via l'ombrello e cominciò a correre. Quando arrivò alla macchina, vi entrò precipitosamente e partì subito, prima che il padre potesse raggiungerla.

Samuel rimase a osservare l'auto di sua figlia che sfrecciava attraverso il cimitero e spariva oltre il cancello. Poi tornò indietro a raccogliere l'ombrello e si diresse alla sua macchina.

Bosch tornò a rivolgere la sua attenzione alla tomba. Anche il prete se n'era andato e, guardandosi attorno, Bosch vide un ombrello nero che si allontanava oltre la cima della collina. Pensò che forse dovesse celebrare un altro funerale in un'altra zona del cimitero.

L'unica rimasta accanto alla tomba di suo figlio era Christine Waters. Bosch restò a osservarla mentre pregava in silenzio, per poi avviarsi verso le due auto superstiti. Scelse un punto in cui avrebbe potuto intercettarla e si avviò. Mentre si avvicinava, lei si fermò a fissarlo.

«Detective Bosch, la sua presenza mi sorprende.»

«Perché?»

«Perché pensavo che quelli come lei non si facessero coinvolgere emotivamente. Essere presenti a un funerale è indice di partecipazione affettiva, non le pare? A maggior ragione se il funerale ha luogo in una giornata piovosa.»

Lui prese a camminarle accanto e lei si offrì di ospitarlo sotto il suo ombrello.

«Perché ha chiesto che le venissero restituiti i resti?» le chiese.

«Perché pensavo che gli altri non l'avrebbero fatto.»

Arrivarono alla strada. La macchina di Bosch era parcheggiata davanti a quella di lei.

«La saluto, detective» disse la donna, e si allontanò.

«Ho qualcosa per lei.»

Christine aprì la portiera e si voltò a guardarlo.

«Di cosa si tratta?»

Lui fece scattare la serratura del bagagliaio. Lei chiuse l'ombrello, lo buttò in macchina e lo raggiunse.

«Qualcuno una volta mi ha detto che la vita non è altro che ricerca della redenzione.»

«Che cosa significa?»

«Che in fondo tutti vogliamo essere perdonati.»

Alzò lo sportello del bagagliaio e ne estrasse una scatola di cartone che le porse.

«Si prenda cura di questi bambini.»

Lei alzò il coperchio e guardò all'interno. La scatola era piena di buste, tenute assieme con degli elastici. C'erano anche delle foto sparse. Sopra le altre, quella del ragazzino del Kosovo con lo sguardo vecchio di mille anni.

«Da dove vengono?» chiese Christine, prendendo in mano la busta di una delle organizzazioni di carità.

«Non ha importanza. Bisogna che qualcuno si prenda cura di loro.»

Lei annuì e rimise a posto il coperchio con delicatezza. Poi prese la scatola e tornò alla sua auto. La depose sul sedile posteriore e, prima di sedersi al posto di guida, lanciò un'occhiata a Bosch. Parve sul punto di dire qualcosa, poi ci ripensò. Si sedette e partì.

Bosch richiuse il bagagliaio e la guardò allontanarsi.

54

L'EDITTO DEL CAPO DELLA POLIZIA era stato ancora una volta ignorato. Bosch accese le luci della sala detective e andò a sedersi al suo posto, al tavolo della Omicidi. Aveva portato con sé due scatoloni vuoti.

Era quasi la mezzanotte di domenica. Aveva deciso di venire a ripulire la scrivania e a portare via le sue cose a quell'ora, proprio perché non ci sarebbe stato nessuno a guardarlo. Gli restava un giorno alla Divisione Hollywood, ma non voleva passarlo a impacchettare oggetti o a trastullarsi con degli addii poco sinceri. La sua idea era quella di poter contare su una bella scrivania pulita all'inizio della giornata e su un pranzo di tre ore da Musso e Frank's, per concludere in bellezza tutta la vicenda.

Avrebbe salutato solo quelli di cui gli importava qualcosa e poi se la sarebbe filata alla chetichella dalla porta posteriore.

Iniziò con l'archivio, prendendo i fascicoli dei casi ancora irrisolti che, a volte, lo tenevano sveglio la notte. Non se la sentiva ancora di metterci una pietra sopra. Pensava che avrebbe potuto occuparsene durante i tempi morti alla Rapine-Omicidi. Oppure ci avrebbe lavorato a casa, la sera.

Dopo che ebbe riempito uno scatolone, passò alla scrivania e cominciò a vuotare i cassetti. Quando estrasse il vaso a chiusura ermetica pieno di proiettili, si fermò. Non vi aveva ancora messo quello che aveva raccolto al funerale di Julia Brasher. Era tuttora su uno scaffale a casa sua, vicino alla foto dello squalo, che avrebbe sempre conservato come promemoria dei pericoli in cui si incappa quando ci si lasciano alle spalle le proprie sicurezze. Il padre di Julia gli aveva permesso di tenerla. Posò delicatamente il vaso sul fondo del secondo scatolone, assicurandosi che fosse tenuto ben fermo dal resto del contenuto. Aprì poi il cassetto di mezzo e cominciò a raccogliere le penne, i taccuini e gli altri oggetti di cancelleria.

Sparsi un po' ovunque c'erano messaggi di vecchie telefonate e biglietti da visita di gente che aveva incontrato nel corso di qualche indagine. Li controllò uno per uno prima di decidere quali tenere e quali buttare nel cestino della carta straccia.

Terminato il lavoro, legò i sopravvissuti con un elastico e li ficcò nello scatolone.

Il cassetto era quasi del tutto vuoto quando gli capitò tra le mani un foglietto piegato. Lo aprì e vide il messaggio:

Dove sei finito, bel fusto?

Bosch rimase a osservarlo a lungo. Quel biglietto gli faceva pensare a tutto quello che era successo dalla prima volta in cui aveva fermato la macchina a Wonderland Avenue, appena tredici giorni prima. A quello che stava facendo e che avrebbe fatto in seguito. A Trent, a Stokes, ma soprattutto ad Arthur Delacroix e a Julia Brasher. Gli faceva pensare a quello che Golliher aveva detto esaminando le vittime di omicidi commessi millenni prima. E improvvisamente intuì la risposta alla domanda scritta su quel pezzo di carta.

Tornò a piegarlo e lo mise nella scatola. Si guardò le mani, osservò le cicatrici che gli solcavano le nocche, se le sfiorò con le dita. E pensò a tutte le cicatrici che aveva dentro, residuo di altrettanti pugni sferrati contro muri invisibili.

Aveva sempre pensato che si sarebbe sentito perduto senza il suo distintivo e la sua missione. Ma in quell'attimo si rese conto che rischiava di perdersi anche se li avesse tenuti. Anzi, forse proprio per questo. La cosa a cui era convinto di non poter rinunciare era la stessa che lo avvolgeva in un sudario di futilità.

Così prese la sua decisione.

Ficcò la mano nella tasca posteriore e ne estrasse il tesserino di identificazione. Sfilò la carta d'identità dallo scomparto di plastica e sganciò il distintivo. Passò il pollice sui rilievi che componevano la parola *detective,* e gli parve di sentire le cicatrici che aveva sulle mani.

Ripose il tutto nel cassetto.

Poi estrasse la pistola dalla fondina, la fissò a lungo e mise anch'essa nel cassetto, che chiuse a chiave. Si alzò e attraversò la stanza, diretto all'ufficio di Grace Billets. La porta era aperta. Depose la chiave del cassetto e quella della macchina sul piano della scrivania. Era sicuro che, non vedendolo arrivare la mattina seguente, si sarebbe incuriosita e sarebbe andata a controllare. Allora avrebbe capito che il suo era un addio senza ritorno. Non sarebbe più tornato, né alla Divisione Hollywood, né alla Rapine-Omicidi. Capitolo chiuso.

Riattraversando la sala detective si guardò attorno e fu assalito da un senso di vuoto. Ma non ebbe esitazioni. Arrivato alla scrivania, mise uno scatolone sopra l'altro e li trasportò verso l'ingresso principale, lasciando le luci accese. Aprì di schiena la pesante porta della stazione, poi si rivolse all'agente seduto dietro al bancone.

«Ehi, mi chiami un taxi, per favore?»

«Certo, ma con questo tempo ci vorrà un po'. Ti conviene aspettare dentro.»

La porta si chiuse, interrompendo la voce dell'altro. Bosch si fermò sul marciapiede.

Era una notte fredda e umida, e le nuvole coprivano la luna. Tenendo stretti gli scatoloni, si mise ad attendere sotto la pioggia.

La porta si chiuse, lasciate dall'altro. Jessica
si fermò sul marciapiede.

... non bene fredda se molti ... le tempo di prevenirla ...
fiume. I fanali stessi ... i suoi occhi scrutarono il marciapiede e stretto
la propria.